De verdediging

D1413288

De boeken van John Grisham zijn nu ook verkrijgbaar als e-book

De aanklacht

Achter gesloten deuren

Advocaat van de duivel

De afperser

De bekentenis

De belofte

De beschuldiging

De broederschap

De claim

De cliënt

De deal

Dilemma

Het dossier

De erfgenaam

De erfpachters

In het geding

De getuige

De gevangene

De jury

Het laatste jurylid

De ontvoering

De partner

Het proces

Het protest

De rainmaker

De straatvechter

Het testament

De verbanning

Vergiffenis

Verloren seizoen

Het vonnis

De wettelozen

Winterzon

Bezoek onze internetsite www.awbruna.nl voor informatie over onze boeken, volg @AWBruna op Twitter of bezoek onze Facebook-pagina Facebook.com/AWBrunaUitgevers.

John Grisham

De verdediging

A.W. Bruna Uitgevers

Oorspronkelijke titel
Rogue Lawyer
Copyright © 2015 by Belfry Holdings, Inc.
Vertaling
Jolanda te Lindert
Auteursfoto
© Daniel Mayer, Agentur Focus
Omslagbeeld
© Tim Robinson/Arcangel Images
Omslagontwerp
Studio Jan de Boer
© 2015 A.W. Bruna Uitgevers, Amsterdam

ISBN gebonden editie 978 94 005 0634 3
ISBN paperbackeditie 978 94 005 0633 6
ISBN e-bookeditie 978 90 449 7447 8
NUR 332

Dit boek is gedrukt op papier dat het keurmerk van de Forest Stewardship Council (FSC®) mag dragen. Bij dit papier is het zeker dat de productie niet tot bosvernietiging heeft geleid. Een flink deel van de grondstof is afkomstig uit bossen en plantages die worden beheerd volgens de regels van FSC. Van het andere deel van de grondstof is vastgesteld dat hiervoor geen houtkap in de laatste resten waardevol bos heeft plaatsgevonden. Daarom mag dit papier het FSC Mixed Sources label dragen. Voor dit boek is het FSC-gecertificeerde Munkenprint gebruikt. Dit papier is 100% chloor- en zwavelvrij gebleekt en wordt geleverd door Arctic Paper Munkedals AB, Zweden.

Deel 1
Minachting van het hof

1

Mijn naam is Sebastian Rudd, en hoewel ik een bekende straatadvocaat ben, zul je mijn naam niet zien op billboards en bushokjes, en schreeuwt die je ook niet toe vanaf de pagina's van de Gouden Gids. Ik betaal niet voor reclametijd op tv, hoewel ik daar wel vaak op te zien ben. Mijn naam staat in geen enkel telefoonboek. Ik heb geen normaal kantoor. Ik draag een wapen, waar ik een vergunning voor heb, omdat mijn naam en gezicht vaak de aandacht trekken van het soort mensen dat ook een wapen heeft en er geen enkel probleem mee heeft dat te gebruiken. Ik woon alleen, ik slaap meestal alleen en ik ben niet geduldig en begripvol genoeg om vriendschappen te onderhouden. Het recht is mijn leven – altijd veeleisend en een enkele keer bevredigend. Ik zou het geen 'jaloerse minnares' willen noemen, zoals iemand die heel beroemd was en nu is vergeten ooit deed. Het is eerder een dominante echtgenote die het chequeboekje beheert – geen ontsnappen aan.

Tegenwoordig slaap ik in goedkope motelkamers, elke week in een andere. Niet om geld uit te sparen, maar gewoon om in leven te blijven. Op dit moment zijn er heel veel mensen die me zouden willen vermoorden, van wie een paar dat zelfs heel expliciet hebben gezegd. Tijdens je rechtenstudie vertelt niemand je dat je ooit misschien iemand verdedigt die zo'n gruwelijk misdrijf heeft gepleegd dat mensen die normaal heel vreedzaam zijn de neiging krijgen een wapen te pakken en de verdachte, zijn advocaat en zelfs de rechter te vermoorden.

Ach, ik ben wel vaker bedreigd. Dat hoort erbij als je een *rogue* advocaat bent, een specialisatie binnen het beroep waar ik tien jaar geleden min of meer per ongeluk in verzeild ben geraakt. Na mijn rechtenstudie was werk vinden moeilijk, zodat ik met tegenzin parttime aan de slag ging bij een pro-Deoadvocatenkantoor in de City. Later werkte ik bij een klein, niet-winstgevend kantoor dat alleen strafzaken deed en na een paar jaar failliet ging. Daarna was ik op mezelf aangewezen, werkloos net als heel veel anderen, en scharrelde ik mijn kostje bij elkaar.

Ik ben door één zaak bekend geworden. Ik kan niet zeggen dat ik beroemd werd; een advocaat in een stad met een miljoen inwoners kan dat immers onmogelijk worden. Heel veel middelmatige lieden hier denken dat ze beroemd zijn; vanaf billboards kijken ze met een glimlach op je neer, ze smeken je of ze jouw faillissement mogen behandelen en ze scheppen op in tv-reclames, waarbij ze net doen alsof ze ontzettend begaan met je zijn. Zij moeten wel voor hun eigen publiciteit betalen, maar ik dus niet.

Elke week verblijf ik in een ander goedkoop motel. Ik zit nu midden in een rechtszaak in Milo, een troosteloos, godvergeten *redneck*-stadje, twee uur rijden van mijn motel in de City. Ik verdedig een achttienjarige schoolverlater met een hersenbeschadiging die is beschuldigd van moord op twee kleine meisjes. Het is een van de wreedste misdaden die ik ooit heb meegemaakt, en dat zijn er nogal wat. Mijn cliënten zijn bijna altijd schuldig en dus verspil ik geen tijd met me bezighouden met de vraag of ze wel of niet hun verdiende loon krijgen. Maar Gardy is niet schuldig. Niet dat het iets uitmaakt, want dat doet het niet. Het enige wat in Milo van belang is, is dat Gardy wordt veroordeeld en de doodstraf krijgt en zo snel mogelijk wordt geëxecuteerd, zodat de rust en vrede kunnen terugkeren in het stadje en het leven verder kan gaan. Waarmee? Ik heb verdomme geen idee, en het kan me niets schelen ook. Dit stadje gaat al vijftig jaar lang terug in de tijd en daar verandert één achterlijk vonnis echt niets aan. Ik heb gelezen en horen zeggen dat Milo behoefte heeft aan een 'afsluiting', wat dat ook moge betekenen. Je moet wel heel stom zijn om te denken dat dit stadje zal groeien, tot bloei zal komen en toleranter zal worden zodra Gardy de naald krijgt.

Mijn werk is gelaagd en ingewikkeld, en tegelijkertijd heel eenvoudig. De overheid betaalt me om een eersteklasverdediging op te zetten voor een verdachte die beschuldigd is van moord en eist van me dat ik vecht en graai en stampij maak in een rechtszaal waar niemand luistert. Eigenlijk was Gardy al veroordeeld op de dag van zijn arrestatie, zodat zijn proces slechts een formaliteit is. De stomme, wanhopige politieagenten hier hebben de aanklacht verzonnen en de bewijzen zelf gefabriceerd. De officier van justitie weet dit, maar heeft geen ruggengraat en wil volgend jaar worden herkozen. De rechter slaapt. De juryleden zijn in wezen aardige, eenvoudige mensen die met grote ogen het proces bijwonen en maar al te graag de leugens slikken die hun trotse autoriteiten in het getuigenbankje opdissen.

In Milo zijn ook veel goedkope motels, maar daar kan ik niet logeren, want dan zou ik worden gelyncht, levend worden gevild of op de brandstapel belanden, of als ik geluk heb, zou een sluipschutter me een kogel tussen de ogen schieten en was het in een fractie van een seconde voorbij. De staatspolitie beschermt me tijdens het proces, maar ik krijg sterk de indruk dat deze jongens niet echt hun best doen. Ze vinden me net als de meeste andere mensen een langharige, fanatieke schurk die ziek genoeg is om te vechten voor de rechten van kindermoordenaars en dat soort lui.

Nu zit ik in een Hampton Inn, ongeveer vijfentwintig minuten rijden van Milo. Het kost zestig dollar per nacht, die de staat me zal terugbetalen. In de kamer naast me zit Partner, een lompe, zwaarbewapende vent die altijd een zwart pak draagt en me overal naartoe brengt. Partner is mijn chauffeur, bodyguard, vertrouweling, juridisch assistent, caddie en enige vriend. Ik heb zijn trouw verdiend toen een jury hem niet schuldig bevond aan de moord op een undercover-narcotica-agent. We verlieten de rechtszaal arm in arm, en zijn sindsdien onafscheidelijk. Ten minste twee keer heeft een agent die geen dienst had geprobeerd hem te vermoorden, en één keer was ik het doelwit.

We staan nog steeds rechtovereind. Of misschien zou ik moeten zeggen dat we nog steeds gebukt staan.

2

Om acht uur 's ochtends klopt Partner op mijn deur. Het is tijd om te vertrekken. We wensen elkaar goedemorgen en stappen in mijn auto, een grote zwarte Ford-bestelbus die helemaal aan mijn eisen is aangepast. Omdat het busje ook als kantoor fungeert, staan de achterste stoelen rondom een tafeltje dat tegen de wand geklapt kan worden. Er staat een bank waarop ik 's nachts vaak slaap. Alle ramen zijn getint en kogelbestendig. Verder zijn aanwezig een tv, een stereo-installatie, een internetverbinding, een koelkast, een voorraad drank, een paar geweren en schone kleding.

Ik zit voorin naast Partner en terwijl we de parkeerplaats verlaten, pakken we onze worstenbroodjes uit. Twee onherkenbare auto's van de staatspolitie rijden met ons mee, eentje voor en eentje achter ons. De laatste doodsbedreiging kwam twee dagen geleden, per e-mail.

Partner zegt nooit iets tenzij hem iets wordt gevraagd. Ik heb die regel niet opgesteld, maar ik vind hem geweldig. Partner stoort zich totaal niet aan lange stiltes tijdens ons samenzijn; ik ook niet. We zeggen al jaren bijna niets tegen elkaar en communiceren met knikjes en knipogen en zwijgzaamheid.

Halverwege Milo sla ik een dossier open en begin aantekeningen te maken.

De dubbele moord was zo gruwelijk dat geen enkele advocaat uit het stadje de zaak wilde aannemen. Toen werd Gardy gearresteerd. Na één blik op hem wist je al dat hij schuldig is: hij heeft lang, pikzwart geverfd haar, een verbijsterend aantal piercings boven zijn hals en eronder, bijpassende stalen oorringen, kille lichte ogen en een grijns die zegt: oké, ik heb het gedaan. Nou en? In het eerste artikel over deze zaak beschreef de plaatselijke krant van Milo hem als 'een lid van een satanische sekte die bekendstaat om het mishandelen van kinderen'.

Hoezo eerlijke en onbevooroordeelde verslaggeving? Hij is nooit lid geweest van zo'n sekte en dat mishandelen van kinderen is niet wat het lijkt. Maar vanaf dat moment was Gardy schuldig. Het verbaast me nog altijd dat we zover zijn gekomen, want ze wilden hem maanden geleden al ophangen.

Ik hoef natuurlijk niet te zeggen dat iedere advocaat in Milo zijn deur op slot deed en de telefoon uitzette. Er is geen officieel pro-Deo-advocatensysteem in dit stadje, daarvoor is het te klein. De zaken van armlastige mensen verdeelt de rechter. Er is een ongeschreven regel dat de jonge advocaten in de stad deze slechtbetaalde zaken doen, omdat 1) iemand het moet doen en 2) de oudere advocaten dat hebben gedaan toen zij nog jong waren. Niemand was echter bereid Gardy te verdedigen, wat ik ze eerlijk gezegd niet echt kwalijk kan nemen. Het is hun stadje en hun leven, en het kan heel schadelijk zijn voor je carrière als je zo'n gestoorde moordenaar verdedigt.

Als samenleving geloven we in een eerlijk proces voor iedereen die van een ernstig misdrijf wordt beschuldigd, maar enkele mensen hebben moeite met het feit dat er een competente advocaat nodig is om dat eerlijke proces te garanderen. Advocaten horen steeds weer de vraag: 'Maar hoe verdedig je zulk tuig?' Dan zeg ik: 'Iemand moet het doen', en loop weg.

Willen we echt eerlijke processen? Nee, dat willen we niet. We willen gerechtigheid, en snel. En wat gerechtigheid is, hangt van de zaak af.

Het is maar goed ook dat we niet in eerlijke processen geloven, want die bestaan dus niet. We gaan er niet van uit dat iemand ónschuldig is tenzij het tegendeel wordt bewezen, maar dat iemand schúldig is tenzij het tegendeel wordt bewezen. De bewijslast is een lachertje, omdat het vaak uit leugens bestaat. 'Zonder enige twijfel schuldig' betekent: als er ook maar een vermoeden bestaat dat hij het heeft gedaan, dan halen we hem van de straat.

Hoe dan ook, de advocaten vluchtten de heuvels in en dus had Gardy niemand. Het zegt iets, goed of slecht, over mijn reputatie dat ik algauw werd gebeld. In juridische kringen in dit deel van de staat is het algemeen bekend dat je, als je niemand anders kunt vinden, Sebastian Rudd moet bellen, want hij verdedigt iedereen!

Na Gardy's arrestatie verzamelde zich een menigte voor het huis van bewaring die gerechtigheid eiste. Toen de politie hem lopend naar een busje bracht voor de rit naar de rechtbank, werd hij door de mensen uitgescholden en bekogeld met tomaten en stenen. Hiervan werd uitgebreid verslag gedaan door de plaatselijke krant, en het haalde zelfs het avondnieuws van de City (in Milo is geen radio- of tv-zender, alleen een onbelangrijk kabelbedrijf). Ik eiste dat het proces elders werd gevoerd en smeekte de rechter om de zaak minstens honderdvijftig kilometer hiervandaan te laten voorkomen, zodat we hopelijk een paar juryleden konden vinden die de knul nog niet hadden zwartgemaakt of hem tijdens het avondeten hadden vervloekt. Maar dat werd geweigerd. Alle moties die ik vóór het proces heb ingediend, werden verworpen. Zoals ik al zei, de stad wil gerechtigheid, afsluiting.

Er staat geen menigte om mij en mijn bestelbus te begroeten als we het steegje achter het rechtbankgebouw in rijden. Er wachten alleen een paar vaste klanten. Ze staan niet ver weg, achter een politieafzetting, en houden stomme protestborden omhoog met intelligente leuzen als 'Ophangen die babymoordenaar!', 'De duivel wacht al!' en 'Rottige Rudd, rot op!' Er staan een stuk of twaalf van die zielige lui, alleen om me uit te jouwen en te laten merken dat ze de pest hebben aan Gardy, die over een minuut of vijf op dezelfde plek zal arriveren. Tijdens de eerste dagen van het proces trokken een paar van dit kleine groepje de aandacht van de camera's en haalden zij en hun protestborden de kranten. Hierdoor aangemoedigd staan ze er nu elke ochtend. Fat Susie houdt het 'Rottige Rudd'-bord omhoog en kijkt alsof ze me het liefst wil doodschieten. Bullet Bob beweert een familielid te zijn van een van de dode meisjes en schijnt te hebben gezegd dat een proces tijdverspilling is. Daar had hij gelijk in, vrees ik.

Zodra de bus stilstaat, loopt Partner er snel omheen naar mijn portier, waar hij wordt opgewacht door drie jonge hulpsheriffs, ongeveer even groot als hijzelf. Ik stap uit en word goed afgeschermd. Terwijl Bullet Bob roept dat ik een hoer ben, word ik via de achterdeur het rechtbankgebouw in geduwd. Hè hè, alweer veilig binnen. Ik ken geen enkele recente rechtszaak waarbij een advocaat die tijdens een proces een rechtbank binnenloopt wordt doodgeschoten, maar toch heb ik me al neergelegd bij de mogelijkheid dat ik weleens de eerste kan zijn.

Ze nemen me mee een smalle achtertrap op, voor ieder ander verboden terrein, en brengen me naar een klein vertrek zonder ramen, waar de gevangenen vroeger moesten wachten tot de rechter hen bij zich riep. Een paar minuten later komt Gardy binnen, ook ongedeerd. Partner verlaat het vertrek en doet de deur achter zich dicht.

'Hoe gaat ie?' vraag ik als we alleen zijn.

Gardy glimlacht en wrijft over zijn polsen, de komende uren zonder boeien. 'Oké, denk ik. Niet veel geslapen.'

Hij heeft ook niet gedoucht; dat durft hij niet. Hij probeert het af en toe, maar dan draaien ze de warmwatertoevoer dicht. Dus stinkt Gardy naar oud zweet en smerige lakens. Ik ben blij dat hij zo ver bij de jury vandaan zit. De zwarte verf verdwijnt langzaam uit zijn haar dat elke dag lichter wordt; ook zijn huid wordt bleker. Hij verandert van kleur voor het oog van de jury, alweer een duidelijk teken van zijn beestachtige vermogens en satanische neigingen.

'Wat gaat er vandaag gebeuren?' vraagt hij, met een bijna kinderlijke nieuwsgierigheid. Hij heeft een IQ van 70, net voldoende om te worden berecht en ter dood gebracht.

'Meer van hetzelfde, Gardy, vrees ik. Gewoon meer van hetzelfde.'

'Kun je ervoor zorgen dat ze stoppen met liegen?'

'Nee, dat kan ik niet.'

De staat heeft geen harde bewijzen die Gardy met de moorden verbinden. *Nada*. Maar in plaats dat de staat zijn gebrek aan bewijs evalueert en zijn zaak heroverweegt, doet hij wat hij vaak doet: doorploeteren met leugens en verzonnen getuigenverklaringen.

Gardy is nu al twee weken gedwongen om in de rechtszaal deze leugens aan te horen. Dan sluit hij zijn ogen en schudt hij langzaam zijn hoofd. Hij kan urenlang zijn hoofd schudden; de juryleden zullen wel denken dat hij stapelgek is. Ik heb hem gezegd dat hij daarmee moet ophouden, dat hij rechtop moet gaan zitten, een pen moet pakken en aantekeningen moet maken alsof hij echt hersens heeft en wil terugvechten, om te winnen. Maar dat kan hij gewoon niet en in de rechtszaal kan ik niet met mijn cliënt in discussie gaan. Ik heb hem ook gezegd dat hij zijn armen en hals moet bedekken om de tatoeages te verbergen, maar hij is er trots op. Ik heb hem gezegd dat hij zijn piercings eruit moet halen, maar hij wil per se laten zien wie hij is. De slimme mensen die de leiding hebben over het huis van bewaring in Milo, verbieden alle soorten piercings, tenzij je natuurlijk Gardy heet en terug moet naar de rechtszaal. In dat geval mag je ze zelfs op je gezicht laten aanbrengen. Zorg maar dat je er zo ziek en griezelig en satanisch mogelijk uitziet, Gardy, dan hebben de mensen er geen enkele moeite mee te geloven dat je schuldig bent.

Aan een spijker hangt een kleerhanger met hetzelfde witte overhemd en dezelfde kakikleurige broek die hij elke dag draagt; ik heb deze goedkope kleren betaald. Langzaam ritst hij de oranje overall open en stapt eruit. Hij draagt geen ondergoed, iets wat ik op de eerste proces-dag al zag en sindsdien probeer te negeren. Hij kleedt zich langzaam aan en zegt: 'Zoveel leugens.'

En hij heeft gelijk. De staat heeft tot nu toe negentien getuigen op-geroepen en niet een van hen kon de verleiding weerstaan zijn verhaal een beetje op te kloppen, of domweg te liegen. De patholoog van het criminologisch lab van de staat vertelde de jury dat de twee slachtof-fertjes zijn verdronken, maar hij voegde er ook aan toe dat dit mede te danken was aan een 'met brute kracht toegebracht trauma' aan hun hoofd. Voor de officier van justitie klinkt het verhaal een stuk beter als de jury gelooft dat de meisjes voordat ze in het meer zijn gesmeten, zijn verkracht en bewusteloos zijn geslagen. Er is geen enkel bewijs dat ze op welke manier dan ook seksueel zijn misbruikt, maar dat heeft de openbaar aanklager er niet van weerhouden het wel onderdeel van zijn zaak te maken. Ik heb drie uur lang met de patholoog geruzied, maar het is lastig discussiëren met een expert, zelfs als hij incompetent is.

Omdat de staat geen bewijzen heeft, is hij wel gedwongen er een paar te verzinnen. De idiootste getuigenverklaring werd afgelegd door een verklikker uit het huis van bewaring met de treffende bijnaam Smut – vuiligheid. Smut is een geroutineerde rechtszaalleugenaar die heel vaak getuigt en bereid is alles te zeggen wat de officieren van justitie willen dat hij zegt. Op het moment van Gardy's proces zat Smut weer in het huis van bewaring voor drugshandel en kon hij tien jaar krijgen. De politie had een getuigenverklaring nodig en toen stond Smut hun, niet verrassend, ter beschikking. Ze vertelden hem een paar details van de moorden en plaatsten Gardy vervolgens over naar het huis van be-waring van de *county* waar Smut zat. Gardy wist niet waarom hij werd overgeplaatst en ook niet dat hij in de val liep. (Het gebeurde voordat ik erbij werd betrokken.) Ze stopten hem in een kleine cel met Smut, die graag praatte en hem op alle mogelijke manieren wilde helpen.

Smut beweerde dat hij de politie haatte en een paar goede advocaten kende, en dat hij over de moord op de twee meisjes had gelezen en ook een idee had wie het echt had gedaan. Omdat Gardy helemaal niets van de moorden af wist, kon hij niets aan het gesprek toevoegen. Ondanks dat beweerde Smut nog geen vierentwintig uur later dat hij een volle-dige bekentenis van Gardy had gekregen. De politie haalde hem uit de cel en Gardy zag hem pas tijdens het proces weer terug.

Getuige Smut had zichzelf helemaal opgedoft, droeg een overhemd met stropdas, had kort haar en verborg zijn tatoeages voor de jury. Verbazingwekkend gedetailleerd herhaalde hij Gardy's verklaring: dat hij de twee meisjes in het bos was gevolgd, ze van hun fiets had geduwd, gekneveld en geboeid, daarna mishandeld, verkracht en bewusteloos geslagen had voordat hij ze in het meer had gesmeten. In Smuts versie was Gardy high van de drugs en had hij naar heavy metal geluisterd.

Het was een fantastisch optreden. Ik wist, net als Gardy, Smut, de politie én de officieren van justitie, dat het één grote leugen was en ik denk dat ook de rechter zijn twijfels had. Toch slikten de juryleden het allemaal, ze walgden ervan en keken met een blik vol haat naar mijn cliënt die het hoofdschuddend en met gesloten ogen aanhoorde. Nee, nee. Smuts getuigenverklaring was zo hartverscheurend gruwelijk en zo gedetailleerd dat het af en toe bijna niet te geloven was dat hij het allemaal verzon. Niemand kan immers zo liegen!

Ik legde Smut acht uur lang het vuur na aan de schenen, een hele uitputtende dag lang. De rechter was chagrijnig en de juryleden hadden rode ogen van vermoeidheid, maar ik had er wel een week mee kunnen doorgaan. Ik vroeg aan Smut tijdens hoeveel strafprocessen hij al had getuigd. Hij zei misschien twee keer. Ik haalde de dossiers tevoorschijn, friste zijn geheugen op en nam de negen andere rechtszaken met hem door, waarbij hij voor onze eerlijke en rechtvaardige officieren van justitie hetzelfde wonder had verricht. Nadat ik zijn vertroebelde geheugen een beetje had opgefrist, vroeg ik hem hoe vaak hij strafvermindering had gekregen nadat hij in de rechtszaal had gelogen. Hij zei nooit, dus nam ik alle negen zaken weer een keer door. Ik liet alle documenten zien en maakte het volkomen duidelijk voor iedereen, vooral voor de juryleden, dat Smut een liegende, seriële verklikker was die een valse getuigenverklaring aflegde om er zelf iets mee te winnen.

Ik geef toe dat ik nog weleens kwaad word in de rechtszaal, vaak met alle gevolgen van dien. Ik botvierde mijn woede op Smut en pakte hem zo meedogenloos hard aan dat een paar juryleden medelijden met hem kregen. Ten slotte zei de rechter dat ik verder moest gaan, maar dat deed ik niet. Ik haat leugenaars, vooral leugenaars die zweren de waarheid te vertellen en vervolgens een valse getuigenverklaring afleggen om mijn cliënt veroordeeld te krijgen. Ik schreeuwde tegen Smut, de rechter schreeuwde tegen mij en soms leek het wel alsof iedereen schreeuwde. Dat was niet bepaald bevorderlijk voor Gardy's zaak.

Je zou denken dat de officier van justitie zulke leugenaars wel zou inruilen voor meer geloofwaardige getuigen, maar daar moet je natuurlijk wel enige intelligentie voor bezitten. Zijn volgende getuige was een andere gevangene, weer een drugsverslaafde. Deze man beweerde dat hij in de gang vlak bij Gardy's cel had gestaan en zijn bekentenis aan Smut had gehoord. Leugens boven op leugens.

'Zorg alsjeblieft dat ze stoppen,' zegt Gardy.

'Dat probeer ik. Ik doe mijn uiterste best. We moeten gaan.'

3

Een hulpsheriff brengt ons naar de rechtszaal, die alweer bomvol zit en waar een gespannen, afwachtende stemming heerst. Dit is de tiende dag van de getuigenverklaringen en inmiddels heb ik het idee dat er in dit godvergeten stadje verder helemaal niets te doen is. Wij zijn het amusement! De rechtszaal zit zo vol, dat de mensen zelfs tegen de muren staan. Goddank is het buiten koel, anders zouden we allemaal bezweet raken.

Iedereen die wordt beschuldigd van moord moet tijdens zijn proces worden verdedigd door twee advocaten. Mijn *co-counsel* oftewel *second chair* is Trots, een dikke, aantrekkelijke, maar domme knaap die zijn bul zou moeten verbranden en de dag waarop hij ooit droomde dat hij zijn gezicht in een rechtszaal kon laten zien zou moeten vervloeken. Hij komt uit een stadje dertig kilometer hiervandaan. Ver genoeg, dacht hij, om hem te beschermen tegen de onaangename consequenties van zijn betrokkenheid bij Gardy's nachtmerrie. Trots bood spontaan aan de voorbereidende werkzaamheden te verrichten en had zich vast voorgenomen het schip te verlaten voordat het echte proces zou beginnen. Dat was niet helemaal gelukt. Hij verklootte zijn taken op een manier waarop alleen een groentje dat kan en probeerde zich vervolgens terug te trekken. Dat gaat dus niet gebeuren, zei de rechter. Daarna dacht Trots dat het misschien een goed idee was om als tweede advocaat op te treden – een beetje ervaring opdoen, de druk van een echt proces voelen en zo –, maar na een paar doodsbedreigingen dacht hij er niet langer zo over. Bedreigingen zijn voor mij iets van alledag, net als mijn ochtendkoffie en liegende politieagenten.

Ik heb drie moties ingediend om van Trots als co-counsel af te komen; allemaal verworpen natuurlijk. Dus zitten Gardy en ik vast aan een idioot aan onze tafel die eerder een belemmering is dan een hulp. Trots zit zo ver mogelijk bij ons vandaan, hoewel ik hem dat gezien Gardy's hygiënische toestand niet echt kwalijk kan nemen.

Twee maanden geleden vertelde Gardy me dat Trots, toen deze hem voor het eerst in het huis van bewaring van de county ondervroeg, geschokt reageerde toen Gardy hem vertelde dat hij onschuldig was. Ze maakten er zelfs ruzie over. Hoezo een fanatieke verdediger?

Trots zit dus aan het einde van de tafel met gebogen hoofd zinloze aantekeningen te maken, zonder iets te zien of te horen, maar hij voelt de blik van alle mensen die achter ons zitten, ons haten en ons tegelijk met onze cliënt willen opknopen. Trots denkt dat ook dit voorbij zal gaan en dat hij na dit proces gewoon kan doorgaan met zijn leven en met zijn carrière. Dat denkt hij dus verkeerd. Zodra het kan dien ik een klacht in bij de orde van advocaten en beschuldig ik Trots van 'incompetente juridische assistentie' voorafgaand aan en tijdens het proces. Dat heb ik al eens eerder gedaan en ik weet hoe ik dat moet aanpakken. Ik ben gewend om in de clinch te liggen met de orde en ik ken de spelregels. Zodra ik klaar ben met Trots zal hij zich smekend overgeven en een baantje gaan zoeken bij een tweedehandsautodealer. Gardy zit tussen ons in aan de tafel, maar Trots kijkt niet naar zijn cliënt en zegt ook niets tegen hem.

Huver, de officier van justitie, komt naar me toe en overhandigt me een vel papier. Niemand zegt goedemorgen of hallo. Een onschuldige opmerking zit er door onze verstandhouding niet meer in, een beleefd gebrom van een van ons zou al een verrassing zijn. Ik heb net zo de pest aan deze man als hij aan mij, maar ik heb het voordeel dat ik het hele spel haat. Ik heb bijna maandelijks te maken met arrogante officieren van justitie die liegen, bedriegen, tegenwerken, verdoezelen, de ethiek negeren en alles uit de kast halen om een verdachte maar veroordeeld te krijgen, zelfs als ze de waarheid kennen en de waarheid hun vertelt dat ze fout zitten. Ik ken die lui dus – dat type, de onderklasse van de advocatuur – die boven de wet staan omdat ze de wet zíjn. Huver heeft echter zelden te maken met een rogue advocaat zoals ik omdat hij, jammer voor hem, niet veel sensationele zaken krijgt en slechts zelden eentje waarbij de verdachte wordt bijgestaan door een pitbull van een advocaat. Als hij vaker met fanatieke advocaten te maken zou hebben, zou hij eerder geneigd zijn ons te haten. Voor mij is dat een manier van leven.

Ik neem het papier van hem aan en vraag: 'En, welke leugenaar laat je vandaag opdraven?'

Hij zegt niets en loopt de paar meter terug naar zijn tafel, waar zijn

juridisch assistenten in hun zwarte pak belangrijk zitten te doen en
een overdreven show opvoeren voor hun thuispubliek. Zij worden
hier tentoongesteld, dit is het belangrijkste optreden van hun ellendige, godvergeten carrière. Ik krijg vaak de indruk dat iedereen in het
kantoor van het Openbaar Ministerie die kan lopen, kan praten, een
goedkoop pak kan dragen en een nieuwe attachékoffer kan dragen aan
deze tafel zit om ervoor te zorgen dat 'recht wordt gedaan'.

De gerechtsbode roept iets, ik sta op, rechter Kaufman komt binnen en dan gaan we zitten. Gardy weigert op te staan uit respect voor
de belangrijke man. In eerste instantie werd zijne edelachtbare daar
woedend om. Op de eerste procesdag – wat nu al maanden geleden
lijkt – snauwde hij tegen mij: 'Meneer Rudd, wilt u uw cliënt alstublieft
verzoeken op te staan?'

Dat deed ik, en Gardy weigerde. Hierdoor werd de rechter in ver-
legenheid gebracht; later bespraken we dit in zijn kamer. Hij dreigde
mijn cliënt tijdens het hele proces te laten opsluiten wegens minachting van het hof. Ik probeerde hem hierin aan te moedigen maar zei
per ongeluk dat zo'n overdreven reactie tijdens de behandeling in beroep herhaaldelijk zou worden aangehaald. Gardy vroeg me, heel verstandig: 'Wat kunnen ze met me doen wat ze nog niet hebben gedaan?'

Dus begint rechter Kaufman de ceremonie elke dag met een langdu-
rige, vuile blik richting mijn cliënt, die meestal onderuitgezakt op zijn
stoel zit, in zijn neus peutert of met gesloten ogen zijn hoofd schudt. Ik
weet niet aan wie Kaufman het meest de pest heeft, aan de advocaat of
de cliënt. Net als ieder ander in Milo is hij er al heel lang van overtuigd
dat Gardy schuldig is. En, net als ieder ander in de rechtszaal, heeft hij
al vanaf de eerste dag de pest aan me.

Maakt niet uit. In mijn beroep heb je zelden bondgenoten en maak
je snel vijanden.

Omdat hij, net als Huver, volgend jaar herkozen wil worden laat
Kaufman zijn nepglimlach zien en heet hij iedereen voor een nieuwe
interessante dag op zoek naar de waarheid welkom in zijn rechtszaal.
Tijdens de lunchpauze heb ik een keer uitgerekend dat er ongeveer 310
mensen achter me zitten. Op Gardy's moeder en zus na bidt iedereen
fanatiek voor een veroordeling gevolgd door een snelle executie. Daar
moet rechter Kaufman voor zorgen, de rechter die tot nu toe elke leu-
genachtige getuigenverklaring die de staat heeft geregeld heeft toegestaan. Soms lijkt het wel alsof hij denkt dat hij misschien één of twee

stemmen minder zal krijgen als hij een van mijn bezwaren toestaat.

Zodra iedereen op zijn plek zit, komt de jury binnen. Veertien mensen zitten op elkaar geropt in de jurybank – de gekozen twaalf juryleden plus twee reserves voor het geval iemand ziek wordt of iets verkeerds doet. Ze worden niet afgezonderd (hoewel ik dat wel heb verzocht), zodat ze 's avonds gewoon naar huis kunnen en Gardy en mij tijdens het avondeten kunnen zwartmaken. Aan het einde van elke middag worden ze door zijne edelachtbare gewaarschuwd dat ze niets over de zaak met wie dan ook mogen bespreken, maar als ze wegrijden kun je ze al bijna horen kletsen. Zij hebben zich al een mening gevormd. Als ze nu moesten stemmen, voordat we zelfs maar een getuige à decharge kunnen laten opdraven, zouden ze Gardy schuldig bevinden en zijn executie eisen. Daarna zouden ze als helden teruggaan naar huis en de rest van hun leven over dit proces blijven praten. Als Gardy de naald krijgt, zullen ze heel trots zijn op de cruciale rol die ze hebben gespeeld om het recht te laten zegevieren. Ze zullen belangrijke figuren worden in Milo, worden gefeliciteerd, aangesproken op straat, herkend in de kerk.

Nog steeds energiek verwelkomt Kaufman hen weer, bedankt ze voor het uitoefenen van hun burgerplicht en vraagt ernstig of iemand hen heeft benaderd in een poging ze te beïnvloeden. Dan kijken er meteen een paar mijn kant op, alsof ik de tijd, de energie en de stompzinnigheid zou hebben om 's nachts door de straten van Milo te sluipen om deze juryleden te stalken, zodat ik ze 1) kan omkopen, 2) kan intimideren, of 3) kan smeken hun mening te herzien. Iedereen vindt mij nu een slechterik in de zaal, ondanks de vloedgolf aan zonden die door de tegenpartij is begaan.

Eerlijk gezegd zou ik, als ik het geld, de tijd en de mensen had, ieder jurylid inderdáád omkopen en/of intimideren. Als de staat, met zijn beperkte middelen, een frauduleus proces voert en zo vaak mogelijk liegt, dan is bedrog legitiem. Er is geen sprake van een rechtvaardigheidsprincipe, er is sprake van redelijkheid. Dus is het enige eerbare alternatief voor een advocaat die voor zijn onschuldige cliënt vecht, bedrog uit zelfverdediging.

Maar wanneer een advocaat wordt betrapt op bedrog wordt hij of zij bestraft met sancties door het hof, officieel berispt door de orde van advocaten en misschien zelfs aangeklaagd. Als een officier van justitie wordt betrapt op bedrog, wordt hij herkozen of tot rechter gepromoveerd. Ons systeem roept een slechte officier van justitie nooit ter verantwoording.

De juryleden verzekeren zijne edelachtbare dat alles oké is.

'Meneer Huver,' zegt de rechter heel ernstig, 'roep alstublieft uw volgende getuige op.'

De volgende getuige voor de staat is een fundamentalistische dominee die zijn Chrysler-dealerschap heeft ingeruild voor de World Harvest Temple, en die hele volksstammen aantrekt met zijn dagelijkse bidmarathons. Ik heb hem een keer bezig gezien op de lokale zender, en die ene keer was genoeg. Hij is hier beroemd geworden nadat hij had verteld dat hij Gardy tijdens een avonddienst voor de jeugd had aangesproken. Hij beweerde dat Gardy een T-shirt droeg van een heavy-metal-rockband met een vage satanische boodschap, en de duivel kon dankzij dit T-shirt de dienst saboteren. Er hing een spirituele oorlog in de lucht en daar was God absoluut niet blij mee. Dankzij goddelijke leiding kon de dominee ten slotte de bron van alle kwaad in de menigte lokaliseren, hij liet de muziek stoppen, stormde naar achteren waar Gardy zat en schopte hem het gebouw uit.

Gardy zegt dat hij nooit zelfs maar in de buurt van die kerk is geweest. Hij zegt ook dat hij in zijn achttien jaar durende leven nog nooit welke kerk dan ook vanbinnen heeft gezien. Zijn moeder bevestigt dit. Zoals ze hier zeggen, is Gardy's familie ernstig 'onkerkelijk'.

Het is onbegrijpelijk dat een dergelijke getuigenverklaring tijdens een moordproces wordt toegelaten. Het is belachelijk en het grenst aan stupiditeit. Ervan uitgaande dat er een veroordeling volgt, zal al deze onzin over een jaar of twee worden geanalyseerd door een objectief hof van beroep driehonderd kilometer hiervandaan. Die rechters, slechts een heel klein beetje intelligenter dan Kaufman, maar alles is een verbetering, zullen niets ophebben met deze redneck-dominee met zijn opgeklopte verhaal over een ruzie die zogenaamd dertien maanden voor de moorden heeft plaatsgevonden.

Ik maak bezwaar. Dat wordt verworpen. Ik maak bezwaar, kwaad. Dat wordt verworpen, kwaad.

Maar Huver wil per se dat de duivel bij deze zaak betrokken blijft. Rechter Kaufman heeft de hekken een paar dagen geleden opengezet en alles is welkom, maar zodra ik mijn getuigen oproep zal hij ze dichtsmijten. We mogen van geluk spreken als we honderd woorden in het verslag opgenomen krijgen.

De dominee heeft in een andere staat nog een schuld openstaan bij de belastingdienst. Hij weet niet dat wij dit hebben ontdekt en dus zullen we ons tijdens het kruisverhoor geweldig amuseren. Niet dat het iets uitmaakt, want dat is niet zo. Deze jury weet het al: Gardy is een monster dat het verdient om in de hel te branden en het is hun werk daar haast mee te maken.

Gardy leunt lang genoeg opzij om tegen me te fluisteren: 'Meneer Rudd, ik zweer dat ik nog nooit in een kerk ben geweest.'

Ik knik en glimlach, want meer kan ik niet doen. Een advocaat kan zijn cliënten niet altijd geloven, maar als Gardy zegt dat hij nog nooit een kerk van binnen heeft gezien, geloof ik hem.

De dominee is opvliegend en ik stook het vuurtje vlug op. Ik gebruik zijn belastingschuld om hem vreselijk op te naaien en als hij eenmaal kwaad is, blijft hij kwaad. Ik ga met hem in discussie over de onfeilbaarheid van de Bijbel, de Drie-eenheid, het einde van de wereld, het met andere tongen spreken zoals in de Bijbel staat, het spelen met slangen, het drinken van gif en de alomtegenwoordigheid van satanische sektes in de omgeving van Milo. Huver schreeuwt bezwaren en Kaufman wijst ze toe. Op een bepaald moment sluit de dominee, vroom en met een rode kop, zijn ogen en heft zijn handen zo hoog mogelijk. Instinctief verstijf ik, ik duik in elkaar en kijk naar het plafond alsof er een bliksemschicht zal verschijnen. Later scheldt hij me uit voor atheïst en zegt dat ik in de hel zal belanden.

'U kunt mensen dus naar de hel sturen?' snauw ik meteen.

'God vertelt me dat u naar de hel gaat.'

'Dan moet u Hem op de luidspreker zetten, zodat we het allemaal kunnen horen.'

Twee juryleden beginnen te lachen.

Nu heeft Kaufman er genoeg van. Hij slaat met zijn hamer en kondigt de lunchpauze aan.

We hebben de hele ochtend verspild met deze schijnheilige kleine klootzak en zijn valse getuigenverklaring, maar hij is niet de eerste *local* die zichzelf in dit proces heeft gewriemeld. Dit stadje zit vol lieden die graag een held willen worden.

4

De lunch is altijd weer een feestje. Omdat het niet veilig is om het rechtbankgebouw te verlaten – het is zelfs niet veilig de rechtszaal te verlaten – zitten Gardy en ik in ons eentje aan de tafel van de verdediging te eten. Wij krijgen hetzelfde lunchpakketje als de juryleden. Ze komen binnen met zestien lunchpakketjes, husselen ze door elkaar, halen er twee willekeurige uit en brengen de rest naar de jurykamer. Iets beters kon ik niet verzinnen om te voorkomen dat ik word vergiftigd.

Gardy heeft er geen idee van, hij heeft gewoon honger. Hij zegt dat het eten in het huis van bewaring is zoals je kunt verwachten. Hij vertrouwt de cipiers niet en eet daar niets, en omdat hij alleen op de lunch leeft, heb ik rechter Kaufman gevraagd of de county hem misschien een dubbele portie kan geven, zodat de jongen twee rubberen broodjes kip kan krijgen, met extra friet en nog wat augurken. Met andere woorden, twee lunchpakketjes in plaats van één. Verworpen.

Dus krijgt Gardy de helft van mijn broodje en al mijn koosjere augurken. Als ik niet zo'n honger had, kon hij de hele troep van me krijgen.

Partner komt en gaat in de loop van de dag. Hij durft onze bus niet steeds op één plek te laten staan vanwege de grote kans op doorgesneden banden en ingeslagen ruiten. Hij heeft ook een paar andere verantwoordelijkheden, zoals zo nu en dan een ontmoeting met de Bisschop.

Bij deze zaken – als ik naar een gevechtsterrein word geroepen, een klein stadje dat de gelederen al heeft gesloten en bereid is een van zijn eigen mensen te doden voor een of ander gruwelijk misdrijf – kost het tijd om een contactpersoon te vinden. Dat is altijd een andere advocaat, een advocaat die ook strafzaken doet en wekelijks in de clinch ligt met de politie en officieren van justitie. Deze persoon zoekt uiteindelijk contact, stiekem, uit angst een verrader te worden genoemd. Hij kent de waarheid, of iets wat daarbij in de buurt komt. Hij kent de spelers, de slechteriken en de enkele goede. En hij kent het systeem, omdat hij alleen maar kan overleven als hij goed kan opschieten met de politie, rechtbankbodes en assistent-officieren van justitie.

In Gardy's zaak is mijn geheime vriendje Jimmy Bressup; we noemen hem de Bisschop. Ik heb hem nog nooit ontmoet. Hij werkt via Partner en zij ontmoeten elkaar op de gekste plaatsen. Partner zegt dat hij een jaar of zestig is, hij heeft lang, dunner wordend grijs haar, kleedt zich slecht, praat luid en schunnig, is irritant en houdt van de fles. 'Een oudere versie van mij?' vroeg ik. 'Niet helemaal,' was het verstandige antwoord. Ondanks al zijn gebral en opschepperij is de Bisschop bang om te dicht bij Gardy's advocaten in de buurt te komen.

Hij zegt dat Huver en zijn bende inmiddels weten dat ze de verkeerde te pakken hebben maar er te veel in geïnvesteerd hebben om te stoppen en toe te geven dat ze zich hebben vergist. Hij zegt dat er al vanaf de eerste dag geruchten de ronde doen over wie de echte moordenaar is.

5

Het is vrijdag en iedereen in de rechtszaal is bekaf. Ik ben een uur bezig met het doorzagen van een puisterig, stom joch dat beweert dat hij aanwezig was tijdens de kerkdienst toen Gardy de duivel opriep en de boel verstoorde. Echt waar, ik heb al heel veel nepgetuigenverklaringen moeten aanhoren, maar nooit eerder zoiets slechts meegemaakt. Zijn verklaring was niet alleen vals, maar ook volkomen irrelevant. Geen enkele andere officier van justitie zou hier tijd aan verspillen, en geen enkele andere rechter zou het toelaten. Eindelijk kondigt Kaufman aan dat de zitting voor het weekend wordt geschorst.

Gardy en ik treffen elkaar in de wachtkamer, waar hij zijn gevangenisoverall weer aantrekt en ik hem een prettig weekend wens. Ik geef hem tien dollar voor de verkoopautomaten. Hij zegt dat zijn moeder hem de volgende dag citroenkoekjes komt brengen, zijn lievelingskoekjes. Soms geven de cipiers ze aan hem, maar soms eten ze ze zelf op. Dat kun je nooit voorspellen. De cipiers wegen gemiddeld een dikke honderddertig kilo, dus neem ik aan dat ze die gestolen calorieën nodig hebben. Ik zeg tegen Gardy dat ie dit weekend moet douchen en zijn haar moet wassen.

Hij zegt: 'Meneer Rudd, zodra ik een scheermes vind, maak ik er een eind aan.' Met zijn wijsvinger maakt hij een snijdend gebaar over zijn pols.

'Praat niet zo, Gardy.' Hij heeft dit al eerder gezegd, en hij meent het. Die knul heeft niets om voor te leven en hij is slim genoeg om te zien wat hem te wachten staat. Verdomme, zelfs een blinde kan dat zien! We geven elkaar een hand en dan loop ik snel via de achtertrap naar beneden. Partner en de hulpsheriffs staan bij de achterdeur op me te wachten en duwen me in onze bestelbus. Alweer een veilige ontsnapping.

Buiten Milo begin ik te knikkebollen en ik val algauw in slaap. Tien minuten later trilt mijn telefoon. Ik neem op. We volgen de politieman terug naar ons motel, waar we onze bagage ophalen en uitchecken.

Even later zijn we alleen en rijden we naar de City.

'Heb je de Bisschop gesproken?' vraag ik Partner.

'Jazeker. Het is vrijdag en volgens mij begint hij dan al tegen twaalven te drinken. Maar alleen bier, zegt hij altijd. Dus heb ik zes flesjes gekocht en hebben we wat rondgereden. Die bar is een eind weg, naar het oosten, iets voorbij de stadsgrens. Hij zegt dat Peeley er vaste klant is.'

'Je hebt dus al een paar biertjes op? Moet ik rijden?'

'Eentje maar, baas. Ik heb kleine slokjes genomen, tot ie warm was. Maar het bier van de Bisschop kreeg niet eens de tijd om warm te worden. Hij heeft er drie gehad.'

'En geloven we deze vent?'

'Ik doe alleen mijn werk. Aan de ene kant is hij wel geloofwaardig, hij woont hier zijn hele leven al en kent iedereen. Aan de andere kant overdrijft hij zo dat je weigert alles wat hij zegt te geloven.'

'We zullen zien.' Ik doe mijn ogen dicht en probeer te slapen. Slapen is bijna onmogelijk tijdens een moordproces, en ik heb geleerd zodra het maar kan een dutje te doen. Ik heb tijdens de lunchpauze tien minuten liggen pitten op een hard bankje in een lege rechtszaal, maar ik heb ook om drie uur 's nachts in een groezelige motelkamer lopen ijsberen. Vaak val ik halverwege een zin in slaap als Partner achter het stuur zit en de bus rustig doorrijdt.

Op een bepaald moment, terwijl we onze versie van de beschaving verlaten, val ik in slaap.

6

Het is de derde vrijdag van de maand en ik heb een date, als je twee drankjes een echte date kunt noemen. Het voelt meer als een afspraak voor een wortelkanaalbehandeling. Weet je, deze vrouw zou zelfs niet onder bedreiging met een vuurwapen een afspraak met me maken, en dat is wederzijds. Maar we hebben een verleden samen. We hebben afgesproken in dezelfde bar, in hetzelfde zitje waar we voor het eerst samen hebben gegeten, in een ander leven. Maar nostalgie heeft hier niets mee te maken; het is alleen maar gemakkelijk. Het is een zaken-bar in het centrum, een van een keten, maar de ambiance is niet slecht en op vrijdagavond is het er altijd druk.

Judith Whitly arriveert als eerste en verovert het zitje. Ik glip een paar minuten later naar binnen, net als ze geïrriteerd begint te raken. Ze is nog nooit ergens te laat gekomen; ze beschouwt te laat komen als een teken van zwakte. Volgens haar bezit ik veel van die tekenen. Zij is ook advocaat, en zo hebben we elkaar leren kennen.

'Je ziet er moe uit,' zegt ze, zonder zelfs maar een greintje medeleven. Ook zij vertoont tekenen van vermoeidheid maar is op haar negenendertigste nog altijd bloedmooi. Elke keer als ik haar zie word ik eraan herinnerd waarom ik zo verliefd op haar was.

'Bedankt, en jij ziet er geweldig uit, zoals altijd.'

'Bedankt.'

'Tien dagen en we zijn allemaal al doodop.'

'Al succes geboekt?' vraagt ze.

'Nog niet.'

Ze kent de grote lijnen van Gardy's zaak en proces. En ze kent mij: als ik geloof dat die jongen onschuldig is, is dat genoeg voor haar. Maar ze heeft haar eigen cliënten om over te piekeren en slapeloze nachten van te hebben.

We bestellen onze drankjes: haar gebruikelijke vrijdagavond-glas-chardonnay en ik mijn whiskey met citroen.

In het tijdsbestek van nog geen twee uur zullen we twee glazen bestellen; daarna zien we elkaar pas weer over een maand.

'Hoe gaat het met Starcher?' vraag ik. Ik blijf hopen dat ik de naam van mijn zoon ooit zal kunnen uitspreken zonder die te haten, maar zover is het nog niet. Mijn naam staat op zijn geboorteakte, maar ik was er niet bij toen hij werd geboren. Daardoor kon Judith zijn naam uitkiezen. Starcher zou iemands achternaam moeten zijn, áls iemand die naam al zou moeten hebben.

'Het gaat goed met hem,' zegt ze zelfvoldaan, omdat zij volledig betrokken is bij zijn leven en ik niet. 'Vorige week heb ik zijn lerares gesproken en ze is blij met zijn vorderingen. Ze zegt dat hij een normaal kind van zeven is dat al heel goed kan lezen en geniet van het leven.'

'Fijn te horen,' zeg ik.

'Normaal' is hier het sleutelwoord vanwege ons verleden. Starcher is niet 'normaal' opgegroeid: hij woont de helft van de tijd bij Judith en haar huidige partner, en de andere helft bij haar ouders. Meteen na zijn geboorte nam ze Starcher mee naar een appartement waar ze samenwoonde met Gwyneth, de vrouw voor wie ze me heeft verlaten. Ze hebben drie jaar lang geprobeerd Starcher te adopteren, maar daar heb ik me fanatiek tegen verzet. Ik heb er niets op tegen dat homostellen een kind adopteren, maar ik kon Gwyneth gewoon niet uitstaan. En ik had gelijk. Niet lang daarna gingen ze uit elkaar na een nare ruzie, waar ik vanaf een afstandje ontzettend van heb genoten.

Het wordt nog ingewikkelder. Onze drankjes worden gebracht en we nemen niet eens de moeite beleefd met elkaar te toosten. Dat zou alleen maar tijdverspilling zijn. We hebben de alcohol zo snel mogelijk nodig.

Ik vertel het afschuwelijke nieuws met de woorden: 'Mijn moeder komt komend weekend naar de stad en ze wil Starcher zien. Hij is immers haar enige kleinzoon.'

'Dat weet ik,' snauwt ze. 'Het is jouw weekend, je kunt dus doen wat je wilt.'

'Klopt, maar jij hebt er een handje van alles ingewikkeld te maken. Ik wil gewoon geen problemen, dat is alles.'

'Je moeder veroorzaakt alleen maar problemen.'

Dat klopt, en ik knik beamend. Het zou een enorme understatement zijn om te zeggen dat Judith en mijn moeder elkaar vanaf het allereerste begin hebben gehaat; ze haatten elkaar zo erg dat mijn moeder me vertelde dat ze me uit haar testament zou schrappen als ik met Judith ging trouwen. Ik had toen al ernstige twijfels over onze relatie en onze toekomst, maar dat dreigement was de druppel. Hoewel ik verwacht dat mijn moeder wel honderd wordt, zal haar erfenis ontzettend welkom zijn. Een man met mijn inkomen moet blijven dromen. Een ondergeschikte plot in dit trieste verhaal is dat mijn moeder haar testament vaak gebruikt om haar kinderen te koeioneren. Toen mijn zus met een republikein trouwde, werd ze uit het testament geschrapt. Twee jaar later werd deze republikein, een ontzettend aardige vent, de vader van de meest perfecte kleindochter ooit. Nu is mijn zus weer opgenomen in het testament; dat denken we tenminste.

Maar goed, ik was net van plan het uit te maken met Judith toen ze me het verpletterende nieuws meedeelde dat ze zwanger was. Ik ging ervan uit dat ik de vader was, hoewel ik die beladen vraag niet heb gesteld. Later hoorde ik de wrede waarheid, dat ze toen al een relatie had met Gwyneth. Dat was een stomp in mijn maag. Ik weet zeker dat er dingen waren die erop wezen dat mijn geliefde een lesbienne was, maar die heb ik dus allemaal gemist.

We gingen trouwen. Mijn moeder zei dat ze haar testament had veranderd en ik geen cent zou krijgen. We woonden vijf afschuwelijke maanden lang af en toe samen – en bleven feitelijk nog eens vijftien maanden getrouwd – maar gingen uit elkaar om niet gek te worden. Starcher werd midden in deze oorlog geboren en was al vanaf zijn geboorte een slachtoffer, en vanaf dat moment hebben we elkaar alleen maar afgesnauwd. Dit ritueel van één keer per maand samen iets drinken is ons eerbetoon aan geforceerde beleefdheid. Ik denk dat ik weer in mijn moeders testament sta.

'En wat is je moeder van plan met mijn kind te doen?' vraagt ze. Het is nooit 'ons' kind. Ze heeft nooit de neiging kunnen weerstaan om dit soort kleine speldenprikken, arrogante stoten onder de gordel, uit te delen. Ze krabt aan een paar roofjes, wat niet slim is. Het is bijna onmogelijk te negeren, maar ik heb geleerd op mijn tong te bijten die daardoor dus onder de littekens zit. 'Volgens mij gaan ze naar de dierentuin.'

'Ze gaat altijd met hem naar de dierentuin.'

'Wat is er mis met naar de dierentuin gaan?'

'Nou, de vorige keer kreeg hij nachtmerries over pythons.'

'Oké, ik vraag haar wel of ze hem ergens anders mee naartoe neemt.'

Ze doet nu al moeilijk. Wat kan er verkeerd aan zijn om met een vrij normale jongen van zeven naar de dierentuin te gaan? Ik snap niet waarom we steeds weer met elkaar afspreken.

'Hoe gaat het op kantoor?' vraag ik. Ik wacht even nieuwsgierig op het antwoord alsof ik naar een autowrak kijk – het is onweerstaanbaar.

'Prima,' zegt ze. 'Het gebruikelijke gedoe.'

'Jullie hebben een paar mannen nodig op kantoor.'

'We hebben al genoeg problemen.'

De ober ziet dat onze glazen leeg zijn en haalt de tweede ronde. De eerste glazen zijn altijd snel leeg.

Judith is een van de vier partners van een advocatenkantoor waar tien vrouwen werken, allemaal militante lesbiennes. Het kantoor is gespecialiseerd in homorecht: discriminatie bij werkgevers, huisvesting, opleiding, gezondheidszorg en de meest recente, homo-echtscheiding. Het zijn goede advocaten, lastige onderhandelaars en pleiters, altijd in de aanval en vaak in het nieuws. Het kantoor doet alsof ze in oorlog zijn met de samenleving en geeft nooit op. Maar de externe gevechten zijn veel minder kleurrijk dan de interne.

'Ik zou wel als de senior partner kunnen fungeren,' zeg ik voor de grap.

'Je zou het nog geen tien minuten volhouden.'

Geen enkele man zou het er tien minuten volhouden. Sterker nog, mannen houden zich verre van hun kantoor. Zodra de naam ervan wordt genoemd, slaan de mannen op de vlucht. Prima kerels die betrapt zijn op overspel springen van bruggen.

'Je hebt waarschijnlijk gelijk. Mis je de seks met de andere sekse weleens?'

'Kom op, Sebastian, wil je het echt over heteroseks hebben, na een slecht huwelijk en een ongewenst kind?'

'Ik hou van heteroseks. Heb jij er ooit van gehouden? Dat leek wel zo.'

'Ik deed net alsof.'

'Niet waar. Je was er heel goed in, weet ik nog.'

Ik ken twee mannen die met haar naar bed zijn geweest voordat ik in beeld kwam. Daarna kwam ze Gwyneth tegen. Ik heb me vaak afgevraagd of ik zo slecht was in bed dat ik de reden was dat ze op vrouwen is gaan vallen. Dat betwijfel ik. Ik moet zeggen dat ze een goede smaak heeft. Ik had de pest aan Gwyneth, nog steeds, maar die vrouw kon overal op straat het verkeer tot stilstand brengen. En haar huidige partner, Ava, was lingeriemodel voor een plaatselijke winkel. Ik herinner me de advertenties in de zondagskrant.

De tweede drankjes worden gebracht. We pakken snel ons glas.

'Als je over seks wilt praten, ga ik weg,' zegt ze, maar ze is niet boos.

'Het spijt me. Weet je, Judith, elke keer als ik je zie denk ik aan seks. Dat is mijn probleem, niet het jouwe.'

'Je moet hulp zoeken.'

'Ik heb geen behoefte aan hulp, maar aan seks.'

'Doe je me een oneerbaar voorstel?'

'Zou dat zin hebben?'

'Nee.'

'Dacht ik al.'

'Moet je vanavond vechten?' vraagt ze, om een ander onderwerp aan te snijden.

Ik zeg er niets van. 'Inderdaad.'

'Je bent ziek, weet je. Het is zo'n wrede sport.'

'Starcher zegt dat hij mee wil.'

'Als jij Starcher meeneemt naar die kooigevechten, zie je hem nooit meer.'

'Rustig maar, ik maak een grapje.'

'Je maakt misschien een grapje, maar je bent nog steeds ziek.'

'Dank je. Neem nog een drankje.'

Een knappe Aziatische vrouw in een kort, strak rokje loopt langs ons tafeltje, en we kijken allebei naar haar. 'Van mij!' zeg ik.

De alcohol begint te werken – bij haar duurt dat langer omdat zij van nature meer gespannen is – en Judith glimlacht moeizaam, de eerste glimlach van deze avond, en het zou best eens de eerste van deze week kunnen zijn.

'Heb je een relatie?' vraagt ze, duidelijk vriendelijker.

'Niet sinds onze vorige ontmoeting,' zeg ik. 'Ik heb alleen maar gewerkt.'

Mijn vorige vriendin nam drie jaar geleden afscheid. Ik ga weleens naar bed met een vrouw, maar ik zou liegen als ik zei dat ik op zoek was naar een serieuze relatie.

Er ontstaat een lange, zware stilte; we beginnen ons te vervelen. Als onze glazen bijna leeg zijn, beginnen we weer over Starcher en mijn moeder en het volgende weekend waar we nu allebei tegen opzien.

Samen verlaten we de bar, geven elkaar plichtmatig een kus op de wang en nemen afscheid. Alweer iets van mijn lijstje afgewerkt.

Ik heb ooit van haar gehouden, maar daarna begon ik haar te haten. Nu mag ik Judith bijna en als we deze maandelijkse ontmoetingen
kunnen volhouden, worden we misschien wel vrienden. Dat is het doel
waarnaar ik streef, want ik heb echt behoefte aan een vriend, iemand
die kan begrijpen wat ik doe en waarom ik dat doe.

Bovendien zou het ook veel beter zijn voor onze zoon.

7

Ik woon op de vierentwintigste verdieping van een flatgebouw in het centrum, van waaruit ik een deel van de rivier kan zien. Ik vind het prettig hierboven, omdat het rustig en veilig is. Als iemand mijn appartement zou willen bombarderen of in brand zou willen steken, is dat moeilijk te doen zonder het hele gebouw te slopen. Er is wel wat misdaad in het centrum en dus zijn we gewend aan veel videobewaking en gewapende bewakers. Ik voel me hier veilig.

Ze hebben kogels afgevuurd op mijn vorige appartement, een maisonnette op de begane grond, en vijf jaar geleden hebben ze een brandbom in mijn oude kantoor gegooid. De daders zijn nooit gevonden of geïdentificeerd, waardoor ik de indruk heb dat de politie niet bepaald haar best doet. Zoals ik al zei, mijn werk roept haat op en er zijn mensen die me graag zouden zien lijden, onder wie een paar die zich achter hun badge verbergen.

Mijn appartement is ongeveer negentig vierkante meter groot, met twee kleine slaapkamers, een zelfs nog kleinere keuken die zelden wordt gebruikt en een woonkamer die net groot genoeg is voor mijn paar noodzakelijke meubels. Ik weet niet zeker of een ouderwetse pooltafel een meubelstuk kan worden genoemd, maar het is mijn appartement en dus mag ik zelf weten hoe ik het noem. Hij is twee meter zeventig lang, de voorgeschreven lengte, en in 1884 gemaakt door het bedrijf Oliver L. Briggs in Boston. Ik heb hem gewonnen tijdens een proces, perfect laten restaureren en daarna midden in mijn woonkamer zorgvuldig in elkaar gezet. Op een gewone dag, of als ik niet in goedkope motels slaap om aan doodsbedreigingen te ontsnappen, leg ik de ballen klaar en oefen soms urenlang. Poolen tegen mezelf is een vorm van ontspanning, vermindert stress en is een goedkope therapie. Het doet me ook denken aan mijn middelbareschooltijd, toen ik vaak naar The Rack ging, een kroeg in de buurt die al tientallen jaren bestaat. Het is een ouderwetse poolhal met rijen tafels, wolken sigarettenrook, kwispedoren, goedkoop bier, onschuldige weddenschappen en een clientèle die pretendeert stoer te zijn maar zich weet te gedragen. De eigenaar, Curly, is een oude vriend die er altijd is en zorgt dat alles soepel verloopt.

Als ik niet kan slapen en de muren op me afkomen, ben ik vaak om een uur of twee 's nachts in The Rack te vinden. Dan speel ik 9-ball in mijn eentje, in een andere wereld en ben ik volkomen gelukkig.

Maar vanavond dus niet. Ik sluip mijn appartement in, zwevend door de whiskey, en trek snel mijn vechtkleding aan: een spijkerbroek, een zwart T-shirt en een felgeel, glanzend jack dat oplicht in het donker met op de rug in grote letters TADEO ZAPATE. Ik bind mijn al enigszins grijzende haar in een strakke paardenstaart en stop hem onder mijn T-shirt. Ik zet een andere bril op, een met een lichtblauw montuur. Ik doe mijn honkbalpetje op, even felgeel als mijn jack, met de naam ZAPATE voorop. Ik voel me voldoende vermomd en de avond zou goed moeten verlopen. Waar ik naartoe ga, zit niemand te wachten op een onaangepaste advocaat. Daar zijn een heleboel boeven, heel veel lui met juridische problemen in hun verleden, hun heden en hun toekomst, maar toch zal ik daar niet opvallen.

Dat is nog zo'n triest feit in mijn leven, dat ik mijn appartement vaak na het invallen van de duisternis verlaat in de een of andere vermomming: een andere pet, een andere bril, mijn haar verstopt, of zelfs met een gleufhoed.

Partner brengt me naar het oude stadsauditorium, acht straten bij mijn appartement vandaan, en zet me af in een steeg vlak bij het gebouw. Er staat een menigte voor. Luide rap dreunt over het voorplein. Schijnwerpers zwaaien woest van het ene naar het andere gebouw. Digitale borden kondigen de hoofdact en het voorprogramma aan.

Tadeo vecht als vierde, de laatste stemmingsmaker voor het grote gevecht, een gevecht tussen zwaargewichten waar veel mensen op afkomen, omdat de favoriet in de National Football League heeft gespeeld en hier bekend is. Ik heb een investering gedaan in Tadeo's carrière die me een jaar geleden dertigduizend dollar heeft gekost, en sindsdien heeft hij niet verloren. Daarnaast wed ik, met succes. Als hij vanavond wint, krijgt hij zesduizend dollar; als hij verliest, de helft.

In een zaal, ergens diep onder de arena, hoor ik twee bewakers met elkaar praten. Een van hen zegt dat alle stoelen vanavond bezet zijn. Vijfduizend fans. Ik laat mijn ID zien en mag doorlopen. Twee deuren

34

verderop loop ik de donkere kleedkamer binnen en de spanning hier is te snijden. We hebben de helft van de langwerpige ruimte toegewezen gekregen. Tadeo is een rijzende ster in de wereld van de Mixed Martial Arts en we voelen allemaal dat ons iets groots te wachten staat.

Hij ligt op een tafel, op zijn buik, op zijn boxershort na naakt, net geen zestig kilo, zonder een grammetje vet, en wordt gemasseerd door zijn neef Leo. Zijn lichtbruine huid glimt van de bodylotion.

Ik loop rustig door het vertrek en praat met Norberto, zijn manager, Oscar, zijn trainer en Miguel, zijn broer en trainingspartner. Ze glimlachen als ze met me praten omdat ik, de eenzame gringo, word gezien als de man met het geld. Ik ben ook de agent, de man met de relaties en de hersens die ervoor zal zorgen dat Tadeo als hij blijft winnen mag meedoen aan het Ultimate Fighting Championship. Op de achtergrond hangen nog een paar familieleden rond, parasieten die geen duidelijke rol in Tadeo's leven spelen. Ik heb niets met deze lui, omdat ze op een bepaald moment zullen verwachten dat ze betaald krijgen. Tadeo denkt, na zeven zeges op rij, dat hij dit gevolg nodig heeft. Dat doen ze allemaal.

Op Oscar na zijn het allemaal leden van dezelfde straatbende, een onbelangrijke organisatie van El Salvadorianen die in cocaïne handelen. Tadeo is al sinds hij op zijn vijftiende werd geïnitieerd lid van deze bende, maar hij heeft nooit de leiderschapspositie geambieerd. Nee, hij vond een paar oude bokshandschoenen, ging op zoek naar een sportschool en kwam daar tot de ontdekking dat hij een paar griezelig snelle handen had. Zijn broer Miguel bokste ook, maar niet zo goed. Miguel leidt de bende en heeft een gemene reputatie op straat.

Hoe vaker Tadeo wint, hoe meer hij verdient en hoe meer ik me zorgen maak over mijn relatie met zijn bende.

Ik buig me over hem heen en vraag zacht: 'Hoe gaat het met mijn man?'

Hij opent zijn ogen, kijkt op, glimlacht opeens en trekt de dopjes uit zijn oren. De massage wordt abrupt afgebroken als hij op de rand van de tafel gaat zitten. We kletsen even en hij verzekert me dat hij er klaar voor is om iemand af te maken. Goed zo, jongen. De week voor een gevecht scheert hij zich niet en met zijn onverzorgde baard en bos zwart haar doet hij me denken aan de grote Roberto Durán. Maar Tadeo's wortels liggen in El Salvador, niet in Panama. Hij is tweeëntwintig, Amerikaans staatsburger en zijn Engels is bijna even goed als zijn Spaans. Zijn moeder heeft een werkvergunning en werkt in een cafetaria. Ze heeft ook een appartement vol kinderen en familieleden, en ik krijg de indruk dat alles wat Tadeo verdient over allerlei mensen wordt verdeeld.

Elke keer als ik met Tadeo praat, ben ik weer blij dat ik niet tegenover hem sta in de ring. Hij heeft felle zwarte pupillen die woedend schreeuwen: waar is die klootzak, ik wil bloed zien! Hij groeide op straat op en vocht met iedereen die te dicht bij hem kwam. Een oudere broer is gedood tijdens een steekpartij, en Tadeo is bang dat hij ook zal sterven. Als hij de ring in stapt, is hij ervan overtuigd dat er iemand gedood gaat worden, maar dat hij die iemand niet is. Hij heeft drie keer verloren, op punten, dus niet omdat iemand hem verrot sloeg. Hij traint vier uur per dag en is heel goed in jiujitsu.

Zijn stem is zacht, zijn woorden komen langzaam – de gebruikelijke kriebels voor een gevecht, waar de angst al je gedachten vertroebelt en je maag zich omkeert. Dat weet ik, dat ken ik; heel lang geleden heb ik vijf Golden Gloves-bokswedstrijden gebokst. Toen ik op 1-4 stond ontdekte mijn moeder mijn geheime carrière en maakte daar gelukkig een einde aan. Maar ik had het gedaan: ik had het lef gehad de ring in te stappen en me verrot te laten slaan.

Ik kan me echter niet voorstellen hoeveel lef je nodig hebt om de kooi in te stappen met een andere vechter die een geweldige conditie heeft, uiterst kundig is, goed getraind, verlangend, gemeen en doodsbang, en die zich alleen maar afvraagt hoe hij je schouder uit de kom kan draaien, je botten kan breken, je een gapende wond kan toebrengen of je met een kaakslag knock-out kan slaan. Daarom ben ik zo gek op deze sport. Er is meer moed voor nodig, meer overdonderend ruig lef dan bij welke sport ook sinds de gladiatoren op leven en dood vochten. Natuurlijk zijn veel andere sporten ook gevaarlijk: skiën, football, hockey, boksen, autoracen. Elk jaar gaan meer mensen dood als ze op een paard zitten dan bij welke andere sport ook, maar dan begin je niet aan een wedstrijd met de zekerheid dat je gewond zult raken. Als je die kooi in loopt, weet je dat je pijn gaat lijden en dat het afschuwelijk kan worden, zelfs dodelijk. De volgende ronde zou best eens je laatste kunnen zijn.

Daarom is de countdown ook zo erg. De minuten kruipen voorbij terwijl de vechter worstelt met zijn zenuwen, zijn ingewanden en zijn angsten. Het wachten is het ergst.

Ik vertrek na een paar minuten, zodat Tadeo zich terug kan trekken in zijn eigen wereld. Hij heeft me een keer verteld dat hij het gevecht kan visualiseren en dat hij zijn tegenstander dan op de mat ziet liggen, bloedend en schreeuwend om medelijden.

Ik loop door de doolhof van gangen onder de arena en hoor de menigte brullen, bloeddorstig. Ik vind de juiste deur en ga naar binnen. Het is een kantoortje dat door mijn eigen kleine straatbende is ingepikt. Hier ontmoeten we elkaar vóór een gevecht en gaan we onze weddenschappen aan. We zijn met z'n zessen; meer leden zijn niet welkom omdat we geen lekken willen. Een paar van ons gebruiken hun echte naam, anderen niet. Slide kleedt zich als een pooier en heeft gezeten voor moord. Nino is methadonimporteur op middelhoog niveau die heeft gezeten voor mensenhandel. Johnny heeft (nog) geen strafblad en is voor de helft eigenaar van de man tegen wie Tadeo vanavond vecht. Denardo laat weleens vallen dat hij banden heeft met de maffia, maar ik betwijfel of zijn criminele activiteiten zo goed georganiseerd zijn. Hij wil graag MMA-evenementen promoten en in Vegas wonen. Frankie is de oudste, al tientallen jaren een lokale bekendheid in de vechtscene. Hij geeft toe dat hij zich heeft laten verleiden door het geweld van het kooivechten en nu geen lol meer heeft in het ouderwetse boksen. Dit zijn mijn jongens dus. Ik zou geen van hen vertrouwen bij een legale zakelijke deal, maar we doen dan ook niets legaals.

We nemen het programma door en beginnen te wedden. Ik weet dat Tadeo Johnny's vechter zal afmaken, en Johnny maakt zich duidelijk zorgen. Ik wil vijfduizend dollar inzetten op Tadeo, maar daar wil niemand op ingaan. Drieduizend? Niemand. Ik scheld ze uit, vervloek ze, maak ze belachelijk, maar ze weten dat Tadeo op dreef is. Johnny moet iets inzetten en uiteindelijk strik ik hem voor vierduizend dollar dat zijn vechter de derde ronde niet haalt. Denardo besluit dat hij dit ook wil, voor nog eens vierduizend dollar. We werken het hele programma af met allerlei weddenschappen die Frankie, de secretaris, allemaal noteert. Ik verlaat de kamer met twaalfduizend dollar in het spel, op vier verschillende gevechten. We komen straks weer bij elkaar, zodra de gevechten afgelopen zijn, in dezelfde kamer en dan rekenen we af, allemaal contant.

De gevechten beginnen en ik dwaal door de arena, om de tijd te doden. De spanning in de kleedkamer is onverdraaglijk en ik kan er niet tegen om daar te zijn als we moeten wachten. Ik weet dat Tadeo nu op een tafel ligt, roerloos, onder een dikke deken, biddend tot de maagd Maria en luisterend naar obscene latin rap. Ik kan niets doen om te helpen en dus zoek ik een plekje helemaal bovenin en kijk naar de show. De zaal is inderdaad uitverkocht, en de fans zijn even luidruchtig en even buiten zinnen als altijd. Kooivechten appelleert aan het woeste instinct in bepaalde mensen, ook in mij, en we zijn hier allemaal om dezelfde reden: om te zien dat de ene vechter de andere vernietigt. We willen bloedende ogen zien, sneden in het voorhoofd, wurggrepen, *submissions* en wrede knock-outs waardoor de hoeken om een dokter schreeuwen. Als je hier een heleboel goedkoop bier aan toevoegt, heb je vijfduizend maniakken die bloed willen zien.

Uiteindelijk baan ik me een weg terug naar de kleedkamer, waar de boel tot leven begint te komen. De eerste twee gevechten zijn geëindigd met een snelle knock-out, zodat de avond vlug vordert. Norberto, Oscar en Miguel trekken hun glanzende gele jack aan, net zo een als de mijne, en dan is Team Zapate klaar voor de lange wandeling naar de kooi. Ik zal in de hoek te vinden zijn, samen met Norberto en Oscar, hoewel mijn rol veel minder belangrijk is. Ik zorg ervoor dat Tadeo water heeft, Norberto brult instructies in het snelste Spaans dat je ooit hebt gehoord en Oscar verzorgt eventuele wonden aan Tadeo's gezicht.

Vanaf het moment dat we op de begane grond aankomen, wordt alles een waas. Dronken fans die langs de tunnel staan, steken hun hand uit naar Tadeo en schreeuwen zijn naam. Bewakers duwen mensen opzij. Het gebrul is oorverdovend, en niet iedereen is voor Tadeo. Ze willen meer, een nieuw gevecht, bij voorkeur op leven en dood.

Een official buiten de kooi controleert Tadeo's handschoenen, brengt olie aan op zijn gezicht en geeft hem het groene licht. Nadat een omroeper zijn naam heeft gescandeerd, springt onze man de kooi in, in zijn felgele broek en badjas. Zijn tegenstander vanavond wordt de Jakhals genoemd; zijn echte naam is onbekend en onbelangrijk. Hij is een submission-specialist, een grote blanke vent zonder veel massa. Maar uiterlijk kan bedrieglijk zijn; ik heb hem drie keer zien vechten en hij is slinks en geraffineerd. Hij is goed in de verdediging en altijd op zoek naar een *takedown*. Hij veranderde zijn laatste tegenstander in een krakeling en liet hem gillen om genade. Op dit moment heb ik de pest aan de Jakhals, maar diep vanbinnen heb ik ontzettend veel bewondering voor hem. Iedere man die in de kooi kan klimmen, heeft veel meer ruggengraat dan de gemiddelde man.

De bel gaat voor de eerste ronde, voor drie minuten razernij. Tadeo gaat meteen in de aanval en dwingt de Jakhals achteruit. In de eerste minuut slaan en stoten ze, daarna houden ze elkaar vast, zonder schade aan te richten. Ik schreeuw de longen uit mijn lijf, net als de andere vijfduizend fans, hoewel ik absoluut niet weet waarom. Elk advies is nutteloos en Tadeo luistert toch niet. Ze gaan neer, komen keihard terecht en de Jakhals heeft hem in een schaargreep. Eén lange minuut gebeurt er weinig, terwijl Tadeo kronkelt en wriemelt en wij onze adem inhouden. Eindelijk heeft hij zichzelf bevrijd en haalt uit met een felle linkse op de neus van de Jakhals. Ten slotte is er bloed. Er is geen twijfel mogelijk: mijn man is de betere vechter, maar er is maar één vergissing nodig of je arm wordt tot brekens toe verdraaid. Tussen de rondes door stort Norberto een hele lading instructies over hem uit, maar Tadeo luistert niet. Hij weet veel meer van vechten dan wij allemaal en hij heeft die vent allang door. Als de bel gaat voor de tweede ronde, pak ik hem bij de arm en schreeuw in zijn oor: 'Als je hem in deze ronde uitschakelt, krijg je tweeduizend dollar meer.' Dit hoort Tadeo wel.

De Jakhals heeft de eerste ronde verloren en dus begint hij, zoals zoveel vechters, in de tweede ronde druk uit te oefenen. Hij wil de controle, hij wil zijn pezige armen in een soort smerige doodsgreep draaien, maar Tadeo weet precies wat hij van plan is. Dertig seconden later haalt Tadeo uit met een klassieke links-rechtscombi en slaat zijn tegenstander pardoes op de grond. Maar dan maakt hij een gebruikelijke fout door zichzelf boven op de Jakhals te laten vallen, als een maniakale bommenwerper. Zijn tegenstander haalt uit met zijn rechtervoet, een harde trap net boven Tadeo's kruis. Hij blijft staan terwijl de Jakhals overeind krabbelt, en heel even doen ze geen van beiden iets. Ten slotte beginnen ze om elkaar hen te cirkelen. Tadeo hervindt zijn ritme en begint de Jakhals te bestoken met onbeantwoorde stoten, maakt een snee boven het rechteroog die steeds groter wordt door een meedogenloze barrage van klappen. De Jakhals heeft de slechte gewoonte om een wilde nep-linkse-hoek te maken vlak voordat hij in elkaar duikt en door zijn knieën zakt, maar dat wil hij één keer te vaak doen. Tadeo ziet het aankomen en voert met perfecte timing zijn beste truc uit: een *blind elbow spin*, een beweging waar lef voor nodig is omdat zijn rug hierdoor een fractie van een seconde naar zijn tegenstander gekeerd is. Maar de Jakhals is te traag en Tadeo's rechterelleboog ramt de rechterkaak van zijn tegenstander. Hij is al bewusteloos voordat hij op de mat valt. Volgens de regels mag Tadeo hem nog een paar keer in het gezicht slaan, om hem helemaal af te maken, maar waarom zou hij? Tadeo blijft gewoon in het midden van de ring staan, met zijn handen geheven en zijn blik naar beneden gericht. Hij bewondert zijn werk, terwijl de Jakhals doodstil op de grond ligt. De scheidsrechter maakt er snel een einde aan.

Een beetje zenuwachtig wachten we, terwijl ze de Jakhals proberen bij te brengen. Het publiek schreeuwt om een brancard, om een slachtoffer, om iets waarover ze op het werk kunnen kletsen, maar hij komt ten slotte weer bij bewustzijn en begint te praten. Hij gaat rechtop zitten en wij ontspannen ons, dat proberen we tenminste. Het is niet gemakkelijk om rustig te blijven vlak na zo'n furieuze actie als het om veel geld gaat en als vijfduizend maniakken met hun voeten stampen.

De Jakhals staat op en het publiek jouwt hem uit. Tadeo loopt naar hem toe en zegt iets aardigs, waarna ze vrede sluiten.

Als we de kooi verlaten, loop ik glimlachend achter Tadeo aan die zijn fans een hand geeft en van alweer een nieuwe zege geniet. Hij heeft een paar stomme dingen gedaan die tegenover een betere tegenstander het einde hadden betekend, maar alles bij elkaar genomen is het weer een veelbelovend gevecht geweest. Ik probeer van het moment te genieten en probeer te denken aan de toekomst en de eventuele verdiensten, misschien aan een paar sponsoren. Tadeo is de vierde vechter in wie ik heb geïnvesteerd en de eerste aan wie ik heb verdiend.

Vlak voordat we de zaal verlaten en de tunnel in lopen, roept een vrouw: 'Meneer Rudd! Meneer Rudd!'

Het duurt een paar seconden voordat dit tot me doordringt, want niemand in het publiek zou me moeten herkennen. Ik draag het officiële Team Zapate-petje, een ontzettend lelijk geel jack en een andere bril, en ik heb mijn lange haar weggestopt. Als ik blijf staan en omkijk, steekt ze haar hand naar me uit. Een gezette vrouw van een jaar of vijfentwintig met paars haar, piercings, enorme borsten die bijna onder haar strakke T-shirt vandaan springen – eigenlijk dus de typische chique meid bij kooigevechten. Ik kijk haar nieuwsgierig aan en dan zegt ze: 'Meneer Rudd. U bent toch meneer Rudd, de advocaat?'

Ik knik.

Ze loopt zelfs nog dichter naar me toe en zegt: 'Mijn moeder zit in de jury.'

'Welke jury?' vraag ik, opeens in paniek. Op dit moment is er maar één jury.

'We komen uit Milo. De zaak-Gardy Baker. Mijn moeder zit in de jury.'

Ik knik naar links, als om te zeggen: die kant op. Een paar seconden later zijn we weg van het publiek en lopen we naast elkaar door een smalle gang, terwijl de muren naast ons trillen. 'Hoe heet ze?' vraag ik en ik kijk naar iedereen die we passeren.

'Glynna Roston, jurylid nummer acht.'

'Oké.' Ik ken van ieder jurylid naam, leeftijd, ras, baan, opleiding, familie, woonplaats, burgerlijke staat, eerdere jurydiensten en een eventueel strafblad. Ik heb geholpen ze te selecteren. Sommigen wilde ik, de meesten niet. De afgelopen twee weken heb ik vijf dagen per week samen met hen in een bomvolle rechtszaal doorgebracht, en ik heb het helemaal gehad met ze. Ik denk dat ik alles van hen weet: hun politieke kleur, hun geloof, hun vooroordelen en hun mening over het strafrecht. Omdat ik zo verdomd veel weet, ben ik er vanaf het moment dat ze hun plaats innamen van overtuigd dat Gardy Baker naar de dodencel gaat.

'Wat denkt Glynna deze dagen allemaal?' vraag ik behoedzaam. Ze zou best eens een microfoontje kunnen dragen. Niets verrast me nog.

'Zij denkt dat het allemaal leugenaars zijn.'

We lopen nog steeds, nergens naartoe, allebei bang de ander aan te kijken.

Het verbaast me ontzettend dit te horen. Uit haar lichaamstaal en haar achtergrond had ik er alles voor durven te verwedden dat Glynna Roston de eerste zou zijn die 'Schuldig!' zou roepen.

Ik kijk achterom om te zien of er getuigen zijn en dan zeg ik: 'Nou, dan is ze een slimme vrouw, want ze liegen inderdaad. Ze hebben geen enkel bewijs.'

'Wilt u dat ik haar dat vertel?'

'Het kan me niets schelen wat u haar vertelt,' zeg ik en ik kijk om me heen als we blijven staan en wachten tot een van de zwaargewichten met zijn gevolg ons is gepasseerd. Ik heb tweeduizend dollar op die man gezet; ik kan vanavond zesduizend dollar innen en voel me heerlijk. En bovendien hoor ik het schokkende nieuws dat niet al mijn Gardy Baker-juryleden hersendood zijn. Ik vraag: 'Is zij de enige, of heeft ze medestanders?'

'Ze zegt dat ze de zaak niet bespreken.'

Ik schiet bijna in de lach. Als ze die zaak niet bespreekt, hoe weet dit schatje dan wat haar moeder denkt? Op dit moment overtreed ik de ethische regels en misschien zelfs een wet. Dit valt onder ongeoorloofd contact met een jurylid, en hoewel dit niet heel duidelijk is en niet door mij is geïnitieerd, is er geen enkele twijfel mogelijk dat de orde van advocaten dit verkeerd zou interpreteren. En rechter Kaufman zou uit zijn vel springen.

'Zeg maar dat ze voet bij stuk moet houden, want ze hebben de verkeerde vent te pakken,' zeg ik en ik loop weg. Ik weet niet wat ze wil en er is niets wat ik haar kan geven. Ik neem aan dat ik wel tien minuten de tijd zou kunnen nemen om haar de hiaten in de bewijsvoering van de staat uit te leggen, maar dan zou ze alles correct moeten onthouden en vervolgens een kloppend verhaal aan haar moeder moeten vertellen. Geen schijn van kans. Deze meid is hier voor de gevechten.

Ik neem de dichtstbijzijnde trap naar beneden en zodra ik ver genoeg bij haar vandaan ben, duik ik een toilet in en denk na over wat ze heeft gezegd. Ik kan het nog steeds niet geloven: deze jury heeft, net als de rest van het stadje, mijn cliënt al veroordeeld op de dag van zijn arrestatie. En haar moeder, Glynna Roston, lijkt in alles op de modelburger van Milo: ongeschoold, bekrompen en vastbesloten in deze zware tijden een heldin te zijn voor haar gemeenschap. Maandagochtend zal interessant worden. Op een bepaald moment, als we doorgaan met de getuigenverklaringen, zal ik naar de jurybank kunnen kijken. Tot nu toe is Glynna niet bang geweest naar mij te kijken, en haar blik zal iets onthullen, ook al weet ik niet zeker wat.

Ik verdring deze gedachten en keer terug naar het heden. Het zwaargewichtgevecht duurt een volle veertig seconden en mijn favoriet staat nog steeds overeind. Ik kan niet wachten om mijn kleine bende terug te zien.

We ontmoeten elkaar in dezelfde donkere kamer met de deur op slot. De beledigingen zijn niet van de lucht. Wij halen alle zes geld uit onze zak. Frankie heeft de aantekeningen en zorgt dat alles klopt. Ik heb vanavond achtduizend dollar gewonnen, hoewel tweeduizend daarvan naar Tadeo gaan: zijn spontane bonus. Dat krijg ik wel terug van zijn aandeel van het prijzengeld en dat komt in de boeken te staan voor de belastingdienst, maar dit contante geld niet.

Tadeo verdient achtduizend dollar voor zijn inspanningen, een geweldige avond waardoor hij een nieuw bendelid aan zijn gevolg kan toevoegen. Hij zal een paar rekeningen betalen, zijn familie onderhouden en geen cent sparen. Ik heb geprobeerd hem van financieel advies te voorzien, maar dat was tijdverspilling.

Ik loop naar de kleedkamer, geef hem de tweeduizend dollar, zeg dat ik van hem houd en verlaat de arena. Partner en ik gaan naar een rustige bar en drinken wat. Ik heb een paar drankjes nodig om rustig te worden. Als je zo dicht bij de actie bent, je eigen vechter in de ring staat met de kans op een hersenschudding of een botbreuk en vijfduizend gekken in je oren brullen, gaat je hart als een gek tekeer terwijl je maag zich omkeert en je zenuwen strakgespannen staan. Er gaat een heleboel adrenaline door me heen, meer dan ooit tevoren.

8

Jack Peeley is de ex-vriend van de moeder van de twee meisjes Fentress. Toen de tweeling werd vermoord, was hun vader allang vertrokken en was het appartement van hun moeder een soort open huis voor iedere geilaard en slijmbal uit de stad. Peeley hield het bijna een jaar vol, maar kreeg de bons toen de moeder een dealer in gebruikte tractoren leerde kennen met een beetje geld en een huis zonder wielen. Peeley verliet haar, met een gebroken hart. Hij was de laatste die in de buurt van de meisjes was gezien voordat ze verdwenen.

Ik vroeg de politie meteen waarom ze hem niet als een verdachte beschouwden, of ten minste een onderzoek naar hem instelden, maar hun smoes was dat ze hun man al te pakken hadden. Gardy was gearresteerd en bekende alles.

Ik denk echt dat Jack Peeley de meisjes heeft vermoord, als een zieke wraakactie. Als de politie Gardy niet per ongeluk was tegengekomen, zouden ze Peeley uiteindelijk wel hebben verhoord. Maar Gardy, met zijn angstaanjagende uiterlijk, satanische neigingen en verleden van seksuele perversies, werd dé gelukkige en Milo heeft nooit achteromgekeken.

Volgens de Bisschop, die volledig afgaat op zijn criminele bronnen, is Peeley bijna elke zaterdagavond te vinden in de Blue & White, ongeveer anderhalve kilometer ten oosten van Milo. Het was vroeger een truckerscafé, maar nu gewoon een kroeg voor rednecks met goedkoop bier, pooltafels en in het weekend livemuziek.

Op zaterdagavond rijden we om een uur of tien de parkeerplaats op die stampvol staat met kamerbrede pick-ups. We hebben er zelf ook eentje, een gehuurde Dodge Ram met grote wielen, misschien een beetje te glimmend voor deze tent, maar het ding is van Hertz, niet van mij. Partner zit achter het stuur net te doen alsof hij een redneck is, maar hij lijkt er niet op ook al heeft hij zijn gebruikelijke zwarte kleding thuisgelaten en draagt hij een spijkerbroek en een Cowboys-T-shirt.

Ik zit naast hem en zeg: 'Kom, we gaan!'

Tadeo en Miguel, die achterin zitten, stappen uit en lopen nonchalant naar de voordeur. Ze zijn nog maar net binnen als ze worden tegengehouden door een uitsmijter die tien dollar per persoon wil hebben als entree. Hij bekijkt hen van top tot teen en vindt hen maar niets; ze zijn immers vrij donkere hispanics. Maar ze zijn in elk geval niet zwart. Volgens de Bisschop zal de Blue & White wel een paar Mexicanen tolereren, maar een zwarte zou een rel veroorzaken. Niet dat ze daar bang voor hoeven te zijn, want zo'n armoedige blanke kroeg heeft geen enkele aantrekkingskracht voor een zwarte man met een beetje gezond verstand.

Maar ze veroorzaken geen rel. Tadeo en Miguel bestellen een biertje bij de drukke bar en slagen er redelijk in niet op te vallen. Een paar mensen staren naar hen, maar niet al te erg. Ze moesten eens weten, die dikke, dronken rednecks. Tadeo kan in minder dan een minuut en met zijn blote handen vijf van deze lui uitschakelen. Miguel, zijn broer en sparringpartner, wel vier. Nadat ze een kwartier de clientèle hebben bekeken en zich er een beeld van hebben kunnen vormen, wenkt Tadeo de barkeeper en zegt in accentloos Engels: 'Hé, ik moet wat geld betalen aan ene Jack Peeley, maar ik zie hem niet.'

De barkeeper, een drukke man, knikt naar een rij zitjes in de buurt van de pooltafel en zegt: 'Derde zitje, met die zwarte pet op.'

'Bedankt.'

'Graag gedaan.'

Ze bestellen nog een biertje en doden de tijd.

Bij Peeley in het zitje zitten twee vrouwen en nog een andere man. Hun tafeltje staat vol lege bierflesjes. Ze zitten alle vier op geroosterde pinda's te kauwen en het is hier gebruikelijk dat je de lege doppen op de grond gooit. Helemaal achterin verschijnt een bandje en een stuk of tien mensen lopen die kant op om te gaan dansen. Peeley is kennelijk geen danser.

Tadeo stuurt me een sms: *JP gezien. Wachten.*

Ze doden nog wat tijd. Partner en ik zitten te kijken en te wachten, verdomde zenuwachtig. Niemand kan immers voorspellen wat het resultaat zal zijn van een vechtpartij in een bar vol dronken gekken, van wie de helft lid is van de National Rifle Association.

Peeley en zijn vriend lopen naar een pooltafel en maken zich klaar voor een potje. De vrouwen blijven zitten, eten pinda's en drinken bier.

'Kom mee,' zegt Tadeo en hij loopt langzaam bij de bar vandaan. Hij schuifelt tussen twee pooltafels door, goed getimed, en botst keihard tegen Peeley op die zich met zijn eigen zaken bemoeit en net zijn keu staat te krijten.

'Kijk uit je doppen!' brult Peeley kwaad, met een rode kop en bereid om deze illegaal een schop onder zijn kont te geven. Voordat hij kan uithalen met zijn keu, geeft Tadeo hem drie stoten die niemand kan zien, links, rechts, links – allemaal op een wenkbrauw waar altijd het snelst sneden ontstaan die allemaal gaan bloeden. Peeley gaat neer als een blok en het zal wel even duren voordat ie weer bijkomt. De vrouwen beginnen te gillen en zoals gebruikelijk doet en roept iedereen van alles en ontstaat er chaos. Peeleys vriend reageert traag maar haalt uit met zijn keu om Tadeo's hoofd eraf te hakken, maar Miguel bemoeit zich ermee en ramt een stevige vuist tegen de onderkant van de schedel van Peeleys vriend die naast Peeley op de grond belandt. Om het af te maken slaat Tadeo nog een paar keer op Peeleys gezicht; dan duikt hij weg en verdwijnt naar het toilet. Iemand gooit met een bierflesje, dat vlak boven zijn hoofd tegen de muur uit elkaar knalt. Miguel loopt vlak achter hem aan. Woedende stemmen achtervolgen hen. Ze doen de deur op slot en klimmen door een raam naar buiten. Een paar seconden later zitten ze weer in de pick-up, waarna we rustig wegrijden.

'Ik heb het,' zegt Tadeo enthousiast vanaf de achterbank. Hij steekt zijn rechterhand uit die inderdaad onder het bloed zit. Peeleys bloed. We stoppen bij een burgertent waar ik zijn hand zorgvuldig schoonmaak.

Het is middernacht voordat we terug zijn in de City.

9

Het monster dat de Fentress-tweeling heeft vermoord, bond met schoenveters hun enkels en polsen aan elkaar en smeet ze vervolgens in een vijver. Tijdens Jenna's autopsie werd een lange zwarte haar gevonden die verwikkeld zat in de veters om haar enkels. Zij en Raley hadden allebei lichtblond haar. In die tijd had Gardy lang zwart haar, hoewel de kleur elke maand veranderde, en het was geen verrassing dat de haaranalyse-expert van de staat verklaarde dat er een 'match' was. Echte experts weten al ruim honderd jaar dat haaranalyse ontzettend inaccuraat is. Autoriteiten, en zelfs de FBI, gebruiken deze methode nog altijd, als er geen betere bewijzen zijn en de verdachte klemgezet moet worden. Ik heb rechter Kaufman gesmeekt opdracht te geven voor een DNA-test met een monster van Gardy's haar, maar dat weigerde hij. Hij zei dat dat te duur was. Maar we hebben het over iemands leven!

Toen ik eindelijk toestemming kreeg om de bewijzen van de staat te bekijken, die er dus vrijwel niet waren, ben ik erin geslaagd ruim anderhalve centimeter van de zwarte haar te stelen. Niemand heeft het ooit gemist.

Maandagochtend vroeg verstuur ik met een koerier het stukje haar en het monster van Jack Peeleys bloed naar een DNA-lab in Californië. Deze haastklus gaat me zesduizend dollar kosten, maar ik durf er alles onder te verwedden dat ik hierdoor de echte moordenaar vind.

10

Partner en ik scheuren naar Milo voor een nieuwe slopende week vol leugens. Ik kan niet wachten tot ik naar Glynna Roston kan kijken, jurylid nummer acht, om te zien of er duidelijke tekenen zijn van geheime gesprekken. Maar niets verloopt natuurlijk volgens plan.

De rechtszaal zit alweer bomvol, en ik heb bewondering voor het publiek. Voor de elfde procesdag op rij zit Julie Fentress, de moeder van de tweeling, op de voorste bank, vlak achter de tafel van de officier van justitie. Ze heeft haar praatgroep bij zich en ze kijken naar me alsof ík de meisjes heb vermoord.

Als Trots eindelijk arriveert, zijn aktetas openmaakt en net doet alsof dit heel belangrijk voor hem is, buig ik me naar hem toe en zeg: 'Kijk naar jurylid nummer acht, Glynna Roston, maar zorg dat niemand het ziet.'

Dat gebeurt natuurlijk wel, want Trots is een stomkop. Hij zou toch zeker in staat moeten zijn om stiekem naar de juryleden te kijken om hun reacties te peilen, hun lichaamstaal te bestuderen, te zien of ze wakker zijn of belangstellend of kwaad – om alles te doen wat je tijdens een proces leert te doen als je nieuwsgierig bent naar je jury, maar Trots is weken geleden al door de mand gevallen.

Gardy is in een relatief goed humeur. Hij heeft me verteld dat hij geniet van het proces, omdat hij daardoor zijn cel uit kan. Ze houden hem in eenzame opsluiting, meestal met het licht uit, want ze wéten dat hij de Fentress-tweeling heeft vermoord en ze vinden dat hij daar direct voor bestraft moet worden. Ik heb een goed humeur omdat Gardy zich dit weekend heeft gedoucht.

We doden de tijd in afwachting van de komst van rechter Kaufman. Huver, de officier van justitie, zit om kwart over negen nog niet aan zijn tafel. Zijn groep juridisch assistenten van de Hitlerjugend fronsen erger dan normaal. Er is iets aan de hand.

Er komt een bode naar me toe die fluistert: 'Rechter Kaufman wil u spreken, in zijn kamer.' Dat gebeurt bijna elke dag, lijkt het wel. We moeten steeds weer naar zijn kamer om te bekvechten over iets wat we voor het publiek geheim willen houden. Maar waarom zouden we? Na twee weken weet ik dat als Huver wil dat het publiek iets ziet of hoort, dat ook gaat gebeuren.

Ik loop in de val. De griffier is er al en zit klaar om van alles verslag te doen. Rechter Kaufman loopt te ijsberen, in overhemd en stropdas; zijn toga en colbert hangen aan de deur. Huver staat met een arrogante en grimmige blik bij een raam. De bode doet de deur achter me dicht en Kaufman smijt een paar papieren op de tafel. 'Lees dit!' gromt hij.

'Goedemorgen, edelachtbare,' zeg ik, zo pedant mogelijk. 'Huver.'

Ze reageren niet. Het is een beëdigde verklaring van twee kantjes waarin de getuige, of in dit geval de leugenaar, beweert dat ze me afgelopen vrijdagavond is tegengekomen tijdens de MMA-gevechten in de City, dat ik de zaak met haar heb besproken en tegen haar heb gezegd dat de staat geen bewijzen had en dat al hun getuigen logen. Ze heeft ondertekend met Marlo Wilfang, in aanwezigheid van een notaris.

'Is dat waar, meneer Rudd?' gromt Kaufman, helemaal opgefokt.

'Ja, wel een beetje.'

'Wilt u uw kant van het verhaal vertellen?' vraagt hij, duidelijk niet van plan ook maar één woord te geloven.

Huver mompelt zo luid dat ik het kan horen: 'Duidelijk geval van jurybeïnvloeding.'

Waarop ik snauw: 'Wil je mijn kant eerst horen of wil je me net als Gardy ophangen zonder dat je alle feiten kent?'

Rechter Kaufman zegt: 'Zo is het wel genoeg. Laat dat, meneer Huver.'

Ik vertel mijn kant van het verhaal, accuraat, perfect, zonder één woord te overdrijven. Ik zeg dat ik deze vrouw nooit eerder had ontmoet, haar niet zou herkennen – hoe zou ik ook? – en dat zij me met opzet heeft benaderd, contact zocht en daarna snel terug naar Milo is gegaan om zichzelf bij dit proces te betrekken.

Vaak is er een heel dorp voor nodig om een moordenaar te veroordelen.

Ik schreeuw bijna: 'Zij zegt dat ik het contact heb geïnitieerd? Hoe dan? Ik kende deze vrouw niet. Zij kende mij wel, omdat zij in de rechtszaal het proces heeft bijgewoond. Zij kon mij wel herkennen. Hoe had ik haar moeten herkennen? Dit slaat toch nergens op?'

Natuurlijk niet, maar dat weigeren Huver en Kaufman toe te geven. Zij zijn ervan overtuigd dat ze me klem hebben. Ze haten mij en mijn cliënt zo heftig dat ze het voor de hand liggende niet kunnen zien.

Ik houd vol: 'Ze liegt, oké? Ze heeft dit allemaal gepland. Zij heeft mij bewust benaderd, met me gepraat, deze beëdigde verklaring voorbereid – waarschijnlijk in jouw kantoor, Huver – en ze liegt. Dat is meineed en minachting van het hof. Doe iets, edelachtbare!'

'Niemand hoeft mij te vertellen...'

'Ach, kom nou toch! Kom eindelijk eens van uw luie reet en doe voor de verandering eens het juiste.'

'Luister, meneer Rudd,' zegt hij, met een rode kop en klaar om naar me uit te halen.

Ik wil dat de zaak geseponeerd wordt, ik wil deze twee uitdagen om iets ontzettend stoms te doen. Hardop zeg ik: 'Ik wil een hoorzitting. Laat de jury erbuiten, roep deze jongedame in de getuigenbank en laat mij haar aan een kruisverhoor onderwerpen. Zij wil toch bij dit proces worden betrokken, dan geven we haar haar zin. Haar moeder is duidelijk vooringenomen en instabiel, en ik wil haar uit de jury hebben!'

'Wat hebt u tegen haar gezegd?' vraagt Kaufman.

'Dat heb ik u net verteld, woordelijk. Ik heb tegen haar hetzelfde gezegd als ik tegen ieder ander zou zeggen. Dat jullie zaak nergens op gebaseerd is, alleen op een heleboel liegende getuigen, en dat jullie geen geloofwaardige bewijzen hebben. Punt uit.'

'Je bent gek geworden,' zegt Huver.

'Ik wil een hoorzitting!' schreeuw ik nu bijna. 'Ik wil deze vrouw uit de jury en voordat ze weg is, ga ik niet door met dit proces.'

'Dreigt u?' vraagt Kaufman.

Alles loopt nu snel uit de hand.

'Nee, edelachtbare. Ik beloof het: ik ga niet verder met dit proces.'

'Dan verwijt ik u minachting van het hof en laat ik u opsluiten.'

'Dat zal niet de eerste keer zijn. Doe maar, dan wordt dit proces nietig verklaard, komen we over zes maanden terug en kan dit feestje opnieuw plaatsvinden.'

Ze weten niet zeker of ik al eerder in de bak heb gezeten, maar op dit moment gaan ze ervan uit dat ik niet lieg. Een alternatieve advocaat zoals ik flirt de hele tijd met ethische grenzen, en zo iemand zal een tijdje in de gevangenis als een soort eremedaille beschouwen. Als ik een rechter kwaad moet maken, of hem moet vernederen, dan is dat maar zo.

We zwijgen een paar minuten. De griffier staart naar haar voeten en als ze de kans zou krijgen, zou ze over de stoelen klimmen en zo snel mogelijk de kamer uit rennen. Huver is doodsbang voor een revisie, bang dat zijn geweldige veroordeling met argusogen zal worden geanalyseerd door een hof van beroep, dat vervolgens opdracht zal geven het proces opnieuw te voeren. Deze kwelling wil hij niet nog eens meemaken. Wat hij wel wil is die geweldige afspraak in de toekomst als hij, waarschijnlijk samen met een journalist, naar een gevangenis rijdt die Big Wheeler heet, waar de dodencellen zijn, waar hij zal worden behandeld als een royalty, omdat hij De Man is, De Held die dit gruwelijke misdrijf heeft opgelost en heeft gezorgd voor de schuldigverklaring waardoor Gardy Baker naar zijn executie wordt gestuurd, zodat Milo zijn 'afsluiting' krijgt. Hij zal op de voorste rij mogen plaatsnemen, achter een gordijn dat dramatisch opzij wordt geschoven waarna Gardy te zien is, liggend op een brancard met slangetjes in zijn armen. Na afloop zal hij, Huver, de tijd vinden om ernstig met de pers te praten en zal hij de kwellingen beschrijven waarmee zijn kantoor hem belast: hij moet nog altijd een executie bijwonen en in deze staat, waar iedereen blij is dat de doodstraf bestaat, is dat erger dan wanneer je een dertig jaar oude maagd bent. De staat versus Gardy Baker is Dan Huvers persoonlijke hoogtepunt. Dat proces zal zijn carrière maken. Hij zal toespraken mogen houden tijdens al die belangrijke conferenties voor officieren van justitie in goedkope casino's. Hij zal worden herkozen.

Maar op dit moment zit hij te zweten, omdat hij zijn hand heeft overspeeld.

Ze waren ervan overtuigd dat ze me bij de ballen hadden. Wat ongelofelijk stom! Mij klemzetten met een valse beschuldiging van 'ongeoorloofd contact' is op dit moment echt niet nuttig voor hun zaak. Dat is *overkill*, maar niet ongebruikelijk. Ze hebben Gardy al bijna schuldig bevonden en ter dood veroordeeld, en het leek hen wel leuk om me op deze manier te grazen te nemen.

'Volgens mij is het ongeoorloofd contact, edelachtbare,' zegt Huver, in een poging dramatisch te doen.

'Dat zou het ook zijn,' zeg ik.

'Laten we dit later maar afhandelen,' zegt Kaufman. 'De jury zit te wachten.'

Ik zeg: 'Zijn jullie doof of zo? Ik ga niet verder met dit proces tot ik een hoorzitting krijg en ik eis dat dit in het verslag wordt opgenomen.'

Kaufman kijkt naar Huver; ze happen allebei naar adem. Ze weten dat ik gek genoeg ben om te gaan staken, om te weigeren door te gaan met dit proces. En als dat gebeurt staat ze de nietigverklaring van dit proces te wachten. De rechter kijkt me aan en zegt: 'Ik beschuldig u van minachting van het hof.'

'Gooi me maar in de cel,' zeg ik uitdagend. De griffier hoort elk woord. 'Gooi me maar in de cel.'

Maar dat kan hij nu dus niet doen. Hij moet een besluit nemen en een verkeerd besluit zou alles op het spel kunnen zetten. Als ik hiervoor de bak in ga, wordt dit hele proces onderuitgehaald en kan het op geen enkele manier nog gered worden. Dan zal een hof van beroep, zeer waarschijnlijk een federaal hof van beroep, Kaufmans exacte handelingen evalueren en afkeuren. Dan moet Gardy een advocaat krijgen, een echte. Ze kunnen domweg niet doorgaan met dit proces als ik in het huis van bewaring zit. Ze hebben me dit cadeautje op een dienblaadje aangereikt.

Een paar seconden verstrijken en de gemoederen komen tot bedaren.

Behulpzaam, bijna aardig zeg ik: 'Luister, edelachtbare, u kunt me hiervoor geen hoorzitting weigeren. Als u dat wel doet, geeft u me zwaar geschut in handen voor de beroepszaak.'

'Wat voor hoorzitting?' vraagt hij schor.

'Ik wil deze vrouw, deze Marlo Wilfang, tijdens een besloten hoorzitting in de getuigenbank hebben. Jullie willen me beschuldigen van ongeoorloofd contact, dus moeten we dit tot op de bodem uitzoeken. Ik heb het recht mezelf te verdedigen. Stuur de jury voor de rest van de dag maar naar huis en laten we dit uitvechten.'

'Ik stuur de jury niet naar huis,' zegt de rechter en hij laat zich verslagen in zijn stoel vallen.

'Prima. Dan sluit u ze de rest van de dag maar op. Mij maakt het niet uit. Deze vrouw heeft tegen u gelogen en daardoor heeft ze haar neus in dit proces gestoken, dus kan haar moeder nu onmogelijk lid blijven van de jury. Dat is een reden voor nietigverklaring van dit proces en het is verdomd zeker een reden voor hoger beroep. U mag kiezen.'

Ze luisteren naar me, omdat ze bang zijn en rampzalig onervaren. Ik heb al nietige gedingen meegemaakt, ik heb al hogerberoepszaken meegemaakt; ik heb dat allemaal al heel vaak meegemaakt, in het midden van de arena als het om leven en dood gaat en één fout een hele zaak kan ruïneren. Zij zijn groentjes. Kaufman heeft in de zeven jaar dat hij rechter is twee moordzaken geleid. Huver heeft één man naar de dodencellen gestuurd, een gênante score voor een officier van justitie in deze omgeving. Twee jaar geleden heeft hij een moordzaak zo verknald dat de rechter (niet Kaufman) gedwongen was het proces te seponeren. De aanklacht werd later ingetrokken. Ze hebben zich zojuist verschrikkelijk vergalopperd.

'Wie heeft deze beëdigde verklaring voorbereid?' vraag ik.

Geen antwoord.

Ik zeg: 'Kijk, het taalgebruik hier is duidelijk afkomstig van een jurist. Geen enkele leek praat zo. Heb jij de verklaring voorbereid, Huver?'

Huver, die probeert rustig te blijven maar nu helemaal wanhopig is, zegt iets wat zelfs Kaufman niet kan geloven: 'Edelachtbare, Trots kan het wel overnemen als Rudd in het huis van bewaring zit.'

Ik schiet in de lach, want Kaufman kijkt alsof iemand hem een klap in zijn gezicht heeft gegeven. 'Hahaha, ga je gang maar,' zeg ik spottend. 'Je bent er al vanaf dag één in geslaagd deze zaak te verknallen, dus ga je gang maar en beloon Gardy met een herziening.'

Kaufman zegt: 'Nee. Meneer Trots heeft nog geen woord gezegd en het zou verstandig zijn als die jongen daar gewoon blijft zitten met die domme blik op zijn gezicht.'

Hoewel dit grappig is, blijf ik naar zijne edelachtbare kijken en daarna kijk ik naar de griffier die alles noteert.

'Schrap dat,' brult Kaufman tegen haar en hij vermant zich. Wat een stomkop. Een proces lijkt vaak op een slecht circus waar verschillende acts mislukken. Wat begon als een grappige poging om mij te vernederen, lijkt nu een afschuwelijk idee, in elk geval voor hen.

Ik wil niet dat Huver op goede vondsten komt – hoewel ik me daar niet echt zorgen over hoef te maken – en om hem van zijn stuk te brengen gooi ik nog wat olie op het vuur en zeg: 'Van alle stomme dingen die je tijdens dit proces hebt gezegd, is dit wel het stomste. Bennie Trots. Wat een giller!'

'Wat is uw standpunt, meneer Rudd?' vraagt Kaufman.

'Ik ga niet terug naar die rechtszaal voor we een hoorzitting hebben over ongeoorloofd contact met jurylid nummer acht, de aardige mevrouw Glynna Roston. Als ik hierdoor echt schuldig ben aan minachting van het hof, gooit u me maar in de cel. Op dit moment heb ik liever een nietig proces dan een drievoudig orgasme.'

'Er is geen enkele reden om grof te worden, meneer Rudd.'

Huver wordt zenuwachtig en stamelt: 'Tja eh... edelachtbare eh... ik neem aan dat we die kwesties van ongeoorloofd contact en minachting van het hof later wel kunnen afhandelen, weet u, na het proces of zo. Nu zou ik liever doorgaan met de getuigenverklaringen. Dit eh... lijkt gewoon heel erg onnodig op dit moment.'

'Waarom ben je hier dan mee begonnen, Huver?' vraag ik. 'Waarom werden jullie clowns zo enthousiast over dat ongeoorloofde contact terwijl je verdomde goed wist dat dat mens van Wilfang loog?'

'Noem me geen clown!' snauwt rechter Kaufman.

'Sorry, edelachtbare, ik had het niet over u. Ik had het over al die clowns in het kantoor van de officier van justitie, onder wie de officier van justitie zelf.'

'Kunnen we dit gesprek alstublieft naar een iets hoger niveau tillen?' vraagt Kaufman.

'Mijn excuses,' zeg ik, zo sarcastisch als menselijkerwijs mogelijk is.

Huver loopt naar het raam en kijkt naar de rijen vervallen gebouwen die de Main Street van Milo vormen. Kaufman loopt naar een boekenplank achter zijn bureau en staart naar boeken die hij nog nooit heeft aangeraakt. Er hangt een beladen en gespannen sfeer. Er moet een zwaarwegend besluit worden genomen, en als zijne edelachtbare het fout doet, zullen de gevolgen nog jaren merkbaar zijn. Eindelijk draait hij zich om en zegt: 'Het is denk ik het beste als we jurylid nummer acht ondervragen, maar dat gaan we niet daar doen. We houden het verhoor hier.'

Wat volgt is een van die fases in een proces die enorm frustrerend zijn voor beide procesvoerende partijen, de juryleden en de toeschouwers. We brengen de rest van de dag door in rechter Kaufmans niet bepaald grote kamer, en kibbelen en schreeuwen over de ins en outs van mijn ongeoorloofde contact met een jurylid. Glynna Roston wordt erbij gehaald, ze moet de eed afleggen en is bijna te bang om haar mond open te doen. Ze begint meteen te liegen als ze zegt dat ze deze zaak niet met haar familie heeft besproken. Tijdens het kruisverhoor val ik haar zo fel aan dat zelfs Kaufman en Huver ervan lijken te schrikken. Snikkend verlaat ze de kamer. Daarna halen ze haar stupide dochter erbij, juffrouw Marlo Wilfang, die haar verhaaltje herhaalt tijdens het onhandige verhoor door Dan Huver, die nu écht niet meer weet wat ie doet. Als ze aan mij wordt overgedragen, pak ik haar eerst met fluwelen handschoenen aan, maar snijd vervolgens haar keel door, van oor tot oor. Nog geen tien minuten later zit ze te huilen, ze hapt naar adem en wenst duizend keer dat ze in die arena mijn naam nooit had geroepen. Het wordt pijnlijk duidelijk dat ze in haar beëdigde verklaring heeft gelogen. Zelfs rechter Kaufman vraagt: 'Hoe hebt u meneer Rudd herkend te midden van vijfduizend andere mensen, als hij u nooit eerder heeft ontmoet?' Dank u wel, edelachtbare. Dát is dus de vraag.

Volgens haar kwam ze die vrijdagavond na de kooigevechten pas laat thuis. Toen ze zaterdag eindelijk wakker werd, belde ze haar moeder, die meteen Dan Huver opbelde, die precies wist wat hem te doen stond. Ze ontmoetten elkaar die zondagmiddag op zijn kantoor, stelden het concept op van de beëdigde verklaring, en klaar was Kees! Huver zat gebakken.

Ik roep Huver op als getuige. Hij maakt bezwaar. We discussiëren erover, maar Kaufman heeft geen keus. Ik ondervraag Huver een uur lang, en zelfs twee hitsige katers in dezelfde jutezak zouden zich geciviliseerder gedragen. Een van zijn juridisch assistenten heeft elk woord van de beëdigde verklaring geschreven, een van zijn secretaresses heeft hem getypt en een andere secretaresse heeft het bij de notaris afgegeven.

Daarna ondervraagt hij mij en gaat het gekibbel door.

Tijdens deze heel langdradige kwelling zitten de juryleden in de jurykamer te wachten, ongetwijfeld op de hoogte gebracht door Glynna Roston, terwijl ze mij natuurlijk de schuld geven van alweer een frustrerende vertraging van dit proces. Alsof mij dat ook maar iets kan schelen!

Steeds weer herinner ik Kaufman en Huver eraan dat ze gevaarlijk spel spelen. Wanneer Glynna Roston in de jury blijft, weet ik zeker dat ik een herziening krijg. Dat weet ik natuurlijk niet zeker, want tijdens een beroepszaak is niets zeker, maar langzaam maar zeker zie ik dat ze onder de spanning bezwijken en aan hun eigen beoordeelingsvermogen beginnen te twijfelen. Ik vraag herhaaldelijk om de nietigverklaring van dit proces, en deze moties worden herhaaldelijk verworpen. Maakt mij niet uit, het staat in het verslag.

Laat in de middag besluit Kaufman mevrouw Roston weg te sturen en haar te vervangen door juffrouw Mazy, een van onze geweldige invallers.

Juffrouw Mazy is geen invaller met wie ik blij ben; ze is niet beter dan de vorige ouwe trut die op die stoel zat. Niemand in Milo zou beter zijn. Je zou er twaalf kunnen uitkiezen uit een groep van duizend en elke jury zou er hetzelfde uitzien en hetzelfde stemmen. Waarom ik vandaag dan wel zoveel tijd heb verknoeid? Omdat ik vond dat ze zichzelf moesten verantwoorden. Om ze de stuipen op het lijf te jagen omdat ze dachten dat zij – officier van justitie en rechter, officieel gekozen door de locals hier – de meest sensationele zaak konden verzieken die dit achterlijke stadje ooit heeft gezien. Om munitie te verzamelen voor de beroepszaak. En om ze te dwingen mij te respecteren.

Ik eis dat Marlo Wilfang wordt aangeklaagd wegens meineed, maar de officier van justitie is moe. Ik eis dat ze wordt opgesloten wegens minachting van het hof, maar rechter Kaufman herinnert me eraan dat ik daar schuldig aan ben. Hij laat een bode roepen, met handboeien.

Ik zeg: 'Het spijt me, edelachtbare, maar ik ben vergeten waarom u vond dat ik het hof minachtte. Dat is alweer zo lang geleden.'

'Omdat u vanochtend hebt geweigerd door te gaan met dit proces, omdat we een hele dag hier hebben verspild met discussies over een jurylid en omdat u me hebt beledigd.'

Er zijn zoveel manieren waarop ik op deze onzin kan reageren, dat ik mijn mond houd. Als hij me in de cel gooit wegens minachting van het hof, maakt hij de zaak alleen maar ingewikkelder voor henzelf, voor de autoriteiten. En dan heb ik alleen maar meer munitie voor Gardy's beroepszaak.

Er komt een uit de kluiten gewassen hulpsheriff binnen en Kaufman zegt: 'Breng hem naar het huis van bewaring.'

Huver staat bij het raam, met zijn rug naar alles toe.

Ik wil helemaal niet naar het huis van bewaring, maar ik kan niet wachten om dit vertrek te verlaten. Het begint hier naar oudbakken lichaamsgeurtjes te ruiken. De handboeien worden om mijn polsen gedaan, met de handen naar voren, niet op mijn rug. Als ik word weggeleid, kijk ik Kaufman aan en zeg: 'Ik neem aan dat ik morgenochtend mag doorgaan als advocaat van Gardy.'

'Dat klopt.' Om ze zelfs nog banger te maken, voeg ik eraan toe: 'De laatste keer dat ik tijdens een proces in het huis van bewaring ben gegooid, werd de schuldigverklaring vernietigd door het hooggerechtshof van de staat. Negen tegen nul stemmen. Jullie clowns zouden jullie zaakjes moeten kennen.'

Een andere grote hulpsheriff voegt zich bij ons kleine groepje. Ze nemen me mee door de achterdeur en de achteruitgang die ik elke dag gebruik. Om de een of andere reden blijven we op een overloop staan en mompelen de hulpsheriffs iets in hun radio's. Als we eindelijk naar buiten lopen, krijg ik de indruk dat het nieuws is uitgelekt. De lui die me haten juichen als ze zien dat ik naar buiten word geleid en de agenten treuzelen als ze proberen te besluiten welke patrouilleauto ze zullen nemen. Ik sta naast een van hen, open en bloot, en glimlach naar mijn groepje haters. Ik zie Partner en roep dat ik hem later zal bellen. Hij is verbijsterd en snapt er niets van. Gewoon omdat ze het leuk vinden, duwen ze me op dezelfde achterbank als Gardy; advocaat en cliënt, op weg naar het huis van bewaring. Als we wegrijden, met zwaailichten en sirene om dit stomme stadje zo veel mogelijk drama te geven, kijkt Gardy me aan en vraagt: 'Waar wás u de hele dag?'

Ik heb geen zin eromheen te draaien. Ik til mijn geboeide handen op en zeg: 'Met de rechter gevochten. Wie heeft gewonnen, denk je?'

'Hoe kunnen ze een advocaat in de cel gooien?'

'De rechter kan doen waar hij zin in heeft.'

'Krijgt u ook de doodstraf?'

Voor het eerst sinds uren grijns ik. 'Nee, nog niet in elk geval.'

Gardy vindt deze onverwachte verandering wel leuk. Hij zegt: 'U zult het eten daar heerlijk vinden.'

'Dat geloof ik meteen.'

De twee hulpsheriffs voorin proberen zo fanatiek te luisteren naar wat we zeggen dat ze amper ademhalen.

'Hebt u al eerder in het huis van bewaring gezeten?' vraagt mijn cliënt.

'O ja, al een paar keer. Ik heb er een handje van om rechters kwaad te maken.'

'Hoe hebt u rechter Kaufman kwaad gemaakt?'

'Dat is een lang verhaal.'

'Nou, we hebben de hele avond, toch?'

Ja, dat denk ik ook. Maar ik betwijfel of ze me in dezelfde cel zetten als mijn geliefde cliënt.

Een paar minuten later stoppen we voor een gebouw uit de jaren vijftig met een plat dak en aan weerszijden verschillende aanbouwen als kwaadaardige tumoren. Ik ben hier al een paar keer geweest om Gardy op te zoeken en het is een afschuwelijke plek. Ze parkeren, slepen ons uit de auto en duwen ons een benauwde open ruimte in waar een paar agenten rondhangen, papieren heen en weer schuiven en doen alsof ze heel stoer zijn. Gardy verdwijnt naar achteren, en als een onzichtbare deur opengaat, hoor ik op de achtergrond gevangenen schreeuwen.

'Rechter Kaufman zei dat ik twee telefoontjes mag plegen,' snauw ik tegen de cipier als hij naar me toe komt.

Hij blijft staan, omdat hij niet goed weet wat een cipier eigenlijk moet doen als hij wordt geconfronteerd met een woedende advocaat die hiernaartoe is gestuurd wegens minachting van het hof. Hij deinst achteruit.

Ik bel Judith, en nadat ik haar receptioniste, haar secretaresse en haar juridisch assistent heb afgebekt, krijg ik haar aan de telefoon. Ik vertel haar dat ik in het huis van bewaring zit en hulp nodig heb. Ze vloekt, herinnert me eraan dat ze het superdruk heeft, maar zegt dan oké. Daarna bel ik Partner en vertel hem wat er aan de hand is.

Ze geven me een oranje overall met GEVANGENIS VAN MILO op de rug. Ik kleed me om in een smerig toilet en hang zorgvuldig mijn overhemd, stropdas en pak op een kleerhanger, geef hem aan de cipier en zeg: 'Zorg alsjeblieft dat dit niet kreukelt. Ik moet dit morgen weer aan.'

'Moet het geperst worden?' vraagt hij en hij begint dan te brullen van het lachen. De anderen lachen mee om deze dijenkletser en ik glimlach heel sportief mee. Als ze uitgelachen zijn, vraag ik: 'Wat eten we vanavond?'

De cipier zegt: 'Het is maandag, ham uit blik. Op maandag is het altijd ham uit blik.'

'Ik kan niet wachten!'

Mijn cel is een betonnen bunker van drie bij drie, die stinkt naar oude pies en zweet. Op de stapelbedden liggen twee jonge zwarte mannen; de een leest, de ander ligt te pitten. Er is geen derde bed, dus moet ik in een plastic stoel slapen die vol zit met donkerbruine spatjes. Mijn twee nieuwe celmaten lijken absoluut niet aardig. Ik wil niet vechten, maar als ik in het huis van bewaring verrot word geslagen terwijl ik iemand verdedig in een moordproces, wordt het proces automatisch nietig verklaard. Dus laat ik dat maar zitten.

Omdat ze dit al eerder heeft gedaan, weet Judith precies wat ze moet doen. Om vijf uur 's middags dient ze een verzoekschrift in voor een *habeas corpus* bij de federale rechtbank in de City, met een dringend verzoek voor een onmiddellijke hoorzitting. Ik ben gek op de federale rechtbank, meestal.

Ze stuurt ook een kopie van haar verzoekschrift naar mijn favoriete journalist bij de krant, want ik wil zo veel mogelijk ophef veroorzaken. Kaufman en Huver hebben verschrikkelijk gefaald en daar zullen ze voor boeten. De lezer op het onderste bed besluit dat hij wil praten en dus vertel ik waarom ik hier ben. Hij vindt dat wel grappig, een advocaat die in de bak zit omdat hij de rechter kwaad heeft gemaakt. De slaper op het bovenste bed rolt op zijn zij en lacht mee. Even later geef ik ze juridisch advies; deze jongens kunnen alles gebruiken wat ik ze kan vertellen.

Een uur later komt een cipier me halen met het nieuws dat ik bezoek heb.

Ik loop achter hem aan door een doolhof van gangen en word naar een benauwd kamertje gebracht met een ademanalyseapparaat; hier brengen ze de dronken chauffeurs naartoe.

De Bisschop staat op en we geven elkaar een hand. We hebben elkaar alleen telefonisch gesproken en nog nooit ontmoet. Ik bedank hem voor zijn komst maar zeg ook dat het stom van hem is.

Hij zegt dat iedereen de pot op kan, dat hij niet bang is voor de locals en dat hij bovendien weet hoe hij moet liegen en niet moet opvallen. Hij kent ook de commissaris van politie, de politieagenten, de rechter – iedereen eigenlijk in dit stadje. Hij zegt dat hij heeft geprobeerd Huver en Kaufman aan de telefoon te krijgen om ze te vertellen dat ze een heel grote fout hebben gemaakt, maar hij krijgt ze niet te pakken. Hij dringt er bij de hoofdagent op aan me in een betere cel te zetten.

Hoe langer we praten, hoe meer ik hem mag. Hij is een straatvechter, een vermoeide, dronken ouwe zak die al tientallen jaren verbaal op de vuist gaat met de politie. Hij heeft geen cent verdiend en dat kan hem geen zak schelen.

Ik vraag me af of ik over twintig jaar op hem lijk.

'Hoe zit het met die DNA-tests?' vraagt hij.

'Het lab heeft die monsters morgen in huis en ze hebben beloofd er snel op terug te komen.'

'En als het Peeley is?'

'Dan breekt de hel los.'

Deze vent staat aan mijn kant, maar ik ken hem niet. We kletsen nog een minuut of tien en dan neemt hij afscheid.

Als ik terugkom in mijn cel, hebben mijn twee nieuwe vrienden rondverteld dat er een strafrechtadvocaat bij ze in de cel zit. Even later zit ik juridische adviezen door het cellenblok te brullen.

11

Mijn gezond verstand gebruiken is niet een van mijn sterkste eigenschappen, maar ik besluit het gevecht niet aan te gaan met Fonzo en Frog, mijn twee nieuwe lotgenoten. Dus zit ik de hele nacht in mijn stoel en probeer te slapen. Dat lukt dus niet. Ik heb nee gezegd tegen de ham uit blik voor het avondeten, en nee tegen de rotte eieren en de koude, geroosterde boterhammen voor het ontbijt. Gelukkig heeft niemand het over een douche. Ze brengen me mijn pak, overhemd, stropdas, schoenen en sokken, en ik kleed me snel aan, neem afscheid van mijn celmaatjes, die allebei jaren achter de tralies zullen doorbrengen ongeacht de briljante adviezen die ik urenlang over ze heb uitgestort.

Gardy en ik worden apart van elkaar teruggebracht naar de rechtbank. Een grote menigte vijanden schreeuwt naar me als ik min of meer uit de auto word gesleept, nog steeds met handboeien om. Zodra ik binnen ben en uit het zicht van de fotografen, worden de handboeien afgedaan. Partner wacht me al op in de hal. Ik heb de ochtendeditie gehaald van de *Chronicle*, het dagblad van de City. Lokaal nieuws, pagina drie. Niets bijzonders: Rudd is weer eens in de bak gegooid.

Ik krijg opdracht met de bode mee te lopen naar de kamer van rechter Kaufman, die daar samen met Huver zit te wachten, allebei met een zelfgenoegzame grijns op hun gezicht. Ze willen weleens zien hoe ik de nacht heb overleefd. Maar ik rep met geen woord over het huis van bewaring en vertel niet dat ik al heel lang niet heb geslapen, gegeten of gedoucht. Ik ben ongedeerd, klaar voor de strijd, en dat schijnt ze te ergeren. Wat is het allemaal grappig, maar ondertussen gaat het wel om Gardy's leven!

Een paar seconden na mij komt een andere bode gehaast binnen en zegt: 'Sorry, edelachtbare, maar er is een *marshal* die zegt dat u om elf uur in de federale rechtbank in de City moet zijn. U ook, meneer Huver.'

'Wat heeft dat verdomme te betekenen?' vraagt Kaufman.

Behulpzaam zeg ik: 'Voor een habeas-corpushoorzitting, edelachtbare. Daarvoor hebben mijn advocaten gistermiddag een verzoek ingediend. Een spoedhoorzitting om me uit het huis van bewaring te krijgen. Jullie zijn met deze onzin begonnen, en nu ben ik gedwongen het af te maken.'

'Heeft hij een dagvaarding?' vraagt Huver.

De bode overhandigt hun een paar documenten, en Huver en Kaufman nemen ze snel door.

'Dit is geen dagvaarding,' zegt Kaufman. 'Het is een soort notitie van rechter Samson; ik dacht dat ie dood was. Hij heeft het recht niet me opdracht te geven om bij welke hoorzitting dan ook aanwezig te zijn.'

'Hij is al twintig jaar volkomen getikt,' zegt Huver, een beetje opgelucht. 'Ik ga niet. We zitten midden in een rechtszaak.'

Hij heeft gelijk wat rechter Samson betreft. Als de advocaten de meest geschifte federale rechter in het land mochten kiezen, zou hij probleemloos winnen. Maar hij is mijn geschifte vriend, en hij heeft me al vaker uit het huis van bewaring bevrijd.

Kaufman zegt tegen de bode: 'Zeg maar tegen die marshal dat hij moet oprotten. Als hij moeilijk gaat doen, moet de sheriff hem maar arresteren. Dan wordt ie pas echt kwaad, denk je ook niet? De sheriff die een marshal arresteert. Ha! Ik durf te wedden dat zoiets nog nooit is gebeurd. Hoe dan ook, we gaan niet. We moeten door met dit proces.'

'Waarom ben je naar de federale rechtbank gerend?' vraagt Huver me doodernstig.

'Omdat ik liever niet in het huis van bewaring zit. Wat is dat nou weer voor stomme vraag?'

De bode vertrekt en Kaufman zegt: 'Ik trek de beschuldiging van minachting van het hof in, oké, meneer Rudd? Ik neem aan dat één nachtje in de bak voldoende was voor uw gedrag.'

Ik zeg: 'Ach, het is in elk geval genoeg voor een nietig geding of hoger beroep.'

'Laten we daar maar niet over discussiëren,' zegt Kaufman. 'Kunnen we doorgaan?'

'U bent de rechter.'

'Hoe zit het met die hoorzitting in de federale rechtbank?'

'Vraagt u me soms juridisch advies?' vraag ik meteen.

'Echt niet!'

'Als u dat bevel negeert, is dat uw keus. Verdomme, misschien laat Samson jullie allebei wel een paar nachten in het huis van bewaring opsluiten. Dat zou pas grappig zijn, nietwaar?'

12

Uiteindelijk zijn we weer in de rechtszaal, en het duurt even voordat iedereen weer op z'n plek zit. Als de jury wordt binnengebracht, weiger ik naar ze te kijken. Inmiddels weten ze allemaal dat ik de nacht in de cel heb doorgebracht, en ik neem aan dat ze graag willen weten hoe ik dat heb overleefd. Dus laat ik niets merken.

Rechter Kaufman verontschuldigt zich voor het oponthoud en zegt dat het tijd is weer aan het werk te gaan. Hij kijkt naar Huver, die opstaat en zegt: 'Edelachtbare, de staat staakt de bewijsvoering.'

Dit is een amateuristische truc, bedoeld om mij het leven zelfs nog meer zuur te maken. Ik sta op en zeg kwaad: 'Edelachtbare, dat had hij me gisteren ook wel kunnen vertellen, of zelfs vanochtend.'

'Roep uw eerste getuige op!' brult Kaufman.

'Daar ben ik niet klaar voor. Ik wil een paar moties indienen.'

Hij heeft geen keus en moet de jury wegsturen. We zijn de volgende twee uur aan het discussiëren over de vraag of de staat wel of niet voldoende bewijzen heeft aangevoerd om door te gaan. Ik herhaal dezelfde argumenten. Kaufman neemt dezelfde besluiten. Dit is allemaal voor het verslag.

Mijn eerste getuige is een verwaarloosd probleemkind dat opvallend veel op mijn cliënt lijkt. Zijn voornaam is Wilson; hij is vijftien, een schoolverlater, een *druggie*, een jongen die feitelijk dakloos is, hoewel een tante hem als hij ziek is in haar garage laat slapen. En dit is onze kroongetuige!

De Fentress-tweeling werd op een woensdagmiddag tegen vieren als vermist opgegeven. Ze waren op de fiets van school vertrokken maar zijn nooit thuisgekomen. Om een uur of zes begon een zoekactie, die na een aantal uren werd opgevoerd. Tegen middernacht was het hele stadje in paniek en liep iedereen buiten rond met een zaklamp. Hun lichamen werden de volgende dag tegen twaalf uur gevonden in een verontreinigde vijver.

Ik heb zes getuigen, Wilson en vijf anderen, die zullen verklaren dat ze op die woensdagmiddag vanaf een uur of twee 's middags tot het donker werd bij Gardy waren. Ze waren op een plek die de Pit wordt genoemd, een verlaten grindgroeve in een dicht bos ten zuiden van de stad. Het is een afgezonderde schuilplek voor spijbelaars, weggelopen of dakloze kinderen, druggies, crimineeltjes en dronkaards. De plaats trekt ook een paar oudere leeglopers aan, maar over het algemeen is het een toevluchtsoord voor kinderen die niemand wil. Ze slapen onder afdakjes, delen hun gestolen eten, drinken hun gestolen drank, gebruiken drugs waar ik nog nooit van heb gehoord, doen aan willekeurige seks en verslijten over het algemeen hun dagen terwijl ze dichter naar hun dood of naar opsluiting in de gevangenis glijden. Gardy was daar toen iemand anders de Fentress-tweeling ontvoerde en vermoordde.

We hebben dus een alibi, er zijn mensen die kunnen getuigen waar mijn cliënt die dag was. Toch?

Tegen de tijd dat Wilson in de getuigenbank staat en de eed heeft afgelegd, zijn de juryleden wantrouwig. Voor deze gelegenheid draagt hij de kleren die hij altijd draagt: een groezelige spijkerbroek met heel veel gaten, afgetrapte soldatenlaarzen, een groen T-shirt dat een psychedelische rockband ophemelt en een prachtige paarse halsdoek. Zijn schedel is boven de oren kaalgeschoren en hij heeft een knaloranje vetkuif. Hij heeft een obligate verzameling tattoos, oorringen en piercings. Omdat hij niet meer is dan een kind dat geen idee heeft waar hij mee bezig is en nu opeens naar zo'n formele omgeving is gesleept, verbergt hij zichzelf constant achter een zelfvoldane grijns waardoor je de neiging krijgt hem te slaan.

'Doe maar gewoon,' had ik hem gezegd, wat hij helaas ook doet. Ik zou hem niet geloven, geen woord, hoewel hij de waarheid vertelt. Precies zoals we hebben geoefend, nemen we die woensdagmiddag door.

Huver laat geen spaan van hem heel tijdens het kruisverhoor. 'Je bent vijftien jaar, knul, waarom zat je niet op school? Je zat dus een stickie te roken, hè, samen met je vriendje hier, wil je deze juryleden dat wijsmaken? Drinken en drugs gebruiken, alleen maar een paar nietsnutten, klopt dat?' Wilson doet een mislukte poging dat te ontkennen. Nadat hij een kwartier lang verbaal is mishandeld, weet hij niet meer wat hij moet doen en is hij bang dat hij zelf van een of ander misdrijf zal worden beschuldigd.

Huver gaat maar door, een pestkop in een speeltuin. Maar omdat hij niet al te snugger is, gaat hij te ver. Hij heeft Wilson zo goed als verslagen en beledigt hem met elke nieuwe vraag. Hij verhoort hem over de datum. 'Hoe weet je zo zeker dat het die woensdag was in maart? Houden jullie soms een kalender bij in de Pit?' Hij vraagt met luide stem: 'Je hebt geen idee over welke woensdag je het hebt, of wel soms?'

'Jawel, meneer,' zegt Wilson, voor het eerst beleefd.

'Hoezo?'

'Omdat de politie toen kwam en de agenten zeiden dat ze op zoek waren naar twee kleine meisjes. Die dag was het. En Gardy was daar de hele middag geweest.' Voor een stomme knul als Wilson, verwoordt hij het perfect, precies zoals we hadden geoefend.

Kennelijk is het zo dat de politie, altijd wanneer er in Milo een misdrijf is gepleegd die ook maar iets ernstiger is dan afval op straat gooien, meteen naar de Pit rent en iedereen daar beschuldigt en de gebruikelijke verdachten lastigvalt. De Pit ligt ongeveer tien kilometer van de vijver waar de Fentress-tweeling werd gevonden. Het is zonneklaar dat geen van de vaste bezoekers van de Pit een ander vervoermiddel heeft dan zijn of haar twee voeten, maar toch gaat de politie er altijd weer naartoe om hun aanzienlijke gewicht in de strijd te gooien. Gardy zegt dat hij zich herinnert dat de politie naar de vermiste meisjes vroeg. De agenten herinneren zich natuurlijk niet meer dat ze Gardy bij de Pit hebben gezien.

Niet dat dit belangrijk is, want de jury is niet van plan ook maar één woord dat Wilson zegt te geloven.

Daarna roep ik een zelfs nog minder geloofwaardige getuige op. Ze noemen haar Lolo; het arme kind leeft al zo lang ze zich kan herinneren onder bruggen en in kartonnen dozen. De jongens beschermen haar en in ruil daarvoor bevredigt zij ze. Ze is nu negentien en ik weet zeker dat ze geen vijfentwintig zal worden, niet aan deze kant van de tralies. Ze zit onder de tattoos, en tegen de tijd dat ze haar eed heeft afgelegd, walgen de juryleden al van haar. Ze herinnert zich die ene woensdag, weet nog dat de politie naar de Pit kwam en ook dat Gardy daar de hele middag was geweest.

Tijdens het kruisverhoor kan Huver niet wachten om te melden dat ze al twee keer voor winkeldiefstal is gearresteerd. Ze had eten gestolen! Wat moet je anders als je honger hebt? Huver doet alsof ze de doodstraf verdient.

We ploeteren door. Ik roep mijn alibigetuigen op die de waarheid vertellen, en Huver zorgt ervoor dat ze allemaal op criminelen lijken. Zo idioot en oneerlijk is het systeem! Huvers getuigen, de lui die namens de staat optreden, zijn omhuld door legitimiteit, alsof ze door de autoriteiten heilig zijn verklaard. Agenten, experts, zelfs verklikkers die zijn gewassen, schoongeboend en in goede kleren gestoken, gaan allemaal in de getuigenbank staan en vertellen leugens in een gecoordineerde poging mijn cliënt te laten executeren. Maar de getuigen die de waarheid kennen en die vertellen, worden meteen niet serieus genomen en afgeschilderd als stomkoppen.

Zoals zoveel andere processen gaat het in dit geval niet om de waarheid, maar om het winnen. En omdat Huver wil winnen maar geen echte bewijzen heeft, moest hij dingen verzinnen en liegen en de waarheid aanvallen alsof hij die haat. Ik heb zes getuigen gevonden die zweren dat mijn cliënt niet eens in de buurt was van het misdrijf dat werd gepleegd en zij worden allemaal uitgelachen. Huver heeft bijna twee dozijn getuigen geproduceerd en de politie, het Openbaar Ministerie en de rechter wéten dat het bijna allemaal leugenaars zijn, maar toch slikken de juryleden hun leugens alsof ze voorlezen uit de Heilige Schrift.

13

Ik laat de juryleden een plattegrond zien van hun mooie stadje. De Pit ligt heel ver bij de vijver vandaan; Gardy kan onmogelijk op beide plaatsen zijn geweest op het tijdstip waarop de meisjes waarschijnlijk zijn vermoord.

De juryleden geloven dat niet, omdat ze al een hele tijd weten dat Gardy lid was van een satanische sekte en een pervers verleden heeft. Er is geen enkel tastbaar bewijs voor dat de Fentress-tweeling seksueel is misbruikt; toch gelooft iedere stomme redneck in dit afschuwelijke stadje dat Gardy ze heeft verkracht voordat hij ze vermoordde.

Om middernacht lig ik op mijn hobbelige motelbed, met mijn 9mm naast me, wanneer mijn mobieltje piept.

Het is het DNA-lab in San Diego. Het bloed dat Tadeo zo gewelddadig van het voorhoofd van Jack Peeley heeft verkregen, matcht met de haar die de moordenaar heeft achtergelaten in de schoenveters die hij later om de enkels van de elfjarige Jenna Fentress heeft gebonden.

14

Ik kan niet slapen, ik doe geen oog dicht. Partner en ik verlaten het motel als het nog donker is en zijn al bijna in Milo voordat we in het oosten het eerste daglicht zien.

Ik ontmoet de Bisschop in zijn kantoor terwijl het stadje langzaam tot leven komt.

Hij belt rechter Kaufman thuis op, maakt hem wakker en haalt hem uit bed, en om acht uur zit ik in Kaufmans kamer samen met Huver en de griffier. Alles wat nu volgt wordt opgetekend.

Ik vertel hun wat mijn opties zijn. Als ze weigeren het proces stil te leggen, de zaak te seponeren en iedereen naar huis te sturen – en dat verwacht ik van ze – zal ik een van de volgende dingen doen: 1) een dagvaarding regelen voor Jack Peeley, hem naar de rechtbank laten brengen, hem in de getuigenbank zetten en hem ontmaskeren als de moordenaar; of 2) naar de pers gaan met de details van de uitkomst van de DNA-test; of 3) de jury vertellen wat ik weet; of 4) alles doen wat hierboven is vermeld; of 5) niets doen, hen hun veroordeling laten krijgen en ze tijdens de beroepszaak afslachten.

Ze willen weten hoe ik aan dat bloedmonster van Jack Peeley ben gekomen, maar dat hoef ik hun niet te vertellen. Ik herinner hen eraan dat ik hun de afgelopen tien maanden heb gesmeekt een onderzoek in te stellen naar Peeley, een bloedmonster van hem te laten nemen en zo, maar dat ze daar niet voor in waren. Zij hadden Gardy, een van satans voetsoldaten. Voor de tiende keer vertel ik dat Peeley 1) de meisjes kende, 2) in de buurt van de vijver was gezien toen ze verdwenen, en 3) er kort daarvoor een einde was gekomen aan de gewelddadige relatie met hun moeder.

Ze zijn perplex, verbijsterd en lijken bijna in de war als de realiteit tot hen doordringt. Hun valse en corrupte vervolging is zojuist de mist in gegaan. Zij hebben de verkeerde man!

Vrijwel alle officieren van justitie bezitten dezelfde genetische fout:

ze zijn niet in staat dat wat zonneklaar is toe te geven. Ze klampen zich vast aan hun theorieën. Ze weten dat ze gelijk hebben, omdat ze daar al maanden, soms zelfs al jaren, van overtuigd zijn. 'Ik geloof in mijn zaak' is een van hun favoriete uitspraken, en die herhalen ze gedachteloos terwijl de echte moordenaar met bloed aan zijn handen wegloopt en zegt: 'Ik heb het gedaan.'

Omdat ik zoveel van hun idiote onzin heb moeten aanhoren, heb ik geprobeerd me voor te stellen wat Huver nu zal zeggen. Maar als hij zegt: 'Het is mogelijk dat Gardy Baker en Jack Peeley hebben samengewerkt', begin ik luidkeels te lachen.

Kaufman flapt eruit: 'Meent u dat nou?'

Ik zeg: 'Briljant, gewoon briljant! Twee mannen die elkaar nooit hebben ontmoet, de ene achttien en de andere vijfendertig, komen ongeveer een halfuur samen om twee kleine meisjes te vermoorden, gaan daarna weer hun eigen gang, zien elkaar nooit meer en zijn vast van plan voor altijd te zwijgen. Wil je dat soms aanvoeren tijdens de beroepszaak?'

'Mij zou het niet verbazen,' zegt Huver en hij krabt aan zijn kin alsof zijn superslimme hersens keihard aan het werk zijn en de nieuwe theorieën over dit misdrijf doornemen.

Kaufman, nog steeds ongelovig met zijn mond open, zegt: 'Dit kun je niet menen, Dan!'

Huver zegt: 'Ik wil doorgaan met dit proces. Ik denk dat Gardy Baker bij dit misdrijf betrokken was. Ik kan wel een veroordeling krijgen.' Het is verschrikkelijk om hem te zien doormodderen terwijl hij weet dat hij fout zit.

'Laat me raden,' zeg ik. 'Je gelooft in je zaak.'

'Natuurlijk doe ik dat! Ik wil hiermee doorgaan! Ik kan wel een veroordeling krijgen.'

'Natuurlijk kun je dat, en een veroordeling krijgen is veel belangrijker dan gerechtigheid,' zeg ik, verrassend beheerst. 'Oké, probeer je veroordeling maar te krijgen. Dan zijn we de komende tien jaar bezig bij het hof van beroep, terwijl Gardy wegrot in de dodencel en de echte moordenaar vrij rondloopt. En dan op een dag zal een federale rechter ergens het licht zien en wordt Gardy met veel tamtam vrijgesproken. Jij, de officier van justitie, en u, de rechter, zullen dan worden neergezet als een stelletje stomkoppen door wat er op dit moment gebeurt.'

'Ik wil doorgaan,' zegt Huver als een kapotte bandopname.

Ik zeg: 'Ik denk dat ik maar eens naar de pers ga en ze de DNA-resultaten laat zien. Als ze die publiceren, zien jullie eruit als een paar clowns die nog steeds bezig zijn met deze zaak. En ondertussen verdwijnt Jack Peeley.'

'Hoe bent u aan zijn DNA gekomen?' vraagt rechter Kaufman aan mij.

'Afgelopen zaterdag raakte hij betrokken bij een kroeggevecht in de Blue & White, raakte gewond aan zijn gezicht en de man die daar verantwoordelijk voor was werkt voor mij. Ik heb persoonlijk Peeleys bloed van de vuist van mijn vriend geschraapt en naar het lab gestuurd, samen met een monster van de haar die ik al eerder had verkregen.'

'Dat is rommelen met het bewijs,' zegt Huver, heel voorspelbaar.

'Sleep me maar voor de rechter, hoor, of smijt me maar weer in het huis van bewaring. Dit feestje is afgelopen, Dan, geef het maar op!'

Kaufman zegt: 'Ik wil die testuitslag zien.'

'Morgen heb ik die binnen. Het lab staat in San Diego.'

'Tot dan schorsen we de zitting.'

15

De rechter en de officier van justitie gaan die dag in het geheim bij elkaar zitten; ik ben niet uitgenodigd. De regels verbieden dergelijke geheime ontmoetingen, maar ze gebeuren. Deze twee mannen moeten een exitstrategie bedenken, en snel ook. Inmiddels weten ze dat ik overal toe in staat ben en dat ik dus inderdaad bereid ben naar de pers te gaan met mijn testuitslagen. Zelfs in deze wanhopige tijden maken ze zich drukker over de politiek dan over de waarheid. Het enige wat ze willen, is hun gezicht redden.

Partner en ik gaan terug naar de City, waar ik de hele dag aan andere zaken werk. Ik haal het lab over om de testuitslagen per e-mail naar rechter Kaufman te sturen, en tegen twaalven kent hij de waarheid. Om zes uur word ik gebeld: Jack Peeley is net gearresteerd.

We komen de volgende ochtend bij elkaar in Kaufmans kantoor, niet tijdens de rechtszitting, wat wel zou moeten. Een niet-ontvankelijkheidsverklaring in de rechtszaal zou veel te gênant zijn voor het systeem, en dus hebben de rechter en de officier van justitie samengespannen om het achter gesloten deuren te doen, en wel zo snel mogelijk. Ik zit aan de tafel met Gardy naast me, en luister naar Dan Huver, die zich moeizaam door een halfslachtige motie worstelt waarmee hij de beschuldiging intrekt. Ik denk echt dat Huver het liefst zou doorgaan met zijn geliefde zaak, waar hij zo sterk in gelooft, maar dat Kaufman nee heeft gezegd, dat hij heeft bepaald dat dit feestje afgelopen is, dat ze hun verlies moeten nemen en die radicale klootzak en zijn geschifte cliënt hier weg moeten zien te krijgen.

Zodra alle documenten zijn ondertekend, is Gardy een vrij man. Hij heeft het afgelopen jaar in een verschrikkelijk huis van bewaring gezeten; ik kan het weten. Maar één jaar cel voor een onschuldige man is pure mazzel in ons systeem. Er zijn duizenden mensen die tientallen jaren in de gevangenis zitten, maar dat is een andere kwestie.

Gardy is dolblij maar weet niet goed wat hij moet doen of waar hij naartoe moet. Als ze ons uit Kaufmans kamer begeleiden, geef ik hem twee biljetten van twintig dollar en wens hem succes. Ze zullen hem zo stiekem mogelijk terugbrengen naar het huis van bewaring om zijn spullen te halen; daarna zal zijn moeder hem ophalen en naar een veilige plek brengen. Ik zal hem nooit meer zien.

Hij zegt geen 'dankjewel' omdat hij niet weet wat hij moet zeggen. Ik wil hem niet omhelzen, omdat hij zich de vorige avond niet heeft gedoucht, maar we slaan wel even onze armen om elkaar heen in deze smalle gang onder het toeziend oog van twee hulpsheriffs. 'Het is voorbij, Gardy,' zeg ik steeds, maar hij gelooft me niet.

Het is uitgelekt en buiten staat een menigte. Milo zal nooit geloven dat iemand anders dan Gardy de Fentress-tweeling heeft vermoord, ongeacht alle bewijzen.

Dat gebeurt altijd wanneer politieagenten afgaan op een slimme ingeving van ze en de verkeerde kant op marcheren, de geruchtenstroom controleren en de pers meeslepen. Niet veel later loopt de officier van justitie mee in de optocht en daarna vindt er een georganiseerde en semilegitieme lynchpartij plaats.

Ik glip door een zijdeur naar buiten, waar Partner staat te wachten. We ontsnappen, zonder dat we door iemand worden gevolgd. We rijden snel bij de rechtbank vandaan en dan spatten er twee tomaten en een ei kapot op de voorruit.

Ik schiet in de lach. Voor de zoveelste keer verlaat ik een stadje in stijl.

Deel 2
De Boom Boom Room

1

Rijke mensen komen over het algemeen niet in de dodencel terecht. Link Scanlon heeft dat geluk niet gehad, hoewel je geen drie mensen in deze stad zou kunnen vinden die zich druk maken om Link of zijn geluk. Hier wonen ongeveer een miljoen mensen en toen hij uiteindelijk werd veroordeeld en weggevoerd, was iedereen ongeveer even opgelucht. De drugshandel had een harde klap gekregen, hoewel die zich snel herstelde. Verschillende stripclubs sloten, wat veel jonge echtgenotes prettig vonden. Ouders van tienerdochters maakten zichzelf wijs dat hun kroost nu veiliger was. Eigenaren van fraaie sportwagens ontspanden zich toen het aantal autodiefstallen fors verminderde. Maar het belangrijkste was dat politie- en narcotica-agenten minder gespannen waren en wachtten op een afname van de misdaad. Dat gebeurde ook maar duurde niet lang.

Link kreeg de doodstraf van een niet-beïnvloede jury voor moord op een rechter. Niet lang daarna belandde hij in de dodencel en werd zijn advocaat dood gevonden, gewurgd. Ik neem dus maar aan dat de orde van advocaten van de City opgelucht was dat Link achter slot en grendel zat.

Bij nader inzien moeten er honderden mensen zijn geweest die Link echt misten, in eerste instantie dan. Begrafenisondernemers, strippers, drugskoeriers, handelaren in onderdelen van gestolen auto's en oneerlijke agenten, om er maar een paar te noemen. Maar dat is nu niet belangrijk. Dat was zes jaar geleden en toen Link in de gevangenis zat, bleek hij in staat de meeste van zijn zaken vanachter de tralies voort te zetten.

Het enige wat hij ooit heeft gewild was gangster worden, een ouderwetse soort Al Capone, die genoegen schepte in bloed en geweld en een onbeperkte hoeveelheid geld. Zijn vader had illegale drank gesmokkeld en was overleden aan cirrose. Zijn moeder was vaak en fout hertrouwd. Niet gehinderd door een normaal gezinsleven kwam

Link op elfjarige leeftijd op straat terecht en werd algauw een handige dief. Op zijn vijftiende had hij zijn eigen bende en verkocht hij hasj en porno op onze middelbare scholen. Hij werd gearresteerd toen hij zestien was en kreeg een lichte straf. Dat was het begin van een lange en kleurrijke relatie met het strafrechtsysteem.

Tot zijn twintigste heette hij George. Hij vond die naam niet bij hem passen en dus adopteerde en verwierp hij verschillende bijnamen, juweeltjes zoals Lash en Boss. Ten slotte koos hij voor Link omdat hij, George Scanlon, zo vaak een link had met verschillende misdaden. De naam Link paste uitstekend bij hem en hij nam een advocaat in de arm om het officieel te maken: Link Scanlon, geen tweede initiaal, verder niets.

Deze nieuwe naam gaf hem een nieuwe identiteit. Hij was een nieuwe man die iets kon laten zien. Hij werd roekeloos in zijn verlangen om de wreedste gangster van de stad te worden, iets waar hij vrij goed in is geslaagd. Tegen de tijd dat hij dertig was, pleegden Links mensen regelmatig een moord terwijl hij de misdaad in de City overnam en zijn deel van de drugshandel opeiste.

Hij zit nog maar zes jaar in de dodencel en zijn executie staat gepland voor tien uur vanavond. Zes jaar is niet lang. Gemiddeld, in elk geval in deze staat, sleept een beroepszaak zich veertien jaar voort voordat er een executie plaatsvindt; twintig jaar is niet ongebruikelijk. De kortste was twee jaar, maar die vent smeekte zelf om de naald.

Je kunt wel zeggen dat Links zaak was bespoedigd, of erdoorheen was gejast. Als je een rechter vermoordt, voelen alle andere rechters zich persoonlijk aangevallen. Elke keer als hij in beroep ging, werd zijn zaak verrassend zelden getraineerd. Zijn veroordeling werd bekrachtigd, bekrachtigd en opnieuw bekrachtigd. Alle rechterlijke uitspraken waren unaniem, nergens was ook maar één dissident te vinden, niet bij de staatsrechtbank en niet bij de federale rechtbank. Het Amerikaanse hooggerechtshof weigerde zijn zaak te herzien. Link had degenen die echt iets over het systeem te zeggen hadden kwaad gemaakt en vanavond krijgt het systeem zijn ultieme wraak.

Rechter Nagy is de man die Link heeft gedood. Link heeft niet zelf de trekker overgehaald, maar alleen aan zijn mensen verteld dat hij Nagy dood wilde hebben. Een beroepsmoordenaar, ene Knuckles, kreeg de opdracht en voerde die voortreffelijk uit. Ze vonden rechter Nagy en zijn vrouw in bed, in hun pyjama, met kogelgaten in hun hoofd.

Daarna lulde Knuckles te veel en had de politie een microfoontje op de juiste plaats. Knuckles zat ook in de dodencel, twee jaar ongeveer, tot ze hem vonden met gootsteenontstopper in zijn mond en keel. De politie verhoorde Link, maar hij bezwoer ze dat hij er niets vanaf wist.

Wat had rechter Nagy gedaan? Hij was een strenge man van de wet die drugs haatte en drugshandelaren altijd de maximumstraf gaf. Hij stond op het punt twee van Links handlangers – van wie een zijn neef was – ieder honderd jaar te geven, waar Link behoorlijk kwaad om werd. Dit was zíjn stad, niet die van Nagy. Hij, Link, wachtte al jaren om een rechter te grazen te kunnen nemen, als een soort ultieme vernedering. Als je een rechter vermoordt en daar ongestraft mee wegkomt, weet de hele wereld dat je echt boven de wet staat.

Nadat zijn advocaat was vermoord, vond iedereen dat het stom van me was om die zaak aan te nemen. Als Link weer een fout vonnis kreeg, zouden ze me op de bodem van een meer vinden. Maar dat was zes jaar geleden, en Link en ik konden het prima met elkaar vinden. Hij weet dat ik heb geprobeerd zijn leven te redden. Hij zal mijn leven sparen. Wat zou hij ermee winnen als hij zijn laatste advocaat vermoordt?

2

Partner en ik stoppen bij het hoofdhek van Big Wheeler, de *maximum security*-gevangenis waar de staat zijn terdoodveroordeelden vasthoudt en de executies uitvoert.

Een bewaker loopt naar mijn portier en vraagt: 'Naam?'

'Rudd, Sebastian Rudd. Voor een bezoek aan Link Scanlon.'

'Natuurlijk.' De bewaker heet Harvey en we hebben al eerder met elkaar gekletst, maar vanavond niet. Vanavond is Big Wheeler afgesloten en hangt er spanning in de lucht. Het is executietijd! Aan de overkant van de weg zingen een paar demonstranten met kaarsen een ernstig lied, terwijl anderen scanderen dat ze voor de doodstraf zijn – om en om. Langs de snelweg staan ook busjes van nieuwszenders.

Harvey krabbelt iets op een klembord en zegt: 'Blok 9.' Vlak voordat we wegrijden, buigt hij zich naar me toe en fluistert: 'Wat zijn je kansen?'

'Klein,' zeg ik als we doorrijden.

We volgen een truck van de gevangenisbeveiliging met gewapende mannen achterin; een andere truck rijdt achter ons aan. We worden verblind door schijnwerpers terwijl we langzaam doorrijden, langs felverlichte gebouwen waar drieduizend mannen in hun cel zijn opgesloten en wachten tot Link dood is en alles weer normaal wordt. Er is geen enkele logische verklaring voor dat een gevangenis volkomen van slag raakt als er een executie op het programma staat. Extra bewaking is nooit nodig. Niemand is ooit uit de dodencel ontsnapt. De veroordeelde mannen daar leven geïsoleerd en hebben dus geen groep vrienden die kunnen besluiten de gevangenis te bestormen en iedereen te bevrijden. Maar rituelen zijn belangrijk voor de mannen die de gevangenissen leiden, en er is niets waardoor de adrenaline sneller door hun lijf schiet dan een executie. Hun leven is gewoontjes en monotoon, maar af en toe komt de hele wereld een kijkje nemen – als het tijd is een moordenaar te vermoorden. Geen enkele inspanning om het drama te vergroten mag worden vergeten.

Blok 9 staat ver bij de andere blokken vandaan, met genoeg kettingen en prikkeldraad om Ike Eisenhower voor de kust van Normandië tegen te houden. Uiteindelijk komen we bij een poort waar een peloton gespannen bewakers niet kan wachten om Partner en mij te fouilleren en onze aktetassen te doorzoeken. Deze jongens winden zich veel te veel op over de festiviteiten van deze avond. We lopen met een escorte naar binnen, waarna ik naar een provisorisch kantoor word gebracht waar gevangenisdirecteur McDuff zit te wachten – nagelbijtend en zichtbaar gespannen.

Als we alleen zijn in dit vertrek zonder ramen vraagt hij: 'Heb je het gehoord?'

'Wat gehoord?'

'Tien minuten geleden is er een bom ontploft in de Oude Rechtbank, in dezelfde rechtszaal als waar Link is veroordeeld.'

Ik ben al honderd keer in die rechtszaal geweest, dus ja, ik ben geschokt als ik hoor dat daar een bomaanslag is gepleegd. Aan de andere kant verbaast het me niet heel erg te horen dat Link Scanlon niet van plan is stilletjes de pijp uit te gaan. 'Gewonden?' vraag ik.

'Volgens mij niet. De rechtbank is gewoon gesloten.'

'Wauw!'

'Zeg dat wel. Je kunt maar beter met hem gaan praten, Rudd, en snel ook.'

Ik haal mijn schouders op en kijk de man met een hopeloze blik aan. Het is tijdverspilling om te proberen een gangster als Link Scanlon tot rede te brengen. 'Ik ben alleen maar zijn advocaat,' zeg ik.

'Stel dat hij iemand verwondt...'

'Kom op, de staat gaat hem over een paar uur executeren. Wat kunnen ze hem nog meer aandoen?'

'Dat weet ik wel. Waar zijn de beroepschriften?' vraagt hij en hij vermorzelt een flinter van een duimnagel tussen zijn voortanden. Hij is zo gespannen als een veer.

'Bij het hof van beroep,' zeg ik. 'We moeten weesgegroetjes opzeggen. Allemaal weesgegroetjes. Waar is Link?'

'In de wachtkamer. Ik moet terug naar mijn kantoor om met de gouverneur te praten.'

'Doe hem de groeten. Zeg maar dat hij nog steeds geen beslissing heeft genomen over mijn laatste verzoek voor uitstel van executie.'

'Zal ik doen,' zegt de gevangenisdirecteur als hij de kamer verlaat. 'Bedankt.'

Er zijn maar weinig mensen in deze staat die even gek zijn op een executie als onze knappe gouverneur. Hij wacht altijd tot het laatste moment en verschijnt dan met een somber gezicht voor de camera's en verkondigt de wereld dat hij de executie niet met een gerust geweten kan uitstellen. Bijna in tranen zal hij praten over het slachtoffer en verklaren dat er gerechtigheid moet geschieden.

Ik loop achter de twee bewakers in een volledige militaire outfit aan door een wirwar van gangen en kom ten slotte in de Boom Boom Room: een grote cel waar de veroordeelde exact vijf uur voor zijn grote moment in wordt opgesloten. Daar zit hij te wachten, samen met zijn advocaat, en misschien zijn spiritueel adviseur en een paar familieleden. Dan is volledig contact toegestaan, en het kan heel verdrietig zijn als de moeder binnenkomt om hem nog een laatste keer te omhelzen. De laatste maaltijd wordt geserveerd precies twee uur voor de laatste wandeling, en daarna mag alleen de advocaat nog bij hem blijven.

Een paar decennia geleden gebruikte onze staat een vuurpeloton. De veroordeelde werd geboeid en wel vastgebonden aan een stoel, daarna werd er een zwarte doek over zijn hoofd gegooid en een felrood kruis op zijn shirt vastgemaakt, op de plek van zijn hart. Op een afstand van vijftien meter, achter een gordijn, wachtten vijf vrijwilligers met een zwaar geweer, hoewel slechts vier daarvan waren geladen. De theorie was dat geen van de vijf ooit zeker zou weten of hij een mens had gedood; dat werd geacht zijn schuldgevoel later in zijn leven te verlichten, voor het geval hij zich alsnog bedacht en berouw kreeg. Wat een flauwekul! Er was altijd een lange lijst vrijwilligers die niet konden wachten tot ze een kogel precies in het hart van een ander mens konden schieten.

Maar goed, het taalgebruik in een gevangenis is levendig en creatief, en in de loop van de tijd heeft de executiekamer de bijnaam de Boom Boom Room gekregen. Volgens de verhalen werd met opzet een luchtschacht opengelaten, zodat het geluid van de geweren in de hele gevangenis te horen was.

Toen we om humane redenen de naald introduceerden, was er minder ruimte nodig, werd de dodencel gerenoveerd en werden er hier en daar muren geplaatst. Er wordt beweerd dat de plaats waar de veroordeelde mannen op de kogels zaten te wachten de huidige Boom Boom Room is.

Ze fouilleren me nog een keer en ik ga naar binnen.

Link is alleen, hij zit op een klapstoel die tegen een muur van lichte bouwstenen staat. Het licht is gedimd. Hij kijkt aandachtig naar een klein tv-scherm dat in een hoek hangt, zonder geluid, en hij laat niet merken dat hij zich ervan bewust is dat ik binnenkwam. Zijn favoriete film is *The Godfather*. Hij heeft deze film al honderd keer gezien en hij is al jaren geleden begonnen Marlon Brando te imiteren. Een schorre, slepende stem, volgens hem door het roken. Opeengeklemde kaken. Langzaam praten. Koel. Volkomen zonder emotie.

Onze dodencel heeft een unieke regel die de terdoodveroordeelde toestaat te sterven in de kleren die hij zelf uitkiest. Dit is een belachelijke regel, want deze mannen hebben helemaal geen eigen kleren meer nadat ze hier tien, vijftien of twintig jaar hebben gezeten. Ze hebben alleen de standaardoveralls, misschien een gerafelde kakibroek en een T-shirt die ze tijdens het bezoekuur dragen, sandalen en dikke sokken voor de winter. Link heeft echter geld en wil in het zwart worden begraven. Hij draagt een zwart linnen overhemd met lange mouwen en dichtgeknoopte manchetten, een zwarte spijkerbroek, zwarte sokken en zwarte hardloopschoenen. Dat is lang niet zo stijlvol als hij denkt, maar wie maakt zich op dit moment druk over wat er in de mode is?

Ten slotte zegt hij: 'Ik dacht dat je me zou redden.'

'Dat heb ik nooit beweerd, Link. Dat heb ik zelfs opgeschreven.'

'Maar ik heb je al dat geld betaald.'

'Een hoog honorarium is geen garantie voor een positief resultaat. Dat heb ik ook opgeschreven.'

'Advocaten!' bromt hij vol afkeer.

Dit vat ik niet licht op. Ik ben nooit vergeten wat er met zijn vorige advocaat is gebeurd.

Langzaam brengt hij zijn lichaam naar voren, zodat zijn stoel weer op vier poten komt te staan. Hij staat op. Link is nu vijftig en hij is er in de dodencel redelijk in geslaagd er goed uit te blijven zien. Maar nu ziet hij er oud uit, hoewel ik betwijfel of iemand die weet wanneer hij wordt geëxecuteerd zich nog druk maakt over rimpels en grijs haar. Hij loopt een paar stappen en doet de tv uit.

Het vertrek is ongeveer vijf bij vijf, met een bureautje, drie klapstoelen en een goedkope legerbrits, gewoon voor het geval de terdoodveroordeelde nog even wil pitten voordat hij het tijdelijke voor het eeuwige verwisselt. Ik ben hier al eerder geweest, drie jaar geleden, toen mijn cliënt nog geen halfuur voordat hij de naald zou krijgen een wonder meemaakte door het hof van beroep.

Link zal die mazzel niet hebben. Hij zit op een hoek van het bureau en kijkt op me neer. Hij gromt en zegt: 'Ik vertrouwde je.'

'En met een goede reden, Link. Ik heb keihard voor je gevochten.'

'Maar ik ben gek, officieel, en daar heb je niemand van overtuigd. Zo gek als een deur! Waarom kun je ze dat niet in hun hoofd prenten?'

'Dat heb ik geprobeerd en dat weet je, Link. Niemand heeft naar me geluisterd omdat niemand wílde luisteren. Je hebt de verkeerde persoon vermoord, een rechter. Als je een rechter vermoordt, neemt zijn broederschap je dat kwalijk.'

'Ik heb hem niet vermoord.'

'Nou, de jury zei dat je dat wel hebt gedaan. Dat is het enige wat telt.'

We hebben dit gesprek al tig keer gevoerd, en waarom zouden we het niet nog een keer doen? Op dit moment, met minder dan vijf uur te gaan, ben ik bereid om met Link over alles te praten.

'Ik ben gek, Sebastian. Volkomen getikt.'

Vaak wordt gezegd dat iedereen in de dodencel gek wordt. Drieëntwintig uur per dag eenzame opsluiting breekt een mens – mentaal, fysiek en emotioneel. Link heeft echter niet precies zo geleden als de rest. Jaren geleden heb ik hem uitgelegd dat het Amerikaans hooggerechtshof heeft bepaald dat een staat niemand kan executeren die achterlijk is of psychische problemen heeft gekregen. Niet lang daarna besloot Link dat hij gek moest worden en hij doet sindsdien alsof. De toenmalige gevangenisdirecteur gaf toestemming om Link over te plaatsen naar de psychiatrische afdeling, waar hij een veel comfortabeler leven kon leiden. Daar heeft Link drie jaar gezeten voordat een journalist zo diep in de zaak dook dat hij een geldspoor ontdekte tussen verschillende leden van de directe familie van de gevangenisdirecteur en een bepaald misdaadsyndicaat. De directeur ging snel met pensioen en ontkwam zo aan een aanklacht. Link werd weer in de dodencel gesmeten, waar hij ongeveer een maand bleef tot hij voor zijn eigen veiligheid apart werd opgesloten. Daar had hij een grotere cel en meer privileges. De cipiers gaven hem alles wat hij wilde, omdat ze door Links mannen buiten de gevangenis werden voorzien van geld en drugs. Na verloop van tijd regelde Link een overplaatsing terug naar de psychiatrische afdeling. In zijn zes jaar in Big Wheeler heeft hij ongeveer twaalf maanden samen met andere moordenaars in de dodencellen opgesloten gezeten.

Ik zeg: 'De gevangenisdirecteur vertelde me net dat er vandaag een bomaanslag is gepleegd op de rechtbank. Dezelfde rechtszaal waar jij bent veroordeeld. Wat een toeval, hè?'

Hij fronst en haalt op een Brando-achtige manier zijn schouders op, stoïcijns. 'Heb je op dit moment nog ergens een verzoek voor mij ingediend?' vraagt hij.

'Het ligt bij het hof van beroep, maar verwacht er niet te veel van.'

'Vertel je me dat ik doodga, Sebastian?'

'Dat vertelde ik je vorige week al, Link. De spuit ligt al klaar. De aanvragen voor beroep op het laatste moment stellen niets voor. Alles is bekrachtigd, elke mogelijkheid is uitgeput. We kunnen weinig meer doen dan afwachten en hopen op een wonder.'

'Ik had die radicale joodse advocaat moeten nemen, hoe heet ie ook alweer, Lowenstein?'

'Misschien, maar dat heb je niet gedaan. En de afgelopen vier jaar zijn drie cliënten van hem geëxecuteerd.'

Marc Lowenstein is een kennis van me en een prima advocaat. Wij tweeën behandelen de meeste impopulaire zaken in ons deel van de staat.

Mijn mobieltje trilt, een sms.

Ik zeg: 'Slecht nieuws, Link, het hof van beroep heeft ons verzoek zonet verworpen.'

Hij zegt niets, maar steekt zijn hand uit en zet de tv aan.

Ik draai aan de dimmer voor meer licht en vraag: 'Komt je zoon nog langs vanavond?'

Hij gromt: 'Nee.'

Hij heeft één kind, een zoon die net uit de federale gevangenis is. Afpersing. Hij is opgegroeid in de familiezaak en houdt van zijn vader, maar niemand kan het hem kwalijk nemen dat hij een gevangenis vermijdt, ook al is het alleen maar voor een bezoek.

Link zegt: 'We hebben al afscheid genomen.'

'Geen gasten dus vanavond?'

Hij gromt maar zegt verder niets. Nee, geen bezoekers voor een laatste omhelzing. Link is twee keer getrouwd geweest maar haat zijn beide ex-vrouwen. Hij heeft zijn moeder al twintig jaar niet gesproken. Zijn enige broer is na een slechte zakendeal spoorloos verdwenen.

Link steekt zijn hand in zijn zak, haalt er een mobiele telefoon uit en belt iemand op. Het is strikt verboden voor gevangenen om een telefoon te bezitten, en ze hebben Link in de loop der jaren al een stuk of tien keer betrapt. De cipiers smokkelen ze naar binnen; eentje die werd gepakt zei dat hij op een parkeerplaats van een Burger King, na de lunch, duizend dollar van een onbekende had gekregen.

Het is een kort telefoongesprek, waar ik geen woord van versta, en daarna stopt Link de telefoon weer in zijn zak. Met de afstandsbediening zapt hij langs de zenders en nu kijken we naar het nieuws van de plaatselijke omroep. Er is heel veel belangstelling voor zijn executie. Een verslaggever slaagt er aardig in de moord op de Nagy's samen te vatten en ze laten foto's zien van de rechter en zijn echtgenote, een knappe dame.

Ik kende deze rechter goed en ben verschillende keren in zijn rechtszaal geweest. Hij was een harde, maar eerlijke en slimme vent. We waren allemaal geschokt toen hij was vermoord, maar niet echt verbaasd toen het spoor naar Link Scanlon leidde. Ze laten een video zien van Knuckles, de echte moordenaar, die het rechtbankgebouw met handboeien om verlaat. Wat een gluiperd!

Ik zeg: 'Weet je dat je recht hebt op het bezoek van een spiritueel adviseur?'

Hij gromt. 'Nee.'

'De gevangenis heeft een kapelaan, misschien wil je met hem praten.'

'Wat is een kapelaan?'

'Een man van God.'

'Wat zou die tegen me kunnen zeggen?'

'Dat weet ik niet, Link. Ik heb gehoord dat sommige mensen, vlak voordat ze doodgaan, de zaken met God op orde willen brengen. Hun zonden bekennen, dat soort dingen.'

'Dat kon weleens veel tijd kosten.'

Berouw zou een onacceptabele daad van zwakte zijn voor een gangster als Link. Hij heeft absoluut geen spijt, niet van de Nagy-moorden en ook niet van alle moorden daarvoor. Hij kijkt naar me en vraagt: 'Wat doe je hier eigenlijk?'

'Ik ben je advocaat. Het is mijn werk om hier te zijn en ervoor te zorgen dat de laatste verzoeken om beroep goed worden behandeld. Om je advies te geven.'

'En jouw advies is met een kapelaan praten?'

We schrikken van een luide klop op de deur die meteen opengaat. Er komt een man in een goedkoop pak binnen, met twee cipiers als escorte. Hij zegt: 'Meneer Scanlon, ik ben Jess Foreman, onderdirecteur van deze gevangenis.'

'Het is me een waar genoegen,' zegt Link, zonder zijn blik af te wenden van de tv.

Foreman negeert me en zegt: 'Ik heb een lijst van iedereen die de executie wil bijwonen. Op uw lijst staat niemand, klopt dat?'

'Dat klopt.'

'Weet u het zeker?'

Link negeert dit.

Foreman wacht en zegt dan: 'En uw advocaat dan?' Hij kijkt naar me.

'Ik zal er zijn,' zeg ik. De advocaat wordt altijd uitgenodigd om te kijken. 'Is er iemand bij van rechter Nagy's familie?' vraag ik.

'Ja, zijn drie kinderen.' Foreman legt de lijst op het bureau en gaat weg. Als de deur achter hem in het slot valt, zegt Link: 'Dit is het.' Hij richt de afstandsbediening op de televisie en zet het geluid harder.

Er is een belangrijk nieuwsitem: er is zojuist een bom ontploft in het rechtbankgebouw waar het hof van beroep van deze staat zijn werk verricht. Buiten is het een drukte van belang, politieagenten en brandweerlieden lopen door elkaar heen. Rook dwarrelt uit een raam op de eerste verdieping. Een ademloze verslaggever loopt door de straat met zijn cameraman op sleeptouw, op zoek naar een betere hoek en praat overdreven door over wat er allemaal gebeurt.

Link zit er met glanzende ogen naar te kijken.

Ik zeg: 'Wauw, wat een toeval.'

Link hoort me niet.

Ik probeer kalm te blijven, alsof dit niets voorstelt. Hier een bom, daar een bom. Een paar telefoontjes vanuit de dodencel en de bom gaat af. Maar ik ben verbijsterd.

Wie is de volgende? Een andere rechter, misschien de rechter die zijn rechtszaak heeft voorgezeten en hem ter dood heeft veroordeeld? Dat was rechter Cone, inmiddels met pensioen. Hij is ongeveer twee jaar lang, tijdens en na het proces, beveiligd. De juryleden misschien? Zij zijn sindsdien heel voorzichtig geweest, met de politie in de buurt. Maar niemand is gewond of bedreigd.

Link gromt: 'Waar gaat dat verzoek om beroep nu naartoe?'

Ik neem aan dat hij van plan is een bomaanslag te plegen op elke rechtbank van hier tot Washington. Hij weet het antwoord op zijn vraag; daar hebben we het vaak genoeg over gehad.

Ik antwoord: 'Het hooggerechtshof, in D.C. Waarom vraag je dat?'
Hij negeert dit.

We kijken nog een tijdje naar de tv. CNN pakt het verhaal ook op en heeft ons zoals gebruikelijk binnen de kortste keren in staat van paraatheid gebracht, alsof jihadisten een inval doen.

Link glimlacht.

Een halfuur later is de onderdirecteur terug, nog zenuwachtiger dan eerst. Hij sleurt me het vertrek uit en sist: 'Hebt u het gehoord, van het hof van beroep?'

'We keken er net naar.'

'U moet hem tegenhouden!'

'Wie?'

'Hoezo wie! Verdomme, u wéét over wie ik het heb!'

'Wij hebben hier geen invloed op. De rechtbanken hebben hun eigen rooster. Links jongens hebben kennelijk hun bevelen. Bovendien zijn die bomaanslagen misschien gewoon toeval.'

'Ja hoor, vast. De FBI is onderweg hiernaartoe.'

'O, maar dat is heel goed, heel slim ook. Mijn cliënt krijgt de naald over precies drie uur en veertien minuten, maar toch wil de FBI hem hardhandig verhoren over deze bomaanslagen. Hij is een doorgewinterde schurk, meneer, een gangster van de oude school. Gehard in de stad. Hij spuugt op iedere FBI-agent die bij hem in de buurt komt.'

De man ziet eruit alsof hij zo kan flauwvallen. 'We moeten iets doen,' zegt hij, met een wilde blik in zijn ogen. 'De gouverneur zit tegen me te schreeuwen. Iedereen schreeuwt tegen me.'

'Nou, als u het mij vraagt ligt de bal bij de gouverneur. Als hij uitstel van executie toestaat, dan neem ik aan dat Link een einde maakt aan deze serie bomaanslagen. Ik weet het natuurlijk niet zeker, want hij wil niet naar me luisteren.'

'Kunt u het hem vragen?'

Ik schiet hardop in de lach. 'Natuurlijk, ik zal meteen even een openhartig gesprek voeren met mijn cliënt, dan zorg ik dat hij bekent en overtuig ik hem ervan dat hij moet ophouden met wat hij ook maar bekent te doen. Geen enkel probleem.'

Hij is te erg van slag om te reageren, dus gaat hij weg, hoofdschuddend en nagelbijtend – weer een bureaucraat die volkomen overrompeld is als hij besluiten moet nemen.

Ik loop de kamer weer in en ga zitten.

Link kijkt nog steeds geboeid naar de tv.

'Dat was de onderdirecteur,' zeg ik. 'Ze zouden het bijzonder op prijs stellen als je de honden zou willen terugroepen.'

Geen antwoord. Geen reactie.

Eindelijk ziet CNN het verband, en dan is mijn cliënt opeens hét verhaal van de dag. Ze laten een fotootje zien van Link, een veel jongere versie, terwijl ze de officier van justitie interviewen die hem naar de gevangenis heeft gestuurd. Link zit aan het bureau en vloekt zacht, hoewel hij nog steeds glimlacht. Het is mijn zaak niet, maar als ik bommen zou willen plaatsen, zou het kantoor van deze man boven aan mijn lijst staan.

Hij heet Max Mancini, hij is de hoofdofficier van justitie van de City en volgens hemzelf een heuse legende. Terwijl het aftellen deze week steeds luider werd, was hij steeds weer in het nieuws. Link wordt zijn eerste executie en dat wil hij voor geen goud missen. Eerlijk gezegd heb ik nooit begrepen waarom Link zijn eigen advocaat heeft laten vermoorden en niet achter Mancini aan ging. Maar dat ga ik hem dus niet vragen.

Kennelijk zitten Link en ik op dezelfde golflengte. Net als de verslaggever het interview wil afsluiten, is ergens op de achtergrond een luide knal te horen, achter Mancini. Als de camera achteruit wordt getrokken, begrijp ik dat ze op de stoep voor zijn kantoor staan.

Alweer een explosie.

3

De bom in de rechtszaal ontplofte precies om vijf uur, de bom bij het hof van beroep precies om zes uur en de bom in het kantoor van de officier van justitie precies om zeven uur.

Als het bijna acht uur is, zijn veel mensen die de pech hebben gehad het pad van mijn cliënt te kruisen zenuwachtig. CNN, dat nu helemaal op dreef is, vertelt dat de beveiliging rondom het gebouw van het hooggerechtshof in Washington is opgevoerd. Hun verslaggever ter plaatse laat steeds kantoren zien waar het licht brandt en wij worden geacht te geloven dat daar rechters aanwezig zijn, dat ze keihard werken en Links zaak bespreken. Dat is niet zo. Ze zitten allemaal veilig thuis of aan het diner. Een van hun klerken kan nu elk moment onze petitie afwijzen.

Bij de gouverneurswoning wemelt het van de staatspolitie, sommigen van top tot teen gewapend en in volledig gevechtstenue, alsof Link zou kunnen besluiten een grondaanval uit te voeren. Met zoveel camera's in de buurt, met zoveel drama overal, kon onze knappe gouverneur zichzelf niet beheersen. Tien minuten geleden kwam hij zijn bunker uit gerend om met de verslaggevers te praten, live natuurlijk. Hij zei dat hij niet bang was, dat het recht zijn loop moet hebben, dat hij zijn werk deed en niet geïntimideerd was, *ad nauseam*. Hij probeerde net te doen alsof hij worstelde met de vraag of hij uitstel van executie moest verlenen, zodat hij zijn beslissing nog niet bekend kon maken. Dat bewaart hij voor later, bijvoorbeeld tot vijf voor tien. Hij heeft in jaren niet zoveel lol gehad.

Ik heb de neiging Link te vragen: 'Wie is er nu aan de beurt?', maar houd mijn mond. We spelen gin rummy terwijl de tijd verstrijkt en Rome afbrandt. Hij heeft me al een paar keer verteld dat ik wel kan gaan, maar ik blijf rondhangen. Ik zal niet zeggen dat ik zijn executie graag wil bijwonen, maar het fascineert me wel.

Niemand is gewond geraakt. De drie bommen bestonden voornamelijk uit benzine, volgens een zogenaamde expert die CNN erbij heeft gesleept. Eenvoudige tijdbommen, waarschijnlijk in kleine pakketjes, ontworpen om een beetje lawaai te maken en veel rook te ontwikkelen.

Om acht uur haalt iedereen diep adem. Even is het helemaal stil. Ze kloppen op de deur en rijden de laatste maaltijd naar binnen. Voor deze gelegenheid heeft Link gekozen voor een biefstuk met friet en als dessert kokostaart, maar hij heeft geen trek. Hij neemt twee happen van de biefstuk en biedt mij de friet aan. Ik zeg: 'Nee, dankjewel', en schud de kaarten. Het voelt niet helemaal goed om de laatste maaltijd van een andere man op te eten...

Om kwart over acht begint mijn mobiele telefoon te trillen. Ons verzoek is geweigerd door het hooggerechtshof. Dat is geen verrassing. Alle mogelijkheden zijn uitgeput. Alle weesgegroetjes zijn in de lucht gegooid en op de grond gevallen.

We gaan 'Live!' naar het gebouw van het hooggerechtshof in Washington, waar de CNN-verslaggever bijna bidt om nog een explosie. Tientallen agenten lopen rond, met een jeukende trekkervinger. Er heeft zich een kleine menigte verzameld om het bloedbad te zien, maar er gebeurt niets.

Link kijkt met één oog naar de tv en deelt de kaarten.

Ik vermoed dat hij nog niet klaar is.

4

Aan de westkant van het uitgestrekte gevangeniscomplex staat een levensmiddelenmagazijn en aan de oostkant een autowerkplaats, de afstand tussen deze gebouwen is ongeveer vijf kilometer. Vreemd genoeg staan ze om halfnegen allebei in brand, waarna de sfeer in de gevangenis supergespannen is. Er zijn kennelijk een paar nieuwshelikopters in de buurt, maar omdat ze niet over Big Wheeler heen mogen vliegen, hangen ze boven de akkers ernaast. Dankzij hun telelenzen kunnen we, met dank aan CNN, de opwinding zien.

Terwijl Link in zijn punt kokostaart zit te prikken en gin rummy speelt, vraagt de nieuwslezer zich af waarom de staat zijn executie niet vervroegd uitvoert, voordat hij de hele gevangenis laat afbranden. Een stotterende woordvoerder van de gouverneur probeert uit te leggen dat dit volgens de wet- en regelgeving niet is toegestaan. De executie vindt precies om tien uur 's avonds plaats, of zo snel daarna als maar mogelijk is. Link zit hiernaar te kijken alsof het een film is over een andere man in de dodencel.

Om kwart voor negen ontploft een bom in het administratiegebouw, niet ver van het kantoor van de gevangenisdirecteur.

Tien minuten later komt de directeur de Boom Boom Room binnenrennen en schreeuwt: 'Je moet hiermee ophouden!'

Link negeert hem en schudt de kaarten.

Twee nerveuze cipiers grijpen Link, tillen hem op, fouilleren hem, vinden zijn telefoon en gooien hem weer in zijn stoel.

Hij vertrekt geen spier.

'Heb jij een mobieltje, Rudd?' schreeuwt de gevangenisdirecteur tegen mij.

'Ja, maar die mag u niet hebben. Regel 36, sectie 2, paragraaf 4. Uw eigen regel. Sorry.'

'Klootzak!'

'Dus u denkt dat ik de slechteriken opbel? Dus u denkt dat ik bij deze samenzwering betrokken ben, terwijl al mijn telefoongesprekken worden getraceerd? Denkt u dat echt?'

Hij is te zeer in paniek om te reageren.

Een cipier ergens achter de gevangenisdirecteur schreeuwt de kamer in: 'Er is een oproer in Blok 6!'

5

Het oproer begon toen een gevangene, een oude terdoodveroordeelde
van wie bekend was dat hij last van zijn hart had, deed alsof hij een
hartaanval kreeg. Eerst besloten de cipiers hem gewoon te negeren
en hem te laten doodgaan, maar bij nader inzien bemoeiden ze zich
er wel mee. Zijn celmaat stak twee cipiers met een zelfgemaakt mes,
pakte hun tasers af, verdoofde hen en sloeg ze vervolgens bewusteloos.
Daarna trokken de gevangenen snel de uniformen van de cipiers aan
en slaagden erin de deuren van ongeveer honderd cellen open te maken. Met een bijna perfecte coördinatie verspreidden de gevangenen
zich over de andere vleugels van het blok en even later liepen honderden extreem gevaarlijke gedetineerden vrij rond. Ze staken matrassen
en wasgoed in brand en verder alles wat maar vlam wilde vatten. Acht
bewakers werden mishandeld en zouden later aan hun verwondingen
overlijden. Drie met een pistool gewapende cipiers verstopten zich in
een kantoor en riepen om versterking. Korte tijd later vonden de gevangenen wapens en waren er in de hele gevangenis schoten te horen.
Te midden van deze chaos werden vier verklikkers opgehangen met
verlengsnoeren.

Link en ik zouden dit pas later te horen krijgen, zodat wij terwijl Big
Wheeler om ons heen explodeerde rustig zaten te kaarten. CNN heeft
nog geen vijf minuten nodig om het verhaal van het gevangenisoproer
te verslaan, en als we het horen houden we op met kaarten en kijken
we naar de tv.

Na een paar minuten vraag ik: 'Zeg Link, heb je ook de hand in dit
gevangenisoproer of zo?'

Tot mijn verbazing zegt hij: 'Ja, op dit moment in elk geval wel.'

'Echt waar? Kun je me dan vertellen hoe dit is begonnen?'

'Het hangt allemaal af van je personeel,' zegt hij als een doorgewinterde CEO. 'Daarvoor moet je de juiste mensen op het juiste moment
op de juiste plek hebben. Je hebt in Blok 6 drie kerels met levenslang,

dus die hebben niets te verliezen. Je regelt een contactpersoon buiten de gevangenis die van alles belooft, zoals een busje en een chauffeur die in het bos staan te wachten als de jongens erin slagen uit te breken. En heel veel geld. Je geeft ze alle tijd om dit alles te plannen, en om precies negen uur vanavond, als de gevangenisdirecteur en zijn minkukels maar aan één ding denken – mij de naald geven – begin je met je aanval. Blok 4 moet elk moment worden opgeblazen.'

'Ik zal het niemand vertellen. En de bommen? Wie heeft die bommen gemaakt?'

'Kan je geen namen geven. Je moet verstand hebben van gevangenissen en weten hoe stom de lui zijn die er de leiding over hebben. Alles hier is erop ingesteld om ons binnen te houden, terwijl er bijna niets wordt gedaan om problemen buiten te houden. De brandbommen zijn twee dagen geleden geplaatst, goed verstopt; ze hebben timers en zo, maar zijn heel basaal. Niemand lette op, dus was het een makkie.'

Het is een opluchting hem zo te horen praten. Ik neem aan dat hij nu wel zenuwachtig begint te worden, hoewel hij even rustig lijkt als anders. 'Waar werk je naartoe vanavond, Link? Gaan deze jongens de dodencellen aanvallen om je te redden?'

'Zou niet lukken. Te veel wapens hier. Gewoon een beetje lol maken, dat is alles. Ik ga dood.'

Terwijl hij dit zegt, laten ze opnieuw beelden zien van de brandende gevangenis, en andere beelden vanuit een helikopter vlakbij. We zitten te diep in het gebouw om iets te horen, maar zo te zien is het een grote chaos. Brandende gebouwen, honderden rode en blauwe zwaailichten, af en toe een schot. Link zit te grijnzen. *Gewoon een beetje lol maken.*

'Het is z'n eigen stomme schuld, van de gevangenisdirecteur bedoel ik,' zegt hij. 'Waarom al dat pompeuze gedoe en al die formaliteiten, alleen maar voor een executie? Hij laat iedere beschikbare cipier opdraven, geeft ze een automatisch wapen en een kogelwerend vest alsof iemand – ik, de man die de naald krijgt – ze ook maar iets aan kan doen. Overal idioten. Daarna doet hij alle lichten aan en sluit de hele gevangenis af. Waarom eigenlijk? Daar is geen enkele goede reden voor. Verdomme, twee cipiers zonder een pistool zouden me probleemloos op het afgesproken tijdstip door de gang kunnen leiden en me aan die brancard kunnen vastbinden. Stelt niks voor. Er is geen enkele reden voor al deze ophef. Maar nee, de gevangenisdirecteur houdt van zijn rituelen. Dit is een belangrijk moment voor de wetshandhavers en verdomme, daar willen ze zo veel mogelijk van profiteren. Wat iedere gek kan zien, iedereen behalve de gevangenisdirecteur, is dat hij te maken heeft met mannen die in een kooi wonen en die iedereen haten die een uniform draagt. Ze zijn toch al op zoek naar problemen, dus als je ze iets meer onder druk zet ontploffen ze. Er is alleen maar iemand als ik voor nodig om dit te organiseren.'

Hij neemt een slok Cherry Coke en knabbelt op een frietje. Hij heeft nog veertig minuten.

De deur gaat weer open en onderdirecteur Foreman is terug, nu met drie zwaarbewapende cipiers. Foreman vraagt: 'Hoe gaat het hier?'

'Geweldig,' zeg ik.

Link zegt niets.

Ik zeg: 'Zo te zien hebben jullie daar je handen vol.'

Hij zegt: 'Klopt. Ik wilde gewoon even kijken hoe het met de gevangene gaat en controleren of alles in orde is.'

Link kijkt hem aan en zegt: 'Dit is mijn laatste uur. Waarom laten jullie me niet met rust? Rot alsjeblieft op en neem die sukkels meteen ook mee, oké?'

'Dat kunnen we wel doen,' zegt Foreman.

'En neem hem ook mee,' zegt Link en hij wijst naar mij. 'Ik wil alleen zijn.'

Foreman zegt: 'Sorry, Link, maar meneer Rudd kan nergens naartoe. De wegen zijn nu afgezet. We hebben alles afgesloten, omdat het niet veilig is buiten.'

'En om de een of andere reden voel ik me hierbinnen niet veilig,' snauwt Link.

'Ik begrijp niet waarom.'

'Het ziet ernaar uit dat we de executie moeten uitstellen,' zeg ik.

'Gaat waarschijnlijk niet gebeuren,' zegt Foreman, en hij draait zich om.

Ze vertrekken, slaan de deur achter zich dicht en doen hem van buitenaf op slot.

De gouverneur heeft de behoefte zijn volk toe te spreken. Op het scherm zien we zijn bezorgde gezicht. Hij staat op een podium met microfoons en camera's voor zich, dé droom van een politicus. Er worden hem allerlei vragen toegeroepen, en algauw horen we dat de situatie in Big Wheeler 'gespannen' is. Er zijn gewonden, doden zelfs. Er zijn ongeveer tweehonderd gevangenen 'uit hun cellen', hoewel nog niemand door de buitenste hekken van de gevangenis heeft kunnen dringen. Verschillende branden zijn nu onder controle. Ja, het ziet ernaar uit dat een deel van deze gebeurtenissen van buitenaf is gecoördineerd en nee, er zijn geen bewijzen voor dat Link Scanlon hierachter zit, nog niet in elk geval. Hij, de gouverneur, heeft de nationale garde erbij gehaald, hoewel de staatspolitie de zaak onder controle heeft. En o ja, hij wijst het laatste verzoek om uitstel van executie af.

6

Volgens het protocol moet de veroordeelde om kwart voor tien worden geboeid en voor zijn laatste wandeling naar de executiekamer worden gebracht. Daar wordt hij met zes leren banden, van zijn voeten tot zijn voorhoofd, op een brancard gebonden. Ondertussen klopt een arts op zijn armen op zoek naar een geschikte ader, terwijl een andere arts zijn vitale functies controleert. Drie meter daar vandaan, achter glazen ruiten en zwarte gordijnen, wachten de getuigen in twee verschillende vertrekken, een voor het slachtoffer, een voor de moordenaar.

Er wordt een infuus ingebracht en met tape vastgemaakt. Een grote klok aan de muur stelt de ongelukkige in staat zijn laatste minuten af te tellen. Om exact tien uur 's avonds leest de procureur van de gevangenis het doodvonnis voor, waarna de gevangenisdirecteur de veroordeelde vraagt of hij nog iets wil zeggen. Hij mag zeggen wat hij wil. Het zal worden opgenomen en online beschikbaar worden gesteld. Hij zal een paar woorden zeggen, misschien herhalen dat hij onschuldig is, misschien iedereen vergeven, misschien smeken om vergeving. Als hij uitgesproken is, knikt de gevangenisdirecteur naar een man die verborgen zit in een vertrek vlakbij, waarna de chemicaliën worden vrijgegeven. De veroordeelde begint weg te zakken en moeizaam te ademen. Ongeveer twaalf minuten later verklaart de arts dat hij dood is.

Link weet dit allemaal, maar hij heeft kennelijk andere plannen. Ik ben gewoon een man die op het verkeerde moment op de verkeerde plek is.

Om halftien wordt alle stroom in Big Wheeler afgesneden; het is compleet donker. Later zouden ze ontdekken dat de stroomonderbreking is veroorzaakt in een elektriciteitsmast die met een kettingzaag in tweeën is gezaagd. De reservegenerator voor Blok 9 – de dodencellen – sprong niet aan, doordat de brandstofleidingen waren vernield.

Om halftien weten we dit niet. Het enige wat we weten, is dat het pikdonker is in de Boom Boom Room.

98

Link springt op en zegt: 'Aan de kant!' Hij verschuift het bureau en ramt hem tegen de deur. Boven ons een korte lichtflits, lawaai, gekreun. Een paneel in het verlaagde plafond gaat open en een stem zegt: 'Link, hier!' Het lichtschijnsel van een zaklamp zwaait door het vertrek. Een touw valt naar beneden en Link pakt hem beet. 'Rustig nu,' zegt de stem en Link klimt langzaam naar boven, hangt er letterlijk aan alsof zijn leven ervan afhangt. Boven ons hoor ik geluiden, gekreun en geschuif, maar ik heb geen idee hoeveel mannen hierbij betrokken zijn.

Een paar seconden later is Link verdwenen en het is dat ik zo verbijsterd ben, anders zou ik lachen. Dan realiseer ik me dat ik waarschijnlijk word doodgeschoten. Ik trek mijn colbert uit, doe mijn stropdas af en ga op de legerbrits liggen. Bewakers trappen de deur open en komen binnenrennen met geweren en heel veel licht.

'Waar is hij?' brult een van de cipiers.

Ik wijs naar het plafond.

Ze schreeuwen en vloeken. Twee bewakers tillen me op en brengen me naar de gang, waar tientallen cipiers, politieagenten en ambtenaren in complete paniek rondrennen.

'Hij is weg! Hij is weg!' schreeuwen ze. 'Controleer het dak!'

In de gang, en te midden van een ongelofelijke herrie, hoor ik het gedreun van een helikopter. Ze slepen me naar een kamer, daarna naar een andere. In de chaos hoor ik een cipier schreeuwen dat Link Scanlon verdwenen is. Het duurt een uur voordat het licht weer brandt. Ik word ten slotte gearresteerd door de staatspolitie en naar het dichtstbijzijnde huis van bewaring gebracht. In eerste instantie is hun theorie dat ik een medeplichtige ben.

7

De puzzelstukjes vallen algauw op hun plaats, en omdat ik gedeeltelijk de schuld krijg van de ontsnapping, heb ik toegang tot alle info. Ik maak me geen zorgen over deze beschuldiging; die kunnen ze nooit hardmaken.

Om halftien die avond vlogen er twee nieuwshelikopters om Big Wheeler heen. De gevangenismedewerkers en de politie hadden ze gezegd uit de buurt te blijven, maar ze waren vlakbij. Met veel machtsvertoon stuurde de staatspolitie er twee van haar eigen helikopters naartoe om het luchtruim boven de gevangenis te controleren. Dat bleek nuttig toen de problemen begonnen. Het bleek ook een afleiding. Er hing een heleboel rook boven de gevangenis, doordat er tegelijkertijd zes branden woedden. Getuigen zeiden dat het lawaai oorverdovend was: vier helikopters, tientallen voertuigen van hulpdiensten met sirenes, krakende radio's, geschreeuw van cipiers en politieagenten, vuurwapens die werden afgeschoten, felle branden. Precies op het juiste moment, perfect getimed, dook de kleine zwarte helikopter als vanuit het niets op, daalde door de rookwolken en pikte Link op van het dak van Blok 9. Er waren getuigen: verschillende cipiers en gevangenismedewerkers zagen dat de helikopter een paar seconden bleef hangen, een touw liet zakken en vervolgens weer in de rook verdween, terwijl twee mannen aan de reddingslijn hingen. Een bewaker in een toren van het blok kon een paar schoten afvuren, maar raakte niets.

Een van de staatshelikopters zette de achtervolging in, maar was geen partij voor het merk en model dat Link die avond had gehuurd. Zijn helikopter is nooit gevonden. Hij vloog laag om de radar te ontwijken, zodat de luchtverkeersleiding hem niet heeft gezien. Een boer honderd kilometer bij Big Wheeler vandaan vertelde de autoriteiten dat hij een kleine helikopter zag landen op een landweg anderhalve kilometer van zijn veranda. Er reed een auto naartoe, waarna ze allebei verdwenen.

Een onderzoek sleepte zich voort en drie ambtenaren werden ontslagen. Ten slotte werd bekend dat 1) de Boom Boom Room deel uit-maakt van een oud deel van Blok 9 en in de jaren veertig is gebouwd; 2) het dak ervan een meter hoger is dan de rest van de dodencellen; 3) zich tussen het plafond en het dak een kruipruimte bevindt die vol zit met leidingen, verwarmingsbuizen en stroomkabels; 4) de kruipruim-te vertakkingen heeft en dat een deel daarvan naar een oude deur leidt die uitkomt op het platte dak; en 5) de twee bewakers die het dak die nacht moesten bewaken daar waren weggehaald om te helpen met het oproer, zodat er niemand op het dak stond tijdens Links dramatische ontsnapping.

Stel dat die bewakers er wel hadden gestaan? Gezien de vaardighe-den en de ervaring van de persoon die Link kwam halen, mag je er rustig van uitgaan dat de bewakers een kogel tussen de ogen hadden gekregen. Deze Spiderman, zoals de onderzoekers hem noemden, is nu al een legende.

Er zijn heel veel vragen en maar weinig antwoorden. Link Scanlon stond een gewisse dood te wachten en vond dat hij dus weinig te verlie-zen had met een belachelijke ontsnappingspoging. Hij had het geld om de juiste mensen en apparatuur te huren. Hij had mazzel en het lukte.

Er is een mogelijke, maar niet-bevestigde melding dat iemand hem in Mexico heeft gezien. Ik heb nooit meer iets van mijn cliënt gehoord en verwacht ook niet dat dit ooit nog zal gebeuren.

8

Naast Big Wheeler zijn er in deze staat nog een stuk of tien gevange-nissen, allemaal met een andere veiligheidsclassificatie. In de meeste zitten cliënten van me en die schrijven me brieven waarin ze om geld vragen of eisen dat ik iets doe om ze eruit te krijgen. Over het alge-meen negeer ik deze brieven. Ik heb gemerkt dat een brief van mij een gevangene alleen maar aanmoedigt om steeds weer te schrijven en steeds meer te eisen. Voor advocaten zoals ik die strafzaken behan-delen, bestaat er altijd de kans dat een ex-cliënt na een aantal jaren in de gevangenis te hebben gezeten opeens opduikt om te 'discussiëren' over fouten die tijdens het proces zijn gemaakt. Maar daar zeur ik niet over, hoor. Dat hoort gewoon bij mijn werk en is nog een reden om een pistool bij me te dragen.

Om mij op mijn plaats te zetten, weigeren onze geachte ambtenaren me een hele maand na de ontsnapping van Link Scanlon de toegang tot elke gevangenis. Maar wanneer duidelijk wordt dat Link ze zonder mijn hulp te slim af is geweest, worden ze uiteindelijk minder streng.

Ik heb een paar cliënten die ik af en toe bezoek. Hiervoor ben ik een hele dag onderweg. Vandaag rijden Partner en ik naar een *medium security*-gevangenis met de koosnaam Old Roseburg, genoemd naar een gouverneur uit de jaren dertig die er later zelf werd opgesloten. Hij is daar gestorven, in een nor die zijn naam draagt. Ik heb me vaak afgevraagd hoe dat moet voelen. Volgens de legende heeft zijn familie tevergeefs geprobeerd hem op borgtocht vrij te krijgen zodat hij thuis kon sterven, maar dat wilde de toenmalige gouverneur niet toestaan, want hij en Roseburg waren aartsvijanden. Vervolgens probeerde de familie de naam van de gevangenis te laten veranderen, maar dat zou een kleurrijk verhaal hebben verpest, waardoor de wetgevende macht dat weigerde. De gevangenis heet nu nog altijd officieel de Nathan Ro-seburg Gevangenis.

We mogen via de hoofdingang naar binnen en zetten de bus op een lege bezoekersparkeerplaats. Twee bewakers met een zwaar geweer houden ons vanaf de toren in de gaten, alsof we artillerie naar binnen zouden smokkelen of een paar kilo cocaïne. Op dat moment is er niemand anders om naar te kijken, zodat we hun volle aandacht krijgen.

9

Nadat Partner niet schuldig werd bevonden aan de moord op een narcotica-agent smeekte hij me om een baantje. Ik was niet op zoek naar een werknemer, toen niet en nu ook niet, maar ik kon geen nee zeggen. Hij zou weer op straat worden gezet en als ik hem niet hielp zou hij doodgaan of in de gevangenis belanden. In tegenstelling tot de meesten van zijn vrienden had hij een middelbareschooldiploma en zelfs een paar collegecertificaten behaald. Ik betaalde voor nog een paar vakken, hij ging meestal 's avonds naar de colleges en slaagde in no time en werd mijn juridisch assistent.

Partner woont bij zijn moeder in een huurflat in de City. De meeste appartementen in het gebouw worden bewoond door grote gezinnen, maar dan niet in de gebruikelijke samenstelling van vader, moeder en kinderen. Vrijwel alle vaders zijn vertrokken; ze zitten of in de bak of wonen ergens anders waar ze nog meer kinderen maken. De meeste flats zijn van een oma, een verdraagzame vrouw die opgescheept zit met een stel kinderen die al dan niet haar bloedverwant zijn. De helft van de moeders zit in de gevangenis en de andere helft heeft twee of drie baantjes. Jonge neven lopen in en uit, en bijna iedere familie wisselt op een chaotische manier steeds weer van samenstelling. Het voornaamste doel is dat de kinderen naar school gaan, uit de buurt blijven van de bendes, in leven blijven en hopelijk uit de nor.

Partner schat dat de helft van deze kinderen het toch niet redt en dat de meeste jongens uiteindelijk in de gevangenis belanden. Hij zegt dat hij geluk heeft, omdat alleen hij en zijn moeder in de kleine flat wonen. Er is een heel kleine logeerkamer die hij gebruikt als kantoor voor zijn werk – ons werk. Veel van mijn dossiers zijn hier opgeslagen. Ik vraag me vaak af wat mijn cliënten zouden doen als ze wisten dat hun vertrouwelijke documenten in afgedankte dossierkasten van het leger in een appartement op de negende verdieping van een gemeenteflat liggen. Maar eigenlijk kan me dat niets schelen, omdat ik Partner volkomen vertrouw. Hij en ik hebben uren in dat kleine hokje politieverslagen zitten doorspitten en processtrategieën beraamd.

Zijn moeder, miss Luella, is invalide door ernstige diabetes. Ze naait een beetje voor vrienden, houdt het appartement smetteloos schoon en kookt af en toe. Haar voornaamste werk, voor zover ik weet, is het opnemen van de telefoon voor de hooggeleerde Sebastian Rudd, advocaat. Zoals ik al zei, sta ik in geen enkel telefoonboek, maar wordt het telefoonnummer van mijn 'kantoor' doorgegeven. Dat nummer wordt dus heel vaak gebeld en dan krijgen ze miss Luella, die even fris en efficiënt klinkt als welke receptioniste ook die aan een fraai bureau zit en telefoongesprekken voor een kantoor met honderd advocaten doorverbindt.

Ze neemt de telefoon op met: 'Advocatenkantoor Sebastian Rudd. Met wie mag ik u doorverbinden?' Alsof het kantoor tientallen afdelingen en specialisaties heeft. Geen enkele beller krijgt mij aan de lijn, omdat ik nooit op kantoor ben. Welk kantoor? Dus zegt ze: 'Hij zit in een vergadering' of 'Hij moet getuigen' of 'Hij zit midden in een proces' of, mijn voorkeur: 'Hij is in de federale rechtbank'. Zodra ze de beller beleefd heeft afgescheept, houdt ze zich bezig met zijn of haar juridische probleem door te vragen: 'En u belt over?'

Een echtscheiding? Dan krijgt de beller te horen: 'Het spijt me, maar meneer Rudd behandelt geen familierechtszaken.'

Een faillissement, aankoop onroerend goed, testament, akte, contract? Hetzelfde antwoord: 'Die behandelt meneer Rudd niet.'

Het is mogelijk dat een strafrechtkwestie haar aandacht trekt, maar ze weet dat dit bijna altijd nergens toe leidt. Heel weinig verdachten kunnen het honorarium ophoesten. Dan stelt ze de beller haar standaardvragen om te kunnen bepalen of ze wel of niet kunnen betalen.

Is er iemand gewond? Ja, nu hebben we het ergens over. Dan is ze opeens heel meelevend en haalt ze allerlei informatie boven tafel. Ze laat ze niet los voordat ze alles weet en hun vertrouwen heeft gewonnen. Zodra de feiten duidelijk zijn en de zaak er veelbelovend uitziet, belooft ze dat meneer Rudd diezelfde middag wel even naar het ziekenhuis komt.

Als de beller een rechter is of een ander belangrijk iemand, behandelt ze ze met veel respect en stuurt mij meteen na het gesprek een sms. Ik betaal haar vijfhonderd dollar contant per maand en af en toe een bonus als ik een auto-ongeluk met succes heb afgehandeld. Ook Partner wordt contant betaald.

Miss Luella's familie komt uit Alabama en ze heeft op de zuidelijke manier leren koken. Ten minste twee keer per maand bakt ze kip, kookt ze kool en bakt ze maisbrood, en dan eet ik tot ik niet meer kan.

Zij en Partner hebben het kleine, goedkope appartement veranderd in een thuis, in een plek vol warmte. Er heerst echter ook verdriet, er hangt een wolk als een dichte mist die niet verdwijnt. Partner is nog maar achtendertig, maar hij heeft een zoon van negentien die in Old Roseburg zit. Jameel heeft tien jaar gekregen voor een misdrijf dat iets met een bende te maken heeft. Hij is het doel van ons bezoek van vandaag.

10

Nadat we alle formulieren hebben ingevuld en zijn gefouilleerd, lopen Partner en ik achthonderd meter over met kettingen en prikkeldraad afgezette trottoirs naar Kamp D, een gewelddadige afdeling. We gaan weer langs de beveiliging en worden gecontroleerd door grimmig kijkende bewakers die niets liever willen dan ons wegsturen. Omdat Partner een gediplomeerd juridisch assistent is en dat met documenten kan bewijzen, mag hij met mij mee naar de bezoekersvleugel. Een cipier kiest een consultatiekamer voor advocaten uit en we nemen plaats, met ons gezicht naar het raam.

Advocaten mogen op elk moment op bezoek komen, als ze hun komst maar van tevoren aankondigen, terwijl familieleden alleen op zondagmiddag worden toegelaten.

Tijdens het wachten zegt Partner, die toch al weinig praat, zelfs nog minder. We gaan minstens één keer per maand bij Jameel langs, en deze bezoeken eisen hun tol van mijn vertrouweling. Hij draagt een zware last, omdat hij zichzelf de schuld geeft van veel van de problemen van zijn zoon. De jongen zou hoe dan ook op het verkeerde pad zijn geraakt, maar na Partners vrijspraak wilden de politieagenten en officieren van justitie wraak nemen. Als je een politieagent vermoordt, ook al was dat uit zelfverdediging, maak je een paar nare vijanden. Nadat Jameel gearresteerd was, was er geen enkele ruimte voor onderhandelingen. De maximumstraf was tien jaar en de officieren van justitie weigerden ook maar iets toe te geven. Ik heb hem verdedigd, gratis natuurlijk, maar ik kon niets doen. Hij was betrapt met een rugzak vol hasj.

'Nog maar negen jaar te gaan,' zegt Partner zacht, terwijl we naar het raam zitten te kijken. 'O man, soms lig ik 's nachts wakker en dan vraag ik me af hoe hij er over negen jaar aan toe is. Achtentwintig en dan weer vrij man, maar geen baan, geen opleiding, geen ervaring, geen hoop, niets. Gewoon nog een ex-gevangene op zoek naar problemen.'

'Misschien valt het mee,' zeg ik behoedzaam, hoewel ik daar weinig vertrouwen in heb. Partner kent deze wereld veel beter dan ik. 'Dan heeft hij een vader die op hem wacht, en een oma. Ik ben dan ook in de buurt, hoop ik. We bedenken wel iets met z'n drieën.'

'Misschien heb je dan nóg een juridisch assistent nodig,' zegt hij en hij laat een van zijn zeldzame glimlachjes zien.

'Je weet maar nooit.'

Aan de andere kant van het raam gaat een deur open en Jameel komt binnen, gevolgd door een cipier.

Langzaam maakt de bewaker zijn handboeien los en kijkt naar ons.

'Morgen, Hank,' zeg ik.

'Hallo, Rudd,' zegt hij. Hank is een van de goede jongens, volgens Jameel. Ik neem aan dat het iets te maken heeft met mijn advocaten-kantoor dat ik op goede voet sta met een paar van de cipiers. Met een paar, maar zeker niet met allemaal.

'Neem alle tijd die je nodig hebt,' zegt hij en hij verdwijnt. De duur van het bezoek wordt bepaald door Hank, en door Hank alleen, en omdat ik aardig tegen hem ben, maakt het hem niet uit hoe lang we blijven. Ik heb wel klootzakken meegemaakt die dingen zeiden als 'Je krijgt een uur, hoogstens,' of 'Houd het kort', maar Hank is niet zo.

Jameel glimlacht tegen ons en zegt: 'Bedankt voor jullie komst.'

'Hallo, knul,' zegt Partner.

'Fijn je te zien, Jameel,' zeg ik.

Hij laat zich in een plastic stoel vallen. De jongen is één meter vijfen-negentig en zo te zien van rubber. Partner is één meter vijfentachtig en gebouwd als een brandkraan; hij zegt dat de moeder van de jongen lang is en mager. Ze is al jaren niet meer in beeld; verdwenen in het zwarte gat van het leven op straat. Ze heeft een broer die op een kleine college basketbalt, en Partner is er altijd van uitgegaan dat Jameel die genen heeft geërfd. Op zijn veertiende was hij al één meter negentig, en trok hij al de aandacht van de scouts. Maar op een bepaald moment ontdekte hij hasj en crack en dacht hij niet meer aan basketbal.

'Bedankt voor het geld,' zegt hij tegen mij. Ik stuur hem elke maand honderd dollar, die hij zou moeten gebruiken om levensmiddelen van te kopen, dingen als pen en papier, postzegels en frisdrank. Hij heeft een ventilator gekocht, want Old Roseburg heeft geen airco - geen en-kele van onze gevangenissen heeft airco. Partner stuurt hem ook geld, maar ik heb geen idee hoeveel.

Twee maanden nadat hij hier terechtkwam, hebben ze een inval gedaan in zijn cel en vonden wat hasj verborgen onder zijn matras. Een verklikker had zijn mond opengedaan, waarna Jameel werd bestraft met twee weken eenzame opsluiting. Partner zou hem hebben gewurgd als hij door het raam had kunnen komen, maar de jongen bezwoer dat het nooit meer zou gebeuren.

We praten over zijn opleiding. Hij krijgt bijles om zijn middelbareschooldiploma te halen, maar Partner is niet onder de indruk van zijn vorderingen.

Na een paar minuten neem ik afscheid en verlaat de kamer. Vader en zoon hebben tijd alleen nodig, dat is de reden dat we hier zijn. Volgens Partner worden hun gesprekken dan akelig en emotioneel. Hij wil dat zijn zoon weet dat zijn vader veel om hem geeft en vanaf een afstand een oogje op hem houdt. Het stikt van de bendes in Old Roseburg en Jameel is een gemakkelijke prooi. Hij zweert dat hij daar niets mee te maken heeft, maar Partner is sceptisch. Hij wil alleen maar dat zijn zoon veilig is. Lidmaatschap van een bende is meestal de beste bescherming, maar leidt ook tot vechten en wraak en een cyclus van geweld. In Old Roseburg zijn vorig jaar zeven gevangenen vermoord. Het zou erger kunnen zijn: verderop is een federale gevangenis waar gemiddeld twee moorden per maand plaatsvinden.

Ik koop een blikje frisdrank uit een automaat en vind een plekje op een rij plastic stoelen. Vandaag is er geen enkele andere advocaat op bezoek, dus open ik mijn aktetas en leg een paar paperassen op een tafel die vol ligt met oude tijdschriften. Hank komt binnen en begroet me weer. We kletsen een paar minuten. Ik vraag hoe het met de jongen gaat.

Hij zegt: 'Goed. Niets bijzonders. Hij overleeft het wel en is nog niet gewond geraakt. Hij zit hier nu een jaar en kent de gang van zaken. Maar hij wil niet werken. Ik had een baantje voor hem geregeld in de wasserij en daar heeft ie het een week volgehouden. Hij gaat naar de meeste lessen, maar niet naar allemaal.'

'Een bende?'

'Weet ik niet, maar ik hou hem in de gaten.'

Door een deur verderop komt een andere cipier binnen en dan moet Hank opeens weg. Hij kan niet gezien worden terwijl hij gezellig zit te kletsen met een advocaat.

Ik probeer een lang verweerschrift te lezen, maar dat is te saai. Ik loop naar een raam dat uitkijkt op een grote binnenplaats met een dubbel hek eromheen. Honderden gevangenen, allemaal in een witte gevangenisoverall, doden de tijd, terwijl bewakers vanuit een toren op hen neerkijken.

Jong en zwart, bijna allemaal. Volgens de statistieken zitten ze hier voor drugsdelicten zonder geweld. De gemiddelde strafmaat is zeven jaar. Na vrijlating zit zestig procent hier binnen drie jaar weer.

Waarom ook niet? Wat staat hen buiten deze hekken te wachten om te voorkomen dat ze hier terugkomen? Dan zijn ze een ex-gevangene en dat is een brandmerk dat ze nooit meer kunnen kwijtraken. Het lot was hen toch al niet gunstig gezind, en nu ze het label 'crimineel' hebben zou het leven in de vrije wereld toch niet beter worden. Zij zijn de echte slachtoffers van onze oorlogen – van de oorlog tegen drugs, de oorlog tegen de misdaad. Onbedoelde slachtoffers van strenge wetten die de afgelopen veertig jaar zijn ingevoerd door stoere politici. Eén miljoen jonge zwarte mannen zitten nu opgesloten in in verval rakende gevangenissen en zitten elke dag niks te doen op kosten van de belastingbetaler.

Onze gevangenissen zitten stervensvol, onze straten zijn gevuld met drugs. Wie wint deze oorlog?

We zijn gek geworden!

11

Twee uur later zegt Hank dat het tijd is het bezoek af te ronden.

Ik klop op de deur en loop het vertrek weer in, een niet-geventileerd hokje dat altijd bedompt is.

Jameel zit met zijn armen over elkaar en kijkt naar de grond. Partner zit ook met zijn armen over elkaar en kijkt naar het raam.

Ik krijg het gevoel dat er misschien veel is gezegd, maar al een hele tijd niet meer. Ik zeg: 'We moeten gaan.'

Dit is wat ze allebei willen horen en ze slagen erin om met enige genegenheid afscheid te nemen.

Jameel bedankt ons voor onze komst, zegt dat we miss Luella de groeten moeten doen en staat op als Hank achter hem binnenkomt.

Tijdens onze autorit zegt Partner een uur lang helemaal niets.

12

Link Scanlon was niet mijn eerste gangster. Die eer komt Dewey Knutt toe, een sensationele misdadiger, een man die ik niet in de gevangenis bezoek. Link genoot van het bloed, de gebroken botten, de intimidatie en het feit dat hij berucht was, Dewey leidde zijn misdadige leven zo onopvallend mogelijk. Link droomde er als kind al van om bij de maffia te komen, Dewey was een eerlijke meubelverkoper die pas toen hij midden dertig was op het verkeerde pad raakte. Link bezat veel geld dat grotendeels niet te traceren was. Dewey had, zo schreef een zakentijdschrift, driehonderd miljoen dollar aan zijn werk overgehouden. Ze stuurden Link naar de dodencellen, Dewey kreeg veertig jaar in een federale nor. Link slaagde erin te ontsnappen, Dewey heeft haar tot zijn middel en kweekt in een gevangenismoestuin biologische kruiden en groenten.

Dewey Knutt was een snelle prater, verkocht een heleboel goedkope meubels en kocht met zijn verdiensten een woning. Daarna nog een, en toen nog een paar. Hij leerde hoe hij het geld van andere mensen moest gebruiken en kreeg verrassend veel plezier in het nemen van risico's. Met zijn woningen als onderpand sloot hij leningen af voor de aankoop van winkelcentra en bedrijfsterreinen. Tijdens een korte recessie weigerde een bank hem een lening, dus kocht hij de bank en ontsloeg alle pakken die daar werkten. Hij leerde alle regels van het bankwezen uit zijn hoofd en vond daar enorme hiaten in. Tijdens een langdurigere recessie kocht hij nog een paar banken en regionale hypotheekverstrekkers. Geld was goedkoop en Dewey Knutt bleek een meester in het leningenspel. Zijn ondergang, ontdekten we later, begon doordat hij bezittingen dubbel en zelfs driedubbel als onderpand gebruikte voor leningen. Hij was een helderziende in de wereld van schimmige winsten, en was dan ook de eerste die de vruchtbare akkers van de doorverkoop van risicovolle hypotheken bewerkte. Hij perfectioneerde de fijne kneepjes van het woekeren. Hij werd een expert in het omkopen van politici en toezichthouders op het bankwezen. Tel hierbij op belastingontduiking, witwassen van geld, postfraude, handelen met voorkennis en het volledig leegroven van pensioenfondsen, en Dewey had zijn veertig jaar gewoon verdiend.

Hele volksstammen zijn nog altijd op zoek naar verborgen restanten van zijn fortuin: huidige en vroegere vijanden, een paar toezichthouders op het bankwezen, ten minste twee faillissementsrechtbanken, de advocaten van zijn ex-echtgenotes en verschillende diensten van de federale regering. Tot nu toe hebben ze nog niets gevonden.

Toen Dewey negenenveertig was, werd zijn luie zoon Alan van twintig betrapt met een kofferbak vol cocaïne. Alan was een ongelofelijke stomkop en hij wilde zijn vader imponeren met zijn eigen versie van zakendoen. Dewey was kwaad en schaamde zich zo dat hij weigerde een advocaat voor Alan in te huren. Een vriend verwees hem naar mij. Na één blik op de inbeslagname zag ik al dat de politie het had verknald: ze hadden geen aanhoudingsbevel en geen gerede aanleiding om de auto te doorzoeken. Het was allemaal heel duidelijk. Ik diende de juiste moties en verweerschriften in, waarop de City de zaak halfhartig aanvocht. De inbeslagname van de cocaïne werd ongrondwettig verklaard, het bewijs werd verworpen en alle aanklachten tegen Alan werden ingetrokken. Een paar dagen lang was dit hét nieuwsitem en kwam ik voor het eerst met mijn foto in de krant.

Dewey schakelde zijn favoriete advocaten in voor de grote klussen, maar omdat hij zo onder de indruk was van mijn slimme acties besloot hij mij een paar brokjes toe te werpen. Het meeste lag buiten mijn expertise, maar één zaak intrigeerde me en die nam ik aan.

Dewey was gek op golfen maar kon daar in zijn overvolle agenda zelden de tijd voor vinden. Bovendien had hij weinig geduld voor de onwankelbare tradities van de meeste golfclubs, waarvan bovendien maar heel weinig zo'n outlaw als lid zouden accepteren. Hij raakte geobsedeerd door het idee zijn eigen golfbaan aan te leggen en te verlichten, zodat hij 's nachts kon spelen, alleen of met een paar vrienden. In die tijd waren er in het hele land maar drie verlichte golfbanen en niet één dichterbij dan vijftienhonderd kilometer. Achttien holes, allemaal privé en verlicht – het ultieme speeltje van een rijke jongen. Om de nazi's van de City te omzeilen, liet hij zijn oog vallen op tachtig hectare, anderhalve kilometer van de stadsgrenzen. De county maakte bezwaar en de buren spanden een rechtszaak aan. Ik handelde de juridische kwesties af en verkreeg uiteindelijk goedkeuring. Nog meer kranten-koppen.

Maar de echte problemen lagen vlak om de hoek. Er ontstond een onroerendgoedzeepbel, rentepercentages stegen enorm, er stak een gi-gantische storm op. Dewey kon niet snel genoeg geld lenen, waarna zijn kaartenhuis op een spectaculaire manier in elkaar stortte. Perfect getimed kwamen de FBI, de belastingdienst, de beurscommissie en een hele treinlading andere stoere jongens met badges ter plaatse en zwaai-den allemaal met een huiszoekingsbevel. De voorlopige tenlastelegging was een paar centimeter dik en stond vol keiharde beschuldigingen aan het adres van Dewey. Hij werd ook beschuldigd van indrukwekkende samenzweringen met zijn bankiers, accountants, partners, advocaten, een effectenmakelaar en twee gemeenteraadsleden. In bijzonder over-tuigende bewoordingen en uiterst gedetailleerd stonden er tientallen overtredingen in van de RICO, de Racketeer Influenced and Corrupt Organizations Act, een wet die tot doel had bedrijven aan te pakken die geld verdienden met afpersing en corruptie, het grootste geschenk van het Congres aan federale officieren van justitie ooit.

Ook naar mij werd een onderzoek ingesteld en ik wist bijna zeker dat ook ik zou worden beschuldigd, hoewel ik niets verkeerds had gedaan. Gelukkig slaagde ik erin buiten schot te blijven. Een tijdje had het veel weg van een 'schiet-nu-en-stel-later-vragen'-inquisitie. Maar de FBI trok zich terug en verloor zijn belangstelling voor mij; ze moesten gro-tere schurken opsporen.

Alan werd in staat van beschuldiging gesteld, eigenlijk alleen maar omdat hij Deweys zoon was. Toen de FBI dreigde ook Deweys dochter in staat van beschuldiging te stellen, zwichtte hij en ging hij akkoord met veertig jaar cel. De aanklachten tegen zijn kinderen werden inge-trokken en de meesten van zijn bondgenoten bekenden in ruil voor strafvermindering. Iedereen ontkwam aan een lange gevangenisstraf. Kortom, Dewey stelde zich fatsoenlijk op en ging groots ten onder.

Toen de FBI de inval deed, was hij net bezig met de aanleg van zijn golfbaan met de grootse naam Old Plantation. Binnen een paar weken was al zijn geld verdwenen en werd de aanleg ervan stopgezet, na de veertiende green.

Voor zover bekend is dit de enige verlichte golfbaan met veertien holes ter wereld. Ter ere van Dewey heet het Old Rico. De leden zijn uitsluitend zijn vrienden en samenzweerders. Het is Alans werk om de baan te verzorgen en bespeelbaar te houden, waar hij goed in slaagt. Hij golft zelf de hele tijd en droomt ervan een pro te worden. Hij verdient genoeg om een paar onderhoudsmedewerkers in te huren, allemaal zwart. En bovendien vermoeden we dat hij weet waar een deel van Deweys vermogen begraven ligt. Ik betaal vijfduizend dollar per jaar en dat is het waard ook, alleen al om de meutes te vermijden. De greens en de tees zijn meestal in goede staat; de fairways kunnen lastig zijn, maar dat vindt niemand een probleem. Als we een kortgeschoren golfbaan wilden, gingen we wel naar een echte club, hoewel niemand van ons bij Old Rico door het ballotagesysteem zou komen.

Elke woensdagavond om zeven uur komen we bij elkaar voor een partij Dirty Golf, een spel dat heel weinig gemeen heeft met wat je bijvoorbeeld op cbs kunt zien. Dewey wilde eerst de baan laten aanleggen zodat hij ergens kon golfen, en pas daarna het clubhuis laten bouwen waar hij ergens iets kon drinken. Bij gebrek aan een echt clubhuis treffen we elkaar nu vóór het golfen voor een drankje en een praatje in een omgebouwde schuur, waar Dewey ooit genoot van hanengevechten - misschien het enige misdrijf dat niet in zijn voorlopige tenlastelegging was opgenomen. Alan woont boven met twee vrouwen met wie hij niet getrouwd is, en hij is de organisator van Dirty Golf. De twee vrouwen staan achter de bar, pikken de lompe opmerkingen en maken grapjes met de mannen. Het ritueel vereist dat het eerste glas - in een weckfles - wordt geheven om te toosten op Dewey, die vanaf een slechte foto boven de bar glimlachend op ons neerkijkt. Vanavond zijn we met elf man, een acceptabel aantal omdat Old Rico maar twaalf golfkarretjes heeft. Terwijl we ons eerste glas leegdrinken, begint Alan aan de vrij lastige klus om alle leden in te delen, de handicaps te noteren en het geld te innen. Dirty Golf kost tweehonderd dollar per persoon en de winnaar krijgt alles. Geen slechte pot, maar ik heb hem nog nooit gewonnen.

Om te winnen moet je goed kunnen golfen, een hogere handicap hebben en vals kunnen spelen zonder te worden betrapt. De spelregels zijn flexibel. Een slechte slag die buiten de fairway terechtkomt is bijvoorbeeld altijd acceptabel, mits de bal wordt teruggevonden. Eigenlijk zijn er geen taboes op Old Rico. Als je je bal terugvindt, kun je hem spelen. Een putt van een meter of minder is altijd toegestaan, tenzij een tegenstander een slechte avond heeft en de baas wil spelen. Iedere deelnemer heeft het recht een ander alles te laten putten. Een viertal kan afspreken dat iedere man een *mulligan* mag spelen, oftewel een vrije slag na een slechte slag. En, als alle vier in de juiste stemming zijn, kan ieder van hen een mullie pakken op de eerste zeven en nog een ergens op het eind. Ik hoef natuurlijk niet te zeggen dat deze soepele hantering van de regels tot onenigheid en conflicten leidt. Maar omdat nog niet één op de tien golfers de regels kent, gaat elke ronde Dirty Golf voortdurend vergezeld van gezeur, gesnauw, geklaag en zelfs gedreig.

Partner bestuurt mijn golfkarretje, en ik ben niet de enige hier met een bodyguard. Omdat ik alleen speel, ben ik vanavond gekoppeld aan Toby Chalk, voormalig gemeenteraadslid, die vier maanden heeft gezeten in de nasleep van Deweys ondergang. Hij bestuurt zijn eigen golfkarretje. Caddies zijn verboden op Old Rico.

Na een uur drinken en voorbereidingen treffen, gaan we naar de baan. Het wordt al donker, het licht is aan en we voelen ons inderdaad bevoorrecht omdat we 's avonds kunnen golfen. We beginnen op een willekeurige plek. Toby en ik hebben de vijfde tee toegewezen gekregen en als Alan 'Go!' roept, racen we weg, met stuiterende karretjes en rammelende golfclubs. Volwassen mannen, half bezopen en met een grote sigaar in de mond, toeterend en vrolijk roepend.

Partner grijnst en schudt zijn hoofd. Maffe blanken.

Deel 3
Warrior cops

1

Dit is er gebeurd:

Mijn cliënten, meneer en mevrouw Douglas Renfro, door iedereen Doug en Kitty genoemd, woonden dertig rustige en gelukkige jaren in een beschaduwde straat in een leuke buitenwijk. Ze waren goede buren, actief bij de plaatselijke liefdadigheidsinstellingen en de kerk, en altijd bereid te helpen. Ze waren begin zeventig en gepensioneerd, hadden kinderen, kleinkinderen, een paar honden en een timeshare in Florida. Ze hadden geen spaargeld en betaalden hun creditcarduitgaven elke maand af. Ze voelden zich goed en waren redelijk gezond, hoewel Doug last had van spierspasmen en Kitty herstellende was van borstkanker. Hij had veertien jaar in het leger gezeten en de rest van zijn werkzame leven medische apparatuur verkocht. Zij had schademeldingen verwerkt bij een verzekeringsmaatschappij. Om bezig te blijven werkte zij als vrijwilligster in een ziekenhuis en hij harkte de bloembedden en tenniste op een baan in het stadspark. Op aandringen van hun kinderen en kleinkinderen kochten de Renfro's met tegenzin allebei een laptop en begaven zich in de digitale wereld, hoewel ze weinig tijd op internet doorbrachten.

Het huis naast hen was in de loop der jaren een keer of tien ver- en gekocht. De huidige eigenaren waren rare snuiters die erg op zichzelf waren. Hun tienerzoon Lance was een buitenbeentje dat zich meestal in zijn kamer opsloot, videospelletjes speelde en via internet drugs verkocht. Om zijn gewoonten te verbergen, liftte hij meestal mee op de draadloze verbinding van de Renfro's.

Zij wisten dat natuurlijk niet. Zij wisten hoe ze hun laptops aan en uit moesten doen, hoe ze e-mails moesten versturen en ontvangen, eenvoudige onlineaankopen moesten doen en het weerbericht konden opzoeken, maar behalve dat hadden ze geen idee hoe de technologie werkte en waren daar ook niet in geïnteresseerd. Ze hielden zich niet bezig met wachtwoorden of welke vorm van beveiliging dan ook.

De staatspolitie initieerde een undercoveroperatie om de verkoop van drugs via internet op te sporen en traceerde een IP-adres naar het huis van de Renfro's: iemand daar kocht en verkocht een heleboel ecstasy. Ze besloten er een volledig SWAT-team op af te sturen. Er werden bevelschriften geregeld, één voor een huiszoeking en één voor de arrestatie van Doug Renfro. Om drie uur in een heldere nacht rende een team van acht agenten van de stedelijke politie door het donker en omsingelden het huis van de Renfro's. Acht agenten – allemaal in volledig aanvalstenue met kogelwerend vest, camouflage-uniform, pantserhelm, nachtbril, radio, semiautomatisch pistool, aanvalswapen, kniestukken, sommigen zelfs met een gezichtsmasker en ook een paar met zwarte verf op hun gezicht om zo veel mogelijk indruk te maken – bewogen zich gebukt en gehurkt en onbevreesd door de bloembedden van de Renfro's, met hun gretige trekkervinger klaar voor de strijd. Twee hadden een flitsgranaatwerper bij zich en weer twee anderen een stormram.

Warrior cops – agenten die net doen alsof ze soldaat zijn. De meesten, zoals we later zouden ontdekken, waren verschrikkelijk ongetraind, maar ze vonden het allemaal geweldig dat ze mee mochten doen. Minstens zes van hen bekenden later dat ze cafeïnevrije energydrankjes hadden gedronken om op dat lastige tijdstip wakker te blijven.

In plaats dat ze gewoon op de bel drukten om de Renfro's te wekken en uit te leggen dat zij, politieagenten, wilden praten en het huis wilden doorzoeken, zetten de agenten de aanval met veel kabaal in, door tegelijkertijd de voordeur en de achterdeur open te trappen. Later zouden ze liegen en beweren dat ze de bewoners luidkeels hadden gewaarschuwd, maar Doug en Kitty waren diep in slaap, zoals te verwachten was. Ze hoorden niets, tot de invasie begon.

Wat er in de volgende zestig seconden gebeurde, kostte maanden om te ontwarren en duidelijk te krijgen.

Het eerste slachtoffer was Spike, de gele labrador die op de keukenvloer sliep. Spike was twaalf, oud voor een labrador, en hardhorend. Maar hij hoorde ongetwijfeld dat de deur ongeveer een meter bij hem vandaan open werd getrapt. Hij was zo dom overeind te springen en te gaan blaffen, waarna hij drie keer werd beschoten door een 9mm. Op dat moment krabbelde Doug Renfro al uit bed en pakte om zichzelf te kunnen verdedigen zijn eigen pistool, dat keurig geregistreerd was en in een la lag. Hij bezat ook een Browning-geweer van 12 kaliber dat hij twee keer per jaar gebruikte om op ganzen te jagen, maar dat was opgeborgen in een kast.

In een poging zich te verdedigen, zou onze stuntelige politiebaas later beweren dat de swat-aanval noodzakelijk was omdat ze wisten dat meneer Renfro zwaarbewapend was.

Doug was al op de overloop toen hij zag dat verschillende donkere figuren de trap op kwamen. Omdat hij in het leger had gezeten, begon hij te schieten. Er werd teruggeschoten. Het vuurgevecht was kort en dodelijk. Doug werd twee keer geraakt, in zijn onderarm en schouder. Een agent, Keestler, werd in de hals geschoten, waarschijnlijk door Doug. Kitty, die in paniek achter haar man aan de slaapkamer uit was gerend, kreeg drie kogels in haar gezicht en vier in haar borst, en stierf ter plekke. Hun andere hond, een schnauzer die bij hen sliep, werd ook doodgeschoten.

Doug Renfro en Keestler werden met spoed naar het ziekenhuis gebracht, en Kitty naar het mortuarium. Buren stonden ongelovig om zich heen te kijken toen hun straat werd verlicht door zwaailichten, en ambulances snel wegreden met de gewonden.

De politie bleef urenlang in het huis en verzamelde alle mogelijke bewijzen, waaronder de laptops. Nog geen twee uur later, nog voor zonsopgang, wisten ze al dat de computers van de Renfro's nooit waren gebruikt om drugs te verhandelen. Ze wisten dus dat ze een fout hadden gemaakt, maar dat zouden ze natuurlijk niet bekennen. Er werd meteen van alles achtergehouden toen de commandant van het swat-team de televisieverslaggevers ter plaatse met een somber gezicht vertelde dat de bewoners van het huis werden verdacht van drugshandel en dat de heer des huizes, Doug Renfro, had geprobeerd een paar agenten dood te schieten.

Toen Doug, na zijn operatie en zes uur nadat hij was beschoten, weer bij bewustzijn kwam werd hem verteld dat zijn vrouw dood was. Hij kreeg ook te horen dat de indringers politieagenten waren geweest. Dat had hij niet geweten. Hij had gedacht dat er gewapende criminelen zijn huis waren binnengedrongen.

2

Om kwart voor zeven 's ochtends gaat mijn mobiele telefoon. Ik kijk net naar een onmogelijke *bank shot* om de 9-ball in een hoekpocket te krijgen en te winnen. Het afgelopen uur heb ik sterke koffie gedronken en te veel stoten gemist. Ik pak de telefoon, kijk wie me belt en zeg: 'Goedemorgen.'

'Ben je wakker?' vraagt Partner.

'Denk het wel.' Ik slaap al jaren niet meer om kwart voor zeven 's ochtends. Partner ook niet.

'Misschien wil je het nieuws aanzetten.'

'Oké, wat is er?'

'Zo te zien zijn onze speelgoedsoldaatjes zojuist weer een huis binnengedrongen. Slachtoffers.'

'Shit!' zeg ik en ik pak de afstandsbediening. 'Later.'

In een hoek van mijn woonkamer staan een kleine bank en een stoel. Een breedbeeld-tv hangt aan een stang voor de muur. Ik laat me in de stoel vallen op het moment dat het eerste beeld verschijnt.

De zon is amper op, maar het is licht genoeg om de chaos te zien. In de voortuin van de Renfro's wemelt het van de agenten en ambulancepersoneel. Achter de ademloze en stotterende verslaggever flitsen zwaailichten. Buren in badjas kijken vanaf de overkant toe. Felgele politietape hangt hoog en laag en alle kanten op. Dat is inderdaad een plaats delict, maar ik heb nu al argwaan. Wie zijn de echte criminelen? Ik bel Partner en zeg dat hij naar het ziekenhuis moet om een beetje rond te snuffelen.

Op de oprit van de Renfro's staat een tank met een twintig centimeter lange loop, dikke rubber banden in plaats van rupsbanden, een camouflagebeschildering en een open koepel. Er zit een warrior cop in met een motorzonnebril op en een extreem alerte blik op zijn gezicht. De politie hier heeft maar één tank en daar zijn ze trots op, dus gebruiken ze hem zo vaak mogelijk. Ik kende deze tank, ik heb er eerder mee te maken gehad.

Jaren geleden, niet lang na de terreuraanslagen op 11 september, is ons politiekorps erin geslaagd het ministerie van Binnenlandse Veiligheid een paar miljoen dollar af te troggelen om zichzelf te bewapenen en om zich te kunnen aansluiten bij de nationale ETB-gekte: Extreme Terreur Bestrijding. Het was natuurlijk niet van belang dat onze stad ver van de belangrijkste grote steden af ligt, dat er in geen velden of wegen jihadisten te bekennen zijn en dat onze agenten al meer dan genoeg wapens en ninjaspullen hadden. Dat was niet belangrijk: we moesten er klaar voor zijn! Dus kreeg onze politie tijdens de wapenwedloop die hierop volgde een nieuwe tank. En verdomd, zodra ze wisten hoe ze daarin moesten rondrijden, werd het natuurlijk hoog tijd hem te gebruiken.

Het eerste slachtoffer was een nogal simpele oude vent, Sonny Werth, die aan de rand van de stad woonde in een wijk die de makelaars liever vermijden. Sonny, zijn vriendin en een paar van haar kinderen lagen om twee uur 's nachts te slapen toen het huis leek te ontploffen. De woning was niet veel bijzonders, maar dat was niet echt belangrijk. De muren schudden, er was veel kabaal – Sonny dacht eerst dat er een tornado doorheen vloog.

Nee hoor, het was de politie maar. Die zou later beweren dat ze op de deur hadden gebonsd en op de bel hadden gedrukt. Maar niemand in huis heeft iets gehoord tot de tank door het voorraam naar binnen reed en in de woonkamer tot stilstand kwam. Hun bastaardspaniël probeerde door het gapende gat te ontsnappen maar werd doodgeschoten door een moedige warrior cop. Gelukkig waren er geen andere slachtoffers, hoewel Sonny twee nachten in het ziekenhuis lag met pijn op de borst, waarna hij een week in het huis van bewaring doorbracht tot hij zijn borg kon betalen. Zijn misdaden: gokken en het illegaal runnen van een wedkantoor. De politieagenten en officieren van justitie beweerden dat Sonny lid was van een syndicaat, dus een samenzweerder, dus een lid van de georganiseerde misdaad, et cetera.

Namens Sonny sleepte ik de City voor de rechter voor 'excessief geweld' en uiteindelijk kreeg hij een miljoen dollar, waarvan echter geen cent afkomstig was uit de zakken van de agenten die de inval hadden gepland, het geld moest worden opgebracht door de belastingbetaler. De beschuldigingen tegen Sonny werden later ingetrokken, zodat de inval een volkomen verspilling was geweest van tijd, geld en energie.

Terwijl ik naar de beelden kijk en mijn koffie opdrink, denk ik dat de

Renfro's van geluk mogen spreken dat die tank bij de inval in hun huis niet is gebruikt. Om redenen die ik nooit zal kennen, was besloten de tank op de oprit te laten staan, voor het geval dat. Als de acht agenten niet genoeg waren geweest, als de Renfro's wel een tegenaanval hadden kunnen inzetten, dan zou de tank zijn ingezet om hun woonkamer te vernietigen.

De camera zoomt in op twee agenten die naast de tank staan, allebei met een aanvalsgeweer. Ze wegen allebei meer dan honderddertig kilo. De ene draagt een groen met grijs camouflage-uniform alsof hij in het bos op herten jaagt en de andere een bruin met beige camouflage-uniform alsof hij in de woestijn op rebellen jaagt. Deze twee clowns staan op de oprit van een huis in een buitenwijk, ongeveer een kwartier rijden van het centrum, in een stad met een miljoen inwoners, en ze dragen camouflagekleding! Het trieste en angstaanjagende van dit tafereel is dat deze mannen geen idee hebben hoe stom ze eruitzien. Nee, ze zijn trots, arrogant; ze zijn demonstratief aanwezig, stoere mannen die het opnemen tegen de slechteriken. Een van hun broederschap is geraakt, gewond, gevallen toen hij zijn plicht deed, en daar zijn ze woedend over. Ze turen kwaad naar de buren aan de overkant. Eén verkeerd woord en ze beginnen misschien te schieten. Hun vinger ligt al op de trekker.

Het weerbericht komt op tv en ik loop naar de douche.

Partner haalt me om acht uur op en dan gaan we naar het ziekenhuis. Doug Renfro wordt nog geopereerd. De verwondingen van politieagent Keestler zijn niet levensbedreigend. Overal zijn agenten. In een volle wachtkamer wijst Partner naar een groepje verbijsterd kijkende mensen, die allemaal stijf tegen elkaar aan zitten en elkaars hand vasthouden.

Niet voor de eerste keer stel ik mezelf de voor de hand liggende vraag: waarom heeft de politie niet op een normaal tijdstip aangebeld om even met meneer Renfro te praten? Twee agenten in burger, of misschien eentje in uniform? Waarom niet? Het antwoord is eenvoudig: deze jongens denken dat ze lid zijn van een elite-eenheid én ze hebben behoefte aan spanning, dus zitten we in alweer een overvol ziekenhuis met gewonden.

Thomas Renfro is een jaar of veertig. Volgens Partner is hij opticien en werkt hij in een van de buitenwijken. Zijn twee zussen wonen niet in de buurt en zijn nog niet in het ziekenhuis. Ik slik moeizaam en loop naar hem toe. Hij wil me met een gebaar wegsturen, maar ik herhaal steeds weer dat we moeten praten. Ten slotte loopt hij samen met mij naar een rustig hoekje. Die arme man wacht op zijn zussen, zodat ze naar het mortuarium kunnen gaan en een begin kunnen maken met alles wat moet worden geregeld voor hun dode moeder en ondertussen wordt hun vader geopereerd. Ik bied mijn verontschuldigingen aan voor het storen, maar hij luistert aandachtig als ik vertel dat ik dit al eens eerder met deze agenten heb meegemaakt.

Hij wrijft in zijn rode ogen en zegt: 'Volgens mij heb ik u al eens eerder gezien.'

'Waarschijnlijk op het nieuws. Ik behandel soms vreemde zaken.'

Hij aarzelt en zegt dan: 'Wat voor zaak is dit?'

'Dit is wat er gaat gebeuren, meneer Renfro. Uw vader zal niet op korte termijn thuiskomen. Als de artsen klaar met hem zijn, zal de politie hem naar het huis van bewaring brengen. Hij zal worden beschuldigd van poging tot moord op een politieman. Daar staat maximaal twintig jaar op. Zijn borg zal een miljoen dollar of daaromtrent worden, en dat zal hij niet kunnen betalen omdat de officier van justitie zijn bezittingen in beslag zal nemen: zijn huis, zijn bankrekeningen, van alles. Hij kan nergens bij, omdat dit de manier is waarop ze een gerechtelijke vervolging aanpakken.'

Alsof deze arme man de afgelopen vijf uur nog niet genoeg ellende heeft meegemaakt. Hij sluit zijn ogen en schudt zijn hoofd, maar hij luistert wel.

Ik vertel verder: 'De reden dat ik u hiermee lastigval is dat het belangrijk is om meteen, of uiterlijk morgen, een rechtszaak aanhangig te maken wegens de onrechtmatige dood van uw moeder, de aanval op uw vader, extreem geweld, incompetente politieagenten, schending van rechten, et cetera. Ik zal ze overal van beschuldigen, dat heb ik al eerder gedaan. Als we de juiste rechter krijgen, zal ik onmiddellijk toegang krijgen tot hun interne verslagen. Op dit moment zijn ze al begonnen met het verbergen van hun fouten, en daar zijn ze heel goed in.'

Hij stort in, vermant zich, krijgt zichzelf weer een beetje in de hand, en zegt: 'Dit is te veel.'

Ik geef hem een kaartje en zeg: 'Dat begrijp ik. Bel me zodra u daartoe in staat bent. Ik heb altijd al tegen deze klootzakken gevochten en ik weet hoe dat moet. U gaat nu door een hel, maar het wordt helaas alleen maar erger.'

Moeizaam zegt hij: 'Bedankt.'

125

3

Later die middag komt de politie langs en maakt een praatje met Lance, het buitenbeentje, de zoon van de buren van de Renfro's. Drie agenten maar, in burger, die heel moedig zonder aanvalswapens of kogelwerende vesten naar het huis toe lopen. Ze hebben niet eens een tank bij zich. Alles verloopt soepel, niemand wordt beschoten.

Lance is negentien, werkloos, alleen thuis en een echte loser. Zijn wereld zal een dramatische verandering ondergaan. De politie heeft een huiszoekingsbevel en nadat ze zijn laptop en mobiele telefoon in beslag hebben genomen, begint Lance te praten. Hij zit in de woonkamer als zijn moeder thuiskomt, en bekent alles.

Hij lift al ongeveer een jaar mee op het wifisysteem van de Renfro's. Hij handelt op het Dark Web, op een website die Millie's Market heet, waar hij elke hoeveelheid medicijnen kan kopen, illegaal of op recept. Hij houdt het bij ecstasy omdat dat makkelijk verkrijgbaar is en de kinderen, zijn klanten, daar gek op zijn. Hij doet zijn zaken via Bitcoin, huidig saldo: zestigduizend dollar. Hij vertelt alle details in een stortvloed van woorden, en een uur later wordt hij geboeid weggeleid.

Dus om vijf uur 's middags, ongeveer veertien uur na de inval, kent de politie eindelijk de waarheid. Maar hun cover-up is al in gang gezet en ze lekken hier en daar een paar leugens.

De volgende ochtend vroeg als ik op internet de *Chronicle* lees, zie ik de voorpagina met foto's van Douglas en Katherine Renfro, en agent Keestler. Hij lijkt wel een held en de Renfro's lijken wel outlaws. Doug wordt verdacht van lidmaatschap van een internetdrugshandelsyndicaat. 'Schokkend,' zegt een buurman, 'ik had er geen idee van. Zulke aardige mensen.'

Kitty stond letterlijk tussen twee vuren toen haar echtgenoot zomaar op vredelievende agenten begon te schieten. Zij wordt volgende week begraven en hij zal binnenkort in staat van beschuldiging worden gesteld. De verwachting is dat Keestler het wel overleeft. Geen woord over Lance.

Twee uur later ontmoet ik Nate Spurio in een bagelshop in een winkelstraat in het noorden van de stad. We mogen niet in het openbaar gezien worden, tenminste, we willen niet herkend worden door een agent of iemand die een agent kent, zodat we onze geheime ontmoetingen afwisselen tussen A, B, C en D. A is een Arby's, een sandwichshop in een buitenwijk. B is een van twee bagelshops. C is de afschuwelijke Catfish Cave, tien kilometer ten oosten van de City. D is een donutshop. Als we elkaar moeten spreken, kiezen we gewoon een van de vier letters en spreken een tijd af.

Spurio werkt al dertig jaar bij de politie; hij is een goeie, eerlijke agent die zich aan de regels houdt en de pest heeft aan zo ongeveer ieder ander bij het korps. We hebben een verleden samen, dat begon toen ik als twintigjarige student ladderzat werd in een biertent en buiten op straat in elkaar werd geslagen door een paar agenten. Een van hen was Nate Spurio. Hij zei dat ik hem had uitgescholden en een duw had gegeven, en nadat ik in de cel weer bij bewustzijn was gekomen kwam hij kijken hoe het met me ging. Ik verontschuldigde me overvloedig. Hij accepteerde mijn excuses en regelde dat de aanklacht tegen me werd ingetrokken. Mijn gebroken kaak genas prima en de agent die me had geslagen werd later ontslagen. Dat incident was voor mij de aanleiding om rechten te gaan studeren. Spurio weigert al jaren om het politieke spelletje mee te spelen dat noodzakelijk is om bevorderd te worden, waardoor hij dus niet vooruit is gekomen. Meestal zit hij aan een bureau documenten te archiveren en de dagen te tellen. Maar er is een heel netwerk van agenten die door de machthebbers zijn uitgestoten, en Spurio besteedt heel veel tijd aan het opsporen van roddels. Hij is absoluut geen verklikker, maar gewoon een eerlijke politieman die de pest heeft aan wat er van zijn korps is geworden.

Partner blijft in de bus zitten die op de parkeerplaats staat. Hij let op of er niet toevallig andere agenten langskomen die een bagel willen kopen.

Nate en ik kruipen bij elkaar in een hoek en houden de deur in de gaten.

Spurio zegt: 'Tjongejonge, dit is niet mis!'

'Vertel maar.'

Hij begint met de arrestatie van Lance, de inbeslagname van zijn computer, het duidelijke bewijs dat de jongen een kleine dealer is en Lance' gedetailleerde bekentenis dat hij de verbinding van de Renfro's heeft misbruikt. Hun computers zijn brandschoon, maar toch zal Doug overmorgen in staat van beschuldiging worden gesteld. Keestler zal worden vrijgesproken. De gebruikelijke cover-up.

'Wie waren erbij?' vraag ik.

Spurio geeft me een opgevouwen vel papier. 'Acht man, allemaal van ons korps. Geen jongens van de staatspolitie, geen *Feds*.'

Als ik mijn zin krijg, worden ze stuk voor stuk verdachte in een proces waarin we een schadevergoeding eisen van, ach, ik weet het niet, vijftig miljoen dollar of zo?

'Wie had de leiding?' vraag ik.

'Wie denk je?'

'Sumerall?'

'Bingo! Dat wisten we al toen we het nieuws zagen. Alweer leidt inspecteur Chip Sumerall zijn onbevreesde troepen een rustig huis binnen waar iedereen vredig ligt te slapen en krijgt zijn man te pakken. Ga je ze voor de rechter slepen?'

Ik zeg: 'Ik heb de zaak nog niet, maar ik ben ermee bezig.'

'Dacht dat jij de beste was in het naar je toe halen van dit soort zaken.'

'Alleen de zaken die ik wil. En deze wil ik.'

Spurio kauwt op een bagel met ui, spoelt hem weg met koffie en zegt: 'Deze jongens gaan te ver, Rudd. Je móét ze tegenhouden.'

'Onmogelijk, Nate. Ik kan ze niet tegenhouden. Ik kan ze misschien een enkele keer in hun hemd zetten en de City wat geld afhandig maken, maar wat zij hier doen gebeurt overal. We leven in een politiestaat en iedereen steunt de politie.'

'Dus jij bent de laatste verdedigingslinie?'

'Ja.'

'God sta ons bij.'

'Inderdaad. Bedankt voor de info. Ik hou je op de hoogte.'

'Graag gedaan.'

4

Doug Renfro is lichamelijk in een te slechte conditie en mentaal te overweldigd om met mij te praten, en omdat een ontmoeting in zijn ziekenhuiskamer zou moeten plaatsvinden is dat sowieso een slecht idee. De politie bewaakt de enige deur alsof hij in een dodencel zit. We zouden geen privacy hebben.

Dus ontmoet ik Thomas Renfro en zijn twee zussen in een koffiebar verderop in de straat. Ze lopen als slaapwandelaars door deze nacht-merrie, ze zijn uitgeput, verbijsterd, overmand door verdriet en wan-hopig op zoek naar advies. Ze laten hun koffie koud worden en lijken het in eerste instantie prima te vinden dat ik het woord voer.

Zonder ook maar een beetje te overdrijven vertel ik wie ik ben, wat ik doe, wat mijn achtergrond is en hoe ik mijn cliënten bescherm. Ik vertel ze dat ik geen 'gewone' advocaat ben. Dat ik geen fraai kantoor heb vol mahoniehout en leer. Dat ik niet bij een groot al dan niet pres-tigieus advocatenkantoor werk. Dat ik niet meedoe aan liefdadigheid via de orde van advocaten. Dat ik een solist ben, een rogue advocaat die het systeem bevecht en onrechtvaardigheid haat. Dat ik nu bij hen zit omdat ik weet wat er met hun vader gaat gebeuren, en met hen.

Fiona, de oudste zus, zegt: 'Maar ze hebben onze moeder vermoord!'

'Dat is zo, maar niemand zal worden beschuldigd van de moord op haar. Ze zullen een onderzoek instellen en experts inschakelen, en uiteindelijk zullen ze het allemaal met elkaar eens zijn dat ze gewoon tussen twee vuren zat. Ze zullen uw vader in staat van beschuldiging stellen en aanvoeren dat hij het vuurgevecht is begonnen.'

Susanna, de jongste zus, zegt: 'Maar we hebben met onze vader gepraat, meneer Rudd. Ze waren diep in slaap toen ze gekraak hoor-den in huis. Hij dacht dat er werd ingebroken. Hij pakte zijn pistool, rende de overloop op en liet zich op de grond vallen toen hij in het donker mensen zag. Iemand vuurde een schot af en toen schoot hij terug. Hij zegt dat hij nog weet dat mama begon te schreeuwen en de overloop op rende om te kijken hoe het met hem was.'

Ik zeg: 'Hij heeft geluk dat hij nog leeft. Ze hebben hun twee honden doodgeschoten, nietwaar?'

'Wie zijn die idioten?' vraagt Thomas hulpeloos.

'De politie, de goeie jongens.' Ik vertel ze het verhaal van mijn cliënt Sonny Werth, dat de tank in zijn woonkamer stond en wij de rechtszaak hebben gewonnen.

Ik leg uit dat een civielrechtelijke procedure hun enige optie is, want hun vader zal in staat van beschuldiging worden gesteld en worden vervolgd. En als de waarheid eindelijk boven tafel komt – en ik beloof ze dat dat zal gebeuren - zal de City zwaar onder druk komen te staan om te schikken. Hun einddoel is hun vader uit de gevangenis houden. Ze kunnen het wel vergeten dat ze gerechtigheid krijgen voor wat er met hun moeder is gebeurd. Een civiele procedure, natuurlijk door de juiste advocaat aangespannen, garandeert een betere informatiestroom. Ze zijn al begonnen met de cover-up, zeg ik meer dan eens.

Ze doen echt hun best om te luisteren maar bevinden zich in een andere wereld. En dat kun je ze toch ook niet kwalijk nemen?

Aan het einde van onze afspraak zijn beide vrouwen in tranen en is Thomas niet in staat te praten. De hoogste tijd dat ik ze met rust laat.

5

Onuitgenodigd, hoewel iedereen welkom was, loop ik de grote me-
thodistische kerk in, een paar minuten voor het begin van de dienst
voor Katherine Renfro. Ik vind de trap, loop naar het balkon en ga in
het halfdonker zitten. Hier ben ik de enige, maar de rest van de kerk
zit helemaal vol. Ik kijk neer op de menigte: allemaal blank, allemaal
middenklasse, allemaal verbijsterd dat de politie deze vrouw in haar
pyjama zeven kogels in het lijf heeft gejaagd.

Dit soort nutteloze tragedies horen toch in andere delen van de stad
te gebeuren? Deze mensen zijn ongelofelijk gezagsgetrouw. Ze stemmen rechts en willen strenge wetten. Als ze al aan SWAT-teams denken,
dan vinden ze dat die noodzakelijk zijn om elders terreur en drugs te
bestrijden. Hoe heeft dit hen kunnen overkomen?

Niet aanwezig is Doug Renfro. Volgens de *Chronicle* van gisteren,
is hij in staat van beschuldiging gesteld. Hij ligt nog in het ziekenhuis, hoewel hij langzaam opknapt. Hij heeft de artsen en de politie
gesmeekt om toestemming voor het bijwonen van de begrafenis van
zijn vrouw. De artsen zeiden natuurlijk ja, maar de politie zei keihard nee. Hij vormt een bedreiging voor de samenleving. Een wrede
voetnoot bij deze tragedie is dat Doug de rest van zijn leven gebukt
zal gaan onder het vermoeden dat hij op de een of andere manier
betrokken was bij drugshandel. Vrijwel al deze mensen zullen hem
en zijn ontkenningen geloven, maar een paar zullen twijfels houden.
Waar was die ouwe Doug echt mee bezig? Hij móét ergens schuldig
aan zijn geweest, anders had onze geweldige politie hem echt niet
opgepakt.

Ik worstel me door de dienst, net als de andere aanwezigen. Er hangt
een verwarde en boze sfeer. De dominee spreekt troostende woorden,
maar vraagt zich af en toe duidelijk af wat er nu eigenlijk is gebeurd.
Hij probeert er een bepaalde logica in te zien, maar dat is een onmogelijke opgave. Als hij de dienst afrondt en het huilen luider wordt, loop

ik zacht de trap af en verdwijn via een zijdeur naar buiten. Twee uur later gaat mijn telefoon. Het is Doug Renfro.

6

Een advocaat zoals ik is gedwongen om in de schaduw te werken. Mijn tegenstanders worden beschermd door badges, uniformen en de ontelbare voordelen van overheidsmacht. Ze hebben de eed afgelegd en zijn dus verplicht de wet te handhaven, maar omdat ze het niet nalaten om de boel te bedriegen, kan ik niet anders dan nog meer te bedriegen.

Ik heb een groot netwerk van contactpersonen en bronnen. Vrienden kan ik ze niet noemen, want vriendschap brengt bepaalde verplichtingen met zich mee. Nate Spurio is er daar een van; hij is een eerlijke politieman die, ook al heb ik het hem aangeboden, geen cent wil aannemen voor inside-information. Een andere contactpersoon is een verslaggever van de *Chronicle*. Als het van belang is wisselen we roddels uit, ook zonder dat er geld aan te pas komt.

Een van mijn favorieten is Okie Schwin; Okie neemt het geld altijd wel aan.

Okie is een pennenlikker op middenmanagementniveau bij de griffie van de federale rechtbank in het centrum. Hij haat zijn baan, walgt van zijn collega's en is altijd op zoek naar een gemakkelijke manier om aan geld te komen. Hij is ook gescheiden, drinkt te veel en zoekt regelmatig de grenzen op van seksuele intimidatie op het werk. Okie is waardevol omdat hij de willekeurige toewijzing van rechtszaken kan manipuleren. Zodra een aanvraag voor een civiele procedure is ingediend, wordt deze at random aan een van de zes federale rechters toegewezen. Dat doet een computer en deze gang van zaken lijkt prima te functioneren. Er is altijd een rechter aan wie je de voorkeur geeft, afhankelijk van de soort zaak en misschien ook van je verleden in de verschillende rechtszalen. Maar dat maakt immers niet uit, als het toch van het toeval afhangt? Maar Okie weet hoe hij de software moet bespelen om de rechter te vinden die je echt wilt. Daar rekent hij een tarief voor en hij wordt ongetwijfeld ooit nog eens betrapt, hoewel hij me verzekert dat dit onmogelijk is. Als hij wordt gepakt, wordt hij ontslagen en misschien vervolgd, maar Okie schijnt zich niet druk te maken over deze mogelijkheid.

Op zijn voorstel treffen we elkaar in een sjofele stripclub ver buiten het centrum. Het publiek bestaat alleen uit arbeiders en de strippers zijn de moeite van een beschrijving niet eens waard. Ik ga met mijn rug naar het podium zitten, zodat ik niet naar ze hoef te kijken. Net boven het gebrul uit komend zeg ik: 'Morgen dien ik een procesaanvraag in. Renfro, de laatste huisinvasie van onze SWAT-jongens.'

Hij lacht en zegt: 'Wat een verrassing! Laat me raden, jij denkt dat het recht het best wordt gediend als edelachtbare Arnie Samson deze zaak voorzit.'

'Mijn man!'

'Hij is honderdtien jaar oud, hij zou allang met pensioen moeten zijn, hij is halfdood én hij zegt dat hij geen nieuwe zaken meer aanneemt. Waarom kunnen we deze kerels niet dwingen om ermee op te houden?'

'Daarvoor moet je de grondwet veranderen. Hij zal deze zaak aannemen. Het standaardtarief?'

'Ja. Maar stel dat hij nee zegt en deze zaak doorschuift naar iemand anders?'

'Dat risico zal ik moeten nemen.' Ik geef hem een envelop met drieduizend dollar erin; zijn standaardtarief.

Hij stopt hem snel in zijn zak zonder zelfs maar 'dankjewel' te zeggen, en gaat naar de meisjes kijken.

7

De volgende ochtend om negen uur loop ik het kantoor van de griffier binnen en dien een procesaanvraag in met een eis van vijftig miljoen dollar tegen de City, de politie, de hoofdcommissaris van politie en de acht SWAT-jongens die het huis van de Renfro's zes dagen daarvoor zijn binnengevallen. Ergens in de duistere diepten van het kantoor haalt Okie zijn tovertruc uit en wordt de zaak 'willekeurig en automatisch' toegewezen aan rechter Arnold Samson. Ik e-mail een kopie van de procesaanvraag naar mijn vriend bij de *Chronicle*.

Ik dien ook een verzoek in voor een tijdelijk dwangbevel, om te voorkomen dat de officier van justitie Doug Renfro's bezittingen in beslag neemt. Dat is een favoriete tactiek van de overheid om verdachten van een misdrijf mee lastig te vallen. Dit middel had oorspronkelijk tot doel om alles wat was verkregen met de criminele activiteit waarbij de verdachte betrokken was, op te eisen, voornamelijk drugshandel. Neem de illegaal verkregen winsten in beslag en maak het de kartels zo moeilijk mogelijk. En zoals bij zoveel wetten het geval is, hadden de officieren van justitie niet veel tijd nodig om creatief te worden en dit middel voor veel meer doeleinden in te zetten. In Dougs geval was de overheid van plan aan te voeren dat zijn bezittingen - zijn huis, auto's en pensioengelden - deels waren verkregen met het geld dat hij had verdiend met het verhandelen van ecstasy.

Wat? Tegen de tijd dat de spoedhoorzitting over dat tijdelijke dwangbevel wordt gehouden, hebben de officieren van justitie van de stad het al opgegeven en zijn ze op zoek naar een uitweg. Rechter Samson geeft ze, even fel als altijd, een uitbrander en dreigt zelfs met minachting van het hof. Wij winnen de eerste ronde.

De tweede ronde is een borghoorzitting in de staatsrechtbank, waar de beschuldiging van moord in behandeling is. Nu de inbeslagname ongedaan is gemaakt, kan ik aanvoeren dat hij absoluut geen vluchtgevaar vormt en op elk gewenst moment in de rechtbank zal verschijnen.

Zijn huis is vierhonderdduizend dollar waard en er rust geen hypotheek op, dus bied ik aan het huis als onderpand te geven. Tot mijn verbazing gaat de rechter hiermee akkoord, zodat ik samen met mijn cliënt de rechtbank kan verlaten. We hebben de tweede ronde gewonnen, maar dit waren de gemakkelijke rondes.

Acht dagen nadat hij is beschoten en hij zijn vrouw en beide honden is kwijtgeraakt, gaat Doug Renfro terug naar huis, waar zijn drie kinderen, zeven kleinkinderen en een paar vrienden op hem wachten. Het zal een beladen thuiskomst zijn. Ze nodigen me heel vriendelijk uit hen gezelschap te houden, maar ik bedank.

Ik zet me voor de volle honderd procent in voor mijn cliënten en ik ben bereid zo ongeveer alle wetten te overtreden om ze te beschermen, maar ik kom nooit te dichtbij.

8

Om tien uur op een schitterende zaterdagochtend zit ik op een bankje bij een speeltuin, te wachten. Het is een paar straten van mijn appartement, onze gebruikelijke ontmoetingsplaats. Er loopt een knappe vrouw naar me toe, met een jongen van zeven. Zij is mijn ex-vrouw, hij is mijn zoon. Volgens het gerechtelijk bevel mag ik hem één keer per maand zesendertig uur zien. Als hij ouder is, heb ik recht op soepeler bezoekafspraken, maar nu gaat alles nog volgens strenge regels. Daar zijn wel redenen voor, maar die bespreek ik nu liever niet.

Starcher glimlacht niet als ze bij mijn bankje aankomen. Ik sta op en kus Judith op haar wang, meer ter wille van het kind dan van haar. Zij heeft liever niet dat we elkaar aanraken.

'Hé, knul,' zeg ik en ik strijk over zijn hoofd.

'Hé,' zegt hij. Hij loopt naar een schommel en klautert erop.

Judith gaat naast me op de bank zitten. Samen kijken we naar hem als hij met zijn benen schopt en begint te schommelen.

'Hoe gaat het met hem?' vraag ik.

'Prima. Zijn leraren zijn tevreden.' Een lange stilte. 'Ik zag dat je het behoorlijk druk hebt gehad.'

'Klopt. En jij?'

'De gebruikelijke dingen.'

'Hoe gaat het met Ava?' vraag ik.

'Uitstekend. Wat ga je doen vandaag?'

Judith vindt het niet prettig om onze zoon bij mij achter te laten, want ik ben er alweer in geslaagd de politie te ergeren en dat baart haar zorgen. Mij ook, maar dat zou ik nooit toegeven.

Ik zeg: 'Ergens lunchen, denk ik. En vanmiddag is er een voetbalwedstrijd op de universiteit.'

Ze vindt een voetbalwedstrijd wel veilig en zegt: 'Ik zou hem vanavond graag weer thuis willen hebben als dat kan.'

'Ik krijg zesendertig uur per maand en dat is al te veel?'

'Nee, Sebastian, dat is niet te veel. Ik maak me gewoon zorgen, dat is alles.'

De tijd dat we ruziemaakten is bijna voorbij, hoop ik. Neem twee advocaten met scherpe ellebogen en een zelfs nog scherpere tong, geef ze een ongewenste zwangerschap, een vervelende echtscheiding met gruwelijke naschokken en je hebt twee mensen die elkaar ernstige schade kunnen toebrengen. We hebben nog altijd last van de gevolgen, dus maken we geen ruzie, niet vaak tenminste.

'Goed dan,' zeg ik. Eerlijk gezegd is er niets in mijn appartement voor Starcher, waardoor hij het niet echt fijn vindt om daar te zijn, nog niet in elk geval. Hij is nog te klein voor een potje pool op mijn oude tafel en ik weet helemaal niets van videospelletjes. Misschien als hij wat ouder is.

Hij wordt opgevoed door twee vrouwen die al doordraaien als een kind op school hem een duw geeft. Ik betwijfel of ik een stoere vent van hem kan maken als ik hem maar één keer per maand zie, maar ik doe mijn best. Na verloop van tijd neem ik aan dat hij het wel zat zal worden om samen te wonen met een stel gestreste, intense vrouwen en dan zal hij meer met zijn vader willen doen. Het is een uitdaging om belangrijk genoeg voor hem te blijven, zodat ik hem die optie kan bieden.

'Hoe laat zullen we afspreken?' vraagt ze.

'Zeg jij het maar.'

'Goed, dan zie ik je hier om zes uur vanavond,' zegt ze. Dan staat ze op en loopt weg.

Starcher zit met zijn rug naar ons toe en zoeft door de lucht. Hij ziet haar niet weggaan. Het is me niet ontgaan dat Judith niet eens de moeite heeft genomen om een logeertas voor de jongen mee te geven. Ze was dus helemaal niet van plan hem bij mij te laten overnachten.

Ik woon op de vierentwintigste verdieping, omdat ik me daar veiliger voel. Ik word regelmatig met de dood bedreigd, om allerlei redenen, en dat heb ik eerlijk aan Judith verteld. Ze heeft gelijk dat ze de jongen thuis wil hebben, waar het waarschijnlijk rustiger is. Waarschijnlijk, maar zeker weet ik dat niet. Vorige maand nog vertelde Starcher me dat zijn 'twee moeders' de hele tijd tegen elkaar schreeuwen.

We lunchen in mijn favoriete pizzeria, een plek waar zijn moeders hem nooit mee naartoe zouden nemen. Eerlijk gezegd maakt het mij niet uit wat hij eet. In allerlei opzichten lijk ik meer op een opa die de kinderen verwent voordat hij ze terugbrengt naar huis. Als Starcher voor en na de lunch Ben & Jerry's-ijs wil, dan krijgt ie dat.

Als ik hem tijdens het eten vragen stel over zijn school, komt hij tot leven. Hij zit in de tweede klas van een openbare school, niet ver van waar ik ben opgegroeid. Judith stond erop dat hij naar een kleine alternatieve school ging waar alle plastic verboden is en alle docenten dikke wollen sokken en oude sandalen dragen. Het schoolgeld bedroeg veertigduizend dollar per jaar, dus zei ik nee. Weer rende ze naar de rechtbank en voor de verandering stelde de rechter mij in het gelijk. Dus zit Starcher op een normale school met kinderen met verschillende huidskleuren en een ontzettend leuke juf die net gescheiden is.

Zoals ik al zei was Starcher een ongelukje. Judith en ik waren net bezig een einde te maken aan onze chaotische relatie toen ze op de een of andere manier zwanger werd. Daardoor werd onze scheiding nog ingewikkelder. Ik verhuisde en zij claimde hem volledig. Ik hield me in elk opzicht afzijdig, maar eerlijk gezegd heb ik me nooit verzet tegen het vaderschap. Hij is helemaal van haar, dat vindt zij tenminste, dus is het ontzettend grappig om te zien dat hij een jongen wordt die precies op mij lijkt. Mijn moeder vond mijn schoolfoto van toen ik zeven was en we zouden een identieke tweeling kunnen zijn.

We praten over vechten, op het schoolplein dan. Ik vraag hem of hij tijdens de pauzes kinderen ziet vechten en hij zegt: 'Soms wel.' Hij vertelt me over de keer toen de kinderen 'Vechtpartij! Vechtpartij!' riepen en iedereen ernaartoe rende om te kijken. Twee derdeklassers, een zwarte en een blanke, lagen op de grond te schoppen en te wriemelen, te bijten en te klauwen, en stompen uit te delen, terwijl de andere kinderen aanmoedigingen schreeuwden.

'Vond je het leuk om daarnaar te kijken?' vraag ik.

Hij glimlacht en zegt: 'Natuurlijk. Dat was cool.'

'Wat gebeurde er toen?'

'Toen kwamen de leraren eraan, ze haalden ze uit elkaar en namen ze mee naar het kantoor. Volgens mij kregen ze problemen.'

'Dat geloof ik meteen. Heeft je moeder weleens met je over vechten gepraat?'

Hij schudt zijn hoofd. Nee.

'Oké. Dit zijn de regels. Vechten is verkeerd en brengt je alleen maar ellende, dus moet je niet vechten. Begin nooit zelf. Maar als iemand je slaat, duwt of schopt, of als twee jongens boven op een vriend van je springen, dan moet je soms wel vechten. Trek je nooit terug als iemand anders begint. En als je vecht, moet je nooit, maar dan ook nooit opgeven.'

'Vocht jij weleens?'

'Altijd. Ik ben nooit een pestkop geweest en ik ben nooit zelf begonnen, en ik vond het ook niet prettig om te vechten, maar als iemand mij te pakken nam, sloeg ik terug.'

'Kwam je dan in de problemen?'

'Ja. En dan accepteerde ik mijn straf.'

'Wat betekent dat?'

'Dat betekent dat de leraar tegen me schreeuwde en dat mijn moeder tegen me schreeuwde en dat ze me soms voor een halve dag of zo van school stuurden. Maar nogmaals, knul, vechten is verkeerd.'

'Waarom noem je me altijd knul?'

Omdat ik de pest heb aan de naam die je moeder voor je heeft uitgekozen. 'Gewoon een bijnaam, dat is alles.'

'Mama zegt dat je mijn naam niet mooi vindt.'

'Niet waar, knul.'

Judith zal altijd waken over de ziel van haar zoon, maar kan de verleiding niet weerstaan om een stomme rotopmerking over me te maken. Waarom vertelt een ouder een kind van zeven in vredesnaam dat de andere ouder zijn naam niet mooi vindt? Ik twijfel er niet aan dat ik geschokt zou zijn over alle andere onzin die ze hem heeft verteld.

Partner is vrij vandaag, dus rijd ik met mijn bus naar het voetbalveld op de campus. Starcher vindt de bus cool, met de bank, de draaistoelen, het bureautje en de tv. Hij weet niet waarom ik de bus als kantoor gebruik, en ik heb hem niets verteld over de gepantserde ruiten en het automatische pistool in het middenvak.

Het is een vrouwenvoetbalwedstrijd, maar dat kan me niets schelen. Ik heb niets met voetbal, dus als ik er toch naar moet kijken, kijk ik liever naar vrouwen in korte broek dan naar mannen met behaarde benen. Maar Starcher vindt alle opwinding geweldig. Zijn moeders hebben niets met teamsporten en dus zit hij alleen op tennisles. Er is natuurlijk niets mis met tennis, maar als hij een beetje op mij lijkt houdt hij het niet lang vol. Ik genoot er altijd van om te slaan. Bij basketbal had ik voor de rust al vier fouten; altijd meer fouten dan punten. Bij football was ik linebacker omdat ik van het fysieke contact hield.

Na een uur maakt iemand eindelijk een doelpunt, maar tegen die tijd zit ik aan de zaak-Renfro te denken en voor zover ik al belangstelling voor de wedstrijd had, is die tegen die tijd allang verdwenen.

Starcher en ik delen een bak popcorn en praten over van alles en nog wat. Helaas sta ik zo ver van zijn wereldje af dat ik geen echt gesprek met hem kan voeren. Ik ben een erbarmelijke vader.

9

Het gezond verstand steekt traag de kop op tijdens de Renfro-ramp. Onder druk van alle kanten, maar vooral van mijn vriend bij de *Chronicle*, weet de City niet goed hoe ze moeten reageren. De hoofdcommissaris van politie zwijgt inmiddels; hij beweert dat hij geen commentaar kan geven omdat de zaak nog voor de rechter moet komen. De burgemeester is naarstig op zoek naar dekking en doet duidelijk pogingen zich ervan te distantiëren. Hij wordt achter de broek gezet door zijn vijanden, een paar gemeenteraadsleden die genieten van alle aandacht en op zijn baan azen. Zij zijn echter in de minderheid, want niemand wil echt problemen met het politiekorps.

Helaas wordt kritiek tegenwoordig als onvaderlandslievend beschouwd, en sinds 11 september wordt elke kritiek op mensen in uniform, in elk uniform, gesmoord. Het is een ramp voor een politicus als hij ervan wordt beschuldigd dat hij criminaliteit of terreur niet keihard aanpakt.

Ik vertel alles door aan mijn vriend bij de krant. Hij vindt het heerlijk om anonieme bronnen te citeren en de vloer aan te vegen met de politieagenten, hun tactieken, hun miskleunen en hun pogingen alles te verbergen. Met behulp van de informatie uit mijn dossiers schrijft hij een heel lang artikel over eerdere verknoeide invallen en het gebruik van excessief geweld.

Ik zorg voor zoveel media-aandacht als ik maar kan genereren. Ik kan niet liegen en zeggen dat ik daar niet van geniet. Nee, daar leef ik voor!

De verdediging dient een motie in bij rechter Samson en vraagt hem feitelijk om 'alle advocaten die betrokken zijn bij de civiele procedure' een spreekverbod op te leggen. Rechter Samson wijst de motie af, zonder zelfs maar het houden van een hoorzitting. Op dit moment zijn de advocaten van de City doodsbang voor de rechter en zoeken dekking. Ik schiet zo veel mogelijk kogels af.

Ik werk alleen, zonder een echt kantoor en al helemaal zonder een grote groep medewerkers. Het is extreem moeilijk voor een solist als ik om zonder enige steun belangrijke civielrechtelijke en strafrechtprocessen te voeren, en daarom haal ik de twee Harry's erbij.

Harry Gross en Harry Skulnick hebben een kantoor met vijftien advocaten in een omgebouwd pakhuis aan de rivier in het centrum. Ze behandelen vooral beroepszaken en proberen juryprocessen te vermijden. Dus zitten ze vooral aan hun bureau en lezen ze boeken en schuiven ze schrijfblokken en verzoekschriften heen en weer. Onze samenwerking is eenvoudig en duidelijk: zij doen mijn research en papierwerk, en ik geef ze een derde van de honoraria. Daardoor kunnen zij op veilig spelen en afstand houden van mij, mijn cliënten en de mensen die ik vaak erger. Hun werk bestaat meestal uit het voorbereiden van centimeters dikke moties die ze aan mij geven zodat ik ze kan controleren en ondertekenen; op die manier leidt het spoor nooit naar hen. Ze werken achter gesloten deuren en maken zich nooit druk over de politie. In de zaak van Sonny Werth – de cliënt die wakker werd doordat die tank zijn woonkamer in reed – schikte de City voor een miljoen dollar. Mijn aandeel was vijfentwintig procent. De twee Harry's kregen een leuke cheque en iedereen was blij, behalve Sonny.

In deze staat kan de schadevergoeding in een civielrechtelijke zaak niet hoger dan een miljoen dollar zijn. Dat komt doordat de wijze mensen die in onze staat de wetten maken tien jaar geleden hebben besloten dat zij een veel beter beoordelingsvermogen hebben dan de juryleden die de bewijzen aanhoren en een berekening van de schade maken. Zij, de wetgevers, werden omgekocht door de verzekeringsmaatschappijen die nog altijd de nationale beweging voor herziening van de onrechtmatige daad financieren – een politieke kruistocht die veel successen boekt. Vrijwel elke staat heeft inmiddels een maximum gesteld voor schadevergoedingen en heeft andere wetten opgesteld om mensen bij de rechtbanken vandaan te houden, maar tot nu toe heeft niemand de verzekeringspremies zien dalen. Uit een onderzoeksverslag van mijn vriend bij de *Chronicle* bleek dat negentig procent van onze wetgevers campagnegeld heeft aangenomen van de verzekeringsindustrie. En dit land wordt als een democratie beschouwd!

Iedere straatadvocaat in deze staat kan je horrorverhalen vertellen over vreselijk verminkte en voor altijd invalide cliënten die medische kosten hebben gemaakt, maar vrijwel geen cent hebben gekregen.

Niet lang nadat de rechtbank weinig meer te bieden had voor de gewone man, voerden dezelfde wijze en moedige wetgevers een andere wet in die huiseigenaren verbiedt te schieten op politieagenten die hun huis zijn binnengedrongen, ongeacht of die politieagenten het juiste huis hebben uitgekozen of niet. Dus toen Doug Renfro zich op de grond liet vallen en begon te schieten, overtrad hij de wet, zonder excuus.

En de echte criminelen dan? Nou, onze wetgevers hebben nóg een wet ingevoerd en die verleent strafrechtelijke immuniteit aan SWAT-teams die zich een beetje te veel hebben laten meeslepen en op de verkeerde schieten. In de zaak-Renfro hebben vier agenten minstens achtendertig kogels afgevuurd. Het is niet duidelijk wie Doug en zijn vrouw heeft geraakt. Maar dat maakt ook niet uit, want ze zijn allemaal immuun voor strafrechtelijke vervolging.

Urenlang probeer ik deze juridische feiten aan Doug uit te leggen, maar hij snapt er niets van. Hij wil weten waarom het leven van zijn vrouw maar een miljoen dollar waard is. Ik leg uit dat zijn senator voor deze beperking van de schade heeft gestemd – en dat hij ook geld aannam van lobbyisten van verzekeringsmaatschappijen – en dat Doug daarom misschien contact zou moeten opnemen met de door hem gekozen senator om een hartig woordje met hem te spreken over zijn stemgedrag.

Doug vraagt: 'Maar waarom eisen we dan vijftig miljoen als we hoogstens één miljoen kunnen krijgen?'

Alweer een vraag met een lang antwoord. Ten eerste betekent dit dat je een statement maakt: we zijn kwaad en vechten terug, en vijftig miljoen eisen klinkt veel kwader dan slechts één miljoen. Ten tweede voorkomt een rare kronkel in deze toch al idiote wet dat de juryleden op de hoogte zijn van dat plafond van één miljoen. Ze kunnen een hele maand naar getuigenverklaringen luisteren, de bewijzen evalueren, weloverwogen discussiëren en dan terugkomen met een gedegen vonnis, van zeg vijf of tien miljoen dollar. Ze gaan daarna naar huis en de volgende dag besluit de rechter het vonnis te verlagen tot het maximumbedrag van een miljoen dollar. Dan juicht de krant misschien dat er weer een hoog bedrag is toegekend, maar de advocaten en rechters (en verzekeringsmaatschappijen) weten wel beter.

Het slaat nergens op, maar vergeet niet dat deze wet is opgesteld door dezelfde samenzweerders die al die eindeloze onzin in je verzekeringspolissen hebben opgenomen.

Doug vraagt: 'Maar hoe is het mogelijk dat een politieagent straffeloos mijn deur kan intrappen en op me kan schieten, maar dat ik als ik terugschiet als een misdadiger word beschouwd en een straf van twintig jaar kan krijgen?'

Het eenvoudige antwoord is: omdat het politieagenten zijn. Het ingewikkelde antwoord is: omdat onze wetgevers heel vaak wetten invoeren die niet eerlijk zijn.

Mijn cliënt is nog steeds in de rouw, maar iets van de schok en het verdriet wordt al minder. Hij kan helderder nadenken. De realiteit dringt tot hem door: zijn vrouw is dood, vermoord door mannen die daarvoor niet ter verantwoording geroepen zullen worden. Haar leven is slechts een miljoen dollar waard. En hij, Doug Renfro, wordt geconfronteerd met strafrechtelijke vervolging waardoor hij op een dag naar de rechtszaal zal moeten waar zijn enige hoop zal zijn een *hung jury* – een jury die niet unaniem (of niet met de vereiste kiesdrempel) tot een besluit kan komen.

De weg naar gerechtigheid wordt geblokkeerd door wegversperringen en landmijnen, waarvan de meeste zijn gecreëerd door mannen en vrouwen die beweren gerechtigheid na te streven.

10

Mijn dappere kooivechter, Tadeo Zapate, heeft zijn vier laatste gevechten gewonnen, allemaal door wrede knock-outs. Dat zijn er elf op rij, met slechts drie verloren wedstrijden, allemaal op punten. Hij staat nu op de tweeëndertigste plaats op de wereldranglijst bantamgewicht en klautert lekker verder omhoog. UFC-promotors houden hem in de gaten. Er is sprake van een gevecht in Vegas over een halfjaar, als hij blijft winnen. Oscar, zijn trainer, en Norberto, zijn manager, zeggen tegen me dat de jongen niet bij de sportschool is weg te slaan. Hij is geconcentreerd, gretig, bijna maniakaal in zijn zoektocht naar een titelgevecht. Ze laten hem keihard trainen en zijn ervan overtuigd dat hij de top vijf kan bereiken.

Vanavond vecht hij tegen een stoere zwarte jongen met de bijnaam Crush. Ik heb hem twee keer zien vechten en ik maak me geen zorgen over hem, want hij is niet meer dan een opschepper, een straatvechter met maar weinig MMA-kwaliteiten. Hij werd in beide gevechten in de derde ronde knock-out geslagen, doordat hij vermoeid was. Hij begint energiek, kan zich niet beheersen en betaalt daar op het eind de prijs voor.

Ik word wakker met een misselijk gevoel in mijn maag, kan alleen maar aan het gevecht denken en krijg het ontbijt niet door mijn keel. Aan het einde van de middag hang ik wat rond in mijn appartement als Judith me op mijn mobiele telefoon belt. Er is sprake van een noodsituatie: haar oud-kamergenootje tijdens haar studie heeft in Chicago een auto-ongeluk gehad en is zwaargewond geraakt en nu is Judith gehaast op weg naar het vliegveld. Ava, haar partner, is de stad uit, dus moet ik me maar vermannen en een echte vader zijn. Ik bijt op mijn tong en vertel niet dat ik al plannen heb. Vanavond is het gevecht!

We spreken af in het park waar ze onze zoon, zijn weekendtas en een hele serie waarschuwingen aan me overdraagt. Normaal snauw ik terug en gaan we in discussie, maar zo te zien is Starcher in een goede bui en kan hij niet wachten tot ze weg is. Ik heb haar kamergenote nooit ontmoet, dus vraag ik niet hoe het met haar gaat. Ze gaat er als een haas vandoor, springt in haar auto en verdwijnt.

Terwijl we een pizza eten, vraag ik Starcher of hij op tv weleens een kooigevecht heeft gezien. Natuurlijk niet! Zijn moeders controleren alles wat hij leest, bekijkt, eet, drinkt en denkt.

Maar vorige maand logeerde hij een nacht bij zijn vriend Tony, en 's avonds laat haalde Tony's oudere broer Zack een laptop tevoorschijn en hebben ze naar allemaal foute dingen gekeken, ook naar een Ultimate Fight.

Ik vraag: 'Hoe vond je het?'

'Best cool,' zegt hij met een grijns. 'Ben je niet kwaad?'

'Natuurlijk niet. Ik ben gek op die kooigevechten.'

Ik leg uit hoe onze avond eruit zal zien. Ik heb hem nog nooit zo zien stralen. Ik laat hem zweren dat hij nooit, maar dan ook nooit aan zijn moeders zal vertellen dat hij naar een kooigevecht is geweest. Ik leg uit dat ik geen keus heb; dat ik daar móét zijn omdat ik deel uitmaak van een team en dat hij onder normale omstandigheden nooit mee zou mogen.

'Laat je moeder maar aan mij over,' zeg ik zonder veel vertrouwen, omdat ik me heel goed realiseer dat hij genadeloos zal worden ondervraagd over deze avond. 'Laten we gewoon zeggen dat we pizza hebben gegeten en daarna in mijn appartement tv hebben gekeken. Dat is ook de waarheid, want we eten nu pizza en als we straks terugkomen in mijn appartement zetten we de tv aan.'

Heel even lijkt hij in de war, maar dan straalt hij weer.

Terug in mijn appartement kleed ik me om en kijkt hij naar een tekenfilm. Hij vindt mijn glimmende gele jack met TADEO ZAPATE op de achterkant mooi, en ik heb even tijd nodig om hem uit te leggen dat ik in de hoek werk. Iedere vechter heeft een hoekteam dat hem tussen de rondes door helpt en ja, ik moet zorgen voor water en alles wat Tadeo maar nodig heeft. Nee, ik ben niet echt onmisbaar, maar het is wel ontzettend leuk.

Partner haalt ons op met de zwarte bus en dan rijden we naar de sporthal. De eerstkomende twee uur zal Partner als oppas fungeren, een nieuwe rol voor hem. Chauffeur, bodyguard, loopjongen, onderzoeker, vertrouweling, beleidsmaker en nu dit. Hij vindt het niet erg. Ik trek aan een paar touwtjes en dan krijgen ze twee stoelen zes rijen bij de kooi vandaan. Zodra ze op hun plek zitten, met popcorn en frisdrank, zeg ik tegen Starcher dat ik moet gaan kijken hoe het met mijn vechter gaat. Hij is opgewonden, kijkt met grote ogen om zich heen en praat honderduit tegen Partner, nu al zijn beste vriend. Hoewel ik weet dat de jongen veilig is, ben ik nog steeds ongerust. Ongerust dat zijn moeder het ontdekt en me weer voor de rechter zal slepen voor verwaarlozing, voor het in gevaar brengen van een minderjarige of voor iets anders waar ze me van kan beschuldigen. En ook omdat er met dit publiek van alles kan gebeuren. Ik zie heel veel gevechten en denk vaak dat het in de ring veiliger is dan in het publiek. De fans drinken, maken lawaai en willen bloed zien.

Een gemeenteraadslid in Wichita of zo heeft geprobeerd er een verordening door te krijgen waardoor personen jonger dan achttien niet mogen worden toegelaten bij een kooigevecht. Dat is haar niet gelukt, maar ergens is het wel verstandig. Omdat onze stad zo'n wet niet heeft, heeft de jonge Starcher Whitly een stoel op de zesde rij.

Het hoofdgevecht is Zapate tegen Crush. Geweldig natuurlijk, precies wat we willen, maar daarvoor moeten we wel lang wachten en de *undercard* doorkomen. Vanavond bestaat het voorprogramma uit vijf gevechten, zodat het een gruwelijk lange avond zal worden.

Als ik me bij Team Zapate meld, is iedereen in een goede bui. Ingehouden, zoals altijd, maar vol vertrouwen. Tadeo draagt nog steeds zijn gewone kleren en ligt op een tafel met zijn koptelefoon op. Zijn broer Miguel zegt dat hij er klaar voor is. Oscar fluistert dat het een eersteronde-knock-out wordt.

Ik blijf nog een paar minuten rondhangen, maar de spanning wordt me te veel, dus ga ik weg en loop door een tunnel naar een lagere verdieping, waar mijn bende al in een voorraadkamer zit te wachten. Slide, de veroordeelde moordenaar, heeft onlangs verloren en zijn inzetten verlaagd. Nino, de methadondealer, heeft zoals altijd een zak vol cash en smijt met geld. Denardo, de zogenaamde maffioos, zegt dat geen enkel gevecht hem aanstaat. Johnny is er niet. Frankie, de ouwe man die de scores bijhoudt, drinkt een dubbele whiskey – waarschijnlijk niet zijn eerste. We bespreken de aankomende gevechten en plaatsen onze weddenschappen. Zoals gebruikelijk wil niemand tegen mijn man wedden. Ik zeg dat ze stom zijn, bespot ze en scheld ze uit, maar ze geven geen krimp. Ik bied tienduizend dollar voor een eerste-ronde-knock-out, maar niemand gaat erop in. Gefrustreerd vertrek ik nadat ik maar vijfduizend dollar heb ingezet, duizend op elk gevecht van de undercard.

Ik betaal acht dollar voor een aangelengd glas bier en klim naar de hoogste rijen, die bomvol zitten. Een uitverkochte zaal, alleen staanplaatsen. Tadeo wordt een publiekstrekker in zijn eigen stad, en ik heb de promotor aan z'n kop gezeurd voor een gegarandeerd geldbedrag. Achtduizend dollar – voor winst, verlies of een onbeslist gevecht. Ik leun tegen een stalen balk boven de hoogste rij en kijk naar het eerste gevecht. Ik kan mijn zoon amper zien, daar helemaal beneden.

Ik verlies mijn weddenschappen op de eerste vier gevechten, win de vijfde en baan me dan een weg terug naar de kleedkamer. Team Zapate verdringt zich om zijn held die ook in het felgeel gekleed is. We lijken wel een zak biologische citroenen. We lopen met hem mee door de tunnel en in het licht van de schijnwerpers. Het publiek wordt wild. Ik zwaai naar Starcher en hij zwaait terug met een brede glimlach op zijn gezicht.

Eerste ronde. Drie saaie minuten doordat Crush, tot onze verbazing, niet als een wilde hond in de ring rondrent en aanvalt. In plaats daarvan zoekt hij de verdediging op en ontloopt daardoor serieuze schade. Met een linkse die soms te snel gaat om te zien, veroorzaakt Tadeo een snee boven Crush' rechteroog. Laat in de ronde doet Crush hetzelfde en veroorzaakt een lelijke snee op Tadeo's voorhoofd. Oscar slaagt er tussen de rondes in de snee te sluiten. Sneden zijn niet zo belangrijk bij het kooivechten, doordat de gevechten zo kort duren. Bij het boksen is een snee in de eerste ronde verschrikkelijk, omdat die het halfuur daarna een doelwit is.

Tweede ronde. Ze vallen op de vloer en worstelen de eerste helft met elkaar. Crush heeft een sterk bovenlichaam en Tadeo slaagt er niet in hem klem te leggen. Er wordt boe geroepen. Als ze weer overeind staan, slaan ze elkaar en schoppen ze zonder dat ze veel punten maken. Vlak voor de bel haalt Tadeo uit met een keiharde rechtse op Crash' kaak die de laatste tien man tegen wie hij heeft gevochten zou hebben gevloerd, maar Crush blijft op de been. Als Tadeo de zaak wil afmaken, slaagt zijn tegenstander erin zijn middel vast te pakken en die vast te houden tot de bel gaat. Opeens vind ik dit gevecht niet leuk meer. Tadeo staat duidelijk voor op punten, maar ik vertrouw arbiters niet; misschien komt dat door mijn beroep. Ik houd van knock-outs, niet van beslissingen.

Derde ronde. Nadat Crush het een tijdje rustig aan heeft gedaan, denkt hij dat hij nog wel wat energie overheeft. Hij valt aan en verrast iedereen met een wilde opleving die het publiek opzweept. Opeens is het opwindend, niet vervelend. Tadeo dekt zichzelf goed en deelt een paar harde slagen uit die meer bloed veroorzaken. Crush valt weer aan, en weer. Tadeo deelt prachtige stoten uit.

Ik schreeuw, het publiek schreeuwt, de vloer lijkt te trillen. Ondertussen tikt de tijd wel door en Crush staat nog altijd overeind en valt steeds weer aan, terwijl zijn gezicht een bloedige massa is geworden. Hij deelt een woeste rechtse uit en Tadeo gaat neer, maar slechts voor een seconde. Crush springt boven op hem en ze slaan en klauwen en slagen er ten slotte in zich van elkaar los te maken. Het is lang geleden dat Tadeo zo laat in een gevecht heeft gewonnen, en hij voert de druk op. Crush valt weer aan en in de laatste minuut staan ze vlak bij elkaar in het midden van de ring en slaan als twee dolle honden op elkaar in.

Mijn hart raast, mijn maag verkrampt en ik ben slechts de man die voor het water moet zorgen.

Tijdens het wachten zeggen we tegen Tadeo dat hij echt heeft gewonnen. Dan neemt de scheidsrechter de twee vechters eindelijk mee naar het midden van de ring. De omroeper kondigt een niet-unanieme beslissing aan en zegt dat Crush met één punt heeft gewonnen. De sporthal barst bijna uit zijn voegen door het oorverdovende boegeroep en geschreeuw dat nu losbarst. Tadeo is verbijsterd, geschokt; zijn mond hangt open, zijn gezwollen ogen stralen pure haat uit. De fans smijten van alles naar de kooi en er ontstaat bijna een oproer.

De volgende vijftien seconden zullen Tadeo's leven voor altijd veranderen. Hij draait zich vliegensvlug om en haalt uit met een harde rechtse tegen de linkerkant van Crush' gezicht. Het is een stomme stoot, een gemene uithaal die Crush niet heeft zien aankomen. Hij zakt in elkaar in de ring, volkomen buiten westen. Meteen daarna valt Tadeo de scheidsrechter aan, die ook zwart is, en bewerkt hem met zijn vuisten. De scheids struikelt en valt half zittend tegen de kooi, en Tadeo blijft met een furieuze serie stoten naar hem uithalen. Een paar seconden lang is iedereen te verbijsterd om iets te doen. Ze staan immers in de kooi en het kost tijd om erin te klimmen om de scheids te redden. Tegen de tijd dat Norberto Tadeo weet te tackelen, is de arme arbiter bewusteloos.

Overal beginnen mensen te vechten. Tadeo's fans, overwegend hispanics, en Crush' fans, overwegend zwart en zwaar in de minderheid, vallen elkaar aan alsof ze straatbendes zijn. Bekers met bier en popcorn regenen als confetti naar beneden. Een bewaker vlak bij me wordt met een klapstoeltje op zijn hoofd geslagen. Het is totale chaos en niemand is veilig. Ik vergeet de slachtpartij in de kooi en ren naar mijn zoon toe. Hij zit niet meer op zijn stoel en te midden van alle chaos zie ik het gekromde lichaam van Partner, die er samen met mijn zoon vandoor gaat. Ik ren achter hen aan en een paar seconden later zijn we in veiligheid. Als we de sporthal uit rennen, passeren we politieagenten die in paniek naar het oproer rennen. Ik ga voorin in de bus zitten met Starcher op schoot en houd hem stevig vast.

Partner neemt de zijstraten.

Ik vraag: 'Gaat het, knul?'

Hij zegt: 'Laten we dit nog een keer doen.'

Een paar minuten later zijn we weer in mijn appartement en halen we opgelucht adem. Ik haal wat te drinken, bier voor Partner en mij en frisdrank voor Starcher, en we zetten de plaatselijke nieuwszender aan. Het is nog steeds een chaos en de verslaggevers zijn helemaal opgefokt. Starcher is opgewonden en praat zoveel dat ik kan zien dat hij niet getraumatiseerd is. Tevergeefs probeer ik hem uit te leggen wat er is gebeurd.

Partner slaapt op de bank. Ik maak hem om vier uur 's ochtends wakker om onze strategie te bespreken. Hij vertrekt naar het huis van bewaring in de stad om te kijken of hij Tadeo kan vinden, en naar het ziekenhuis om te informeren naar de scheidsrechter. In gedachten zie ik steeds weer Tadeo, die de scheids in zijn gezicht slaat. Hij was door de eerste stoot al bewusteloos, maar daarna heeft hij zeker nog tien stoten gekregen, allemaal van een man die volledig buiten zinnen was. Ik probeer niet te denken aan wat mijn vechter te wachten staat.

Ik maal koffiebonen en terwijl de koffie pruttelt, ga ik online om meer nieuws te vergaren. Er is gelukkig nog niemand dood, maar er liggen minstens twintig mensen in het ziekenhuis. Hulpdiensten zijn nog steeds ter plaatse. De schuld krijgt ene Tadeo Zapate, tweeëntwintig, een opkomende kooivechter die nu in het huis van bewaring zit.

Om halfzeven belt Judith en vraagt hoe het met haar zoon gaat. Ze is uren rijden hiervandaan en weet niets van het oproer dat we hebben overleefd. Ik vraag naar haar studiegenoot. Ze leeft nog, maar het ziet er slecht uit. Morgen, zondag, is Judith weer thuis en ik verzeker haar dat de jongen in orde is, dat alles oké is. Als ik geluk heb, komt ze dit nooit te weten.

Maar ik heb geen geluk. Een paar minuten na ons korte gesprek check ik de site van de *Chronicle*. Er is een verslag van de oude sporthal te lezen en op de pagina staat een grote kleurenfoto van twee figuren die naar een van de uitgangen rennen. Een van de twee is Partner, die een kind vasthoudt. Het lijkt alsof Starcher de fotograaf aankijkt, alsof hij poseert voor de foto. Hun namen staan er niet bij; er was geen tijd om die te vragen, maar voor degenen die hem kennen, is zijn identiteit onmiskenbaar.

Hoe lang zal het duren voordat een van Judiths vrienden de foto ziet en haar belt? Hoe lang zal het duren voor ze haar laptop aanzet en de foto zelf ziet? Terwijl ik wacht zet ik de tv aan en zap naar *SportsCenter*. Het verhaal is onweerstaanbaar, want het is er allemaal, gewoon opgenomen, stoot voor stoot voor stoot. Ik word er beroerd van als ik het steeds herhaald zie.

Partner belt vanuit het ziekenhuis met het nieuws dat de scheidsrechter, Sean King, wordt geopereerd. Het is geen verrassing dat Partner niet de enige is die in de ziekenhuisgangen op een beetje nieuws wacht. Hij heeft iets opgevangen over 'ernstige hoofdwonden' maar weet geen details. Hij is al naar het huis van bewaring geweest, waar een contactpersoon heeft bevestigd dat meneer Zapate veilig is opgesloten en geen bezoekers ontvangt.

Om acht uur 's ochtends besluit onze minkukel van een commissaris van politie dat de wereld iets van hem moet horen. Hij organiseert een persconferentie, met veel machtsvertoon waarbij geüniformeerde blanke mannen een dikke muur vormen achter de commissaris, kwaad naar de verslaggevers kijken en net doen alsof ze liever niet gezien willen worden. Veertig minuten lang praat de commissaris, beantwoordt vragen en vertelt niets wat al niet twee uur eerder online is gezet. Hij geniet zichtbaar, omdat hij en zijn mannen hier absoluut niet de schuld van kunnen krijgen. Net als ik me begin te vervelen, belt Judith.

Het gesprek is voorspelbaar: gespannen, venijnig en beschuldigend. Ze heeft de foto gezien van haar zoon die aan de chaos ontsnapt en ze wil antwoorden. Nu meteen, verdomme! Ik verzeker haar dat onze zoon lekker slaapt en waarschijnlijk droomt van een leuke dag met zijn vader. Ze zegt dat ze een vroege vlucht neemt, om vijf uur 's middags in de City zal zijn en ze verwacht dat ik haar precies op dat tijdstip in het

park ontmoet en hem aan haar overdraag. Ook dat ze maandagochtend meteen een verzoek zal indienen om mijn bezoekrecht volledig in
te trekken. 'Ga je gang maar', zeg ik, want dat gaat niet lukken. Ik zeg
dat geen enkele rechter in de stad me het recht zal ontzeggen om mijn
zoon één keer per maand te zien. 'En wie weet', zeg ik, 'misschien is de
rechter die ons wordt toegewezen wel een fan van kooivechten.'

Ze vloekt en ik vloek terug, en dan verbreken we eindelijk de verbinding.

Het ziet ernaar uit dat ons gevecht nog maar net is begonnen.

11

De zondagskranten gaan tekeer tegen kooivechten, van alle kanten komen voorspelbare argumenten tegen. Het verhaal staat overal op internet. Een YouTube-video van de aanval op de scheidsrechter is voor twaalf uur al vier miljoen keer bekeken, en Tadeo is op slag de beroemdste kooivechter ter wereld geworden, hoewel hij nooit meer zal vechten. Langzaam maar zeker worden de slachtoffers uit de ziekenhuizen ontslagen en gelukkig waren er onder de fans geen ernstige gewonden – alleen een stelletje dronkenlappen ging met elkaar op de vuist en smeet met stoelen. Sean King ligt nog altijd in coma en verkeert in levensgevaar. Crush heeft slechts een gebroken kaak en een hersenschudding.

Laat die middag krijg ik toestemming mijn cliënt te bezoeken in een van de advocatenkamers van het huis van bewaring.

Tadeo zit aan de andere kant van een dik metalen rooster. Zijn gezicht zit onder de sneden en is gezwollen door de klappen van het gevecht, maar dat is zijn grootste probleem niet. Hij is zo tam dat ik me afvraag of hij kalmeringsmiddelen heeft gekregen. We kletsen even. 'Wanneer kan ik hier weg?' vraagt hij.

Je kunt hier maar beter aan wennen, wil ik zeggen. 'Morgen moet je naar de rechtbank, voor de eerste zitting. Ik ben er dan ook. Niet dat er veel zal gebeuren, hoor. Ze willen afwachten, zien hoe het met de scheidsrechter gaat aflopen. Als hij doodgaat, zit je pas echt diep in de shit. Als hij beter wordt, gaan ze je een heleboel dingen ten laste leggen, maar geen moord. Over een week of zo gaan we weer naar de rechtbank en vragen we een redelijke borg. Ik heb geen idee wat de rechter zal doen. Het antwoord op je vraag is dus: er is een kans dat je over een paar dagen op borgtocht vrijkomt, maar de kans is groter dat je tot het proces in het huis van bewaring blijft.'

'Hoe lang duurt dat?'

'Tot het proces?'

'Ja.'

'Moeilijk te zeggen. Dat begint op z'n vroegst over zes maanden, eerder over een jaar. Het proces zelf zal niet lang duren, omdat er niet veel getuigen zullen zijn. Ze zullen gewoon de beelden laten zien.'

Hij slaat zijn blik neer, alsof hij wel kan huilen.

Ik ben gek op deze knaap, maar ik kan niet veel voor hem doen, nu niet en over zes maanden niet. 'Herinner je het je wel?' vraag ik.

Hij knikt langzaam en zegt: 'Ik draaide gewoon door. Ze hebben me een duidelijke zege door de neus geboord! De scheids dwong me te vechten op zijn manier, niet op mijn manier en hij liep steeds in de weg. Weet je, man, ik kon gewoon mijn ding niet doen. Ik bedoel, ik wilde de scheids niets aandoen, maar ik draaide gewoon door. Ik was zo kwaad, ik baalde zo ontzettend toen hij de hand van die andere vent omhooghield. Ik heb hem goed te pakken genomen, hè?'

'Crush of de scheidsrechter?'

'Kom op, man, Crush natuurlijk! Toch?'

'Nee, dat heb je niet. Maar je had het gevecht moeten winnen.'

Ik heb elke seconde van het gevecht gezien en nooit het idee gehad dat de scheidsrechter hem voor de voeten liep. Als excuus tijdens het proces verwacht ik niet veel van: 'De scheids hield me tegen, hij heeft me de zege gekost, dus heb ik hem in zijn gezicht geslagen. Dat was terecht.'

'Ze hebben de zege van me afgepakt,' zegt hij.

'De scheids maakte geen deel uit van de jury, Tadeo. De drie juryleden hielden de score bij, dus heb je de verkeerde te pakken genomen.'

Hij plukt aan de hechtingen op zijn voorhoofd en zegt: 'Ik weet het. Het was stom van me, Sebastian, maar je moet iets doen, oké?'

'Je weet dat ik alles zal doen wat maar mogelijk is.'

'Zal ik een tijdje moeten zitten?'

Je zit nu al, dus wen er maar vast aan. Ik heb het allang uitgerekend. Als Sean King sterft, denk ik aan twintig jaar voor doodslag, misschien vijftien voor dood door schuld. Als hij in leven blijft, drie tot vijf jaar voor poging tot mishandeling met de dood tot gevolg. Omdat ik er nog niet klaar voor ben deze gedachten aan hem te openbaren, zeg ik: 'Laten we ons daar later maar druk over maken.'

'Vast wel, hè?'

'Vast wel.'

We zwijgen even en horen op de achtergrond slaande deuren. Een gevangene brult een obsceniteit.

In Tadeo's gezwollen linkeroog welt een traan op die over zijn ge-
kneusde wang druppelt. 'Ik kan het niet geloven, man. Ik kan het gewoon niet geloven.' Zijn stem klinkt zacht en gekweld.

Als jij het al niet kunt geloven, dan moet je maar eens aan die arme
scheids en zijn familie denken.

'Ik moet ervandoor, Tadeo. Ik zie je morgenochtend, in de rechtbank.'

'Moet ik dit dan aan?' vraagt hij en hij plukt aan zijn oranje overall.

'Ben bang van wel. Het is maar een eerste zitting.'

12

Om negen uur die maandagochtend zit ik in een drukke rechtszaal met een heleboel andere advocaten en officieren van justitie. In een hoek zit een groep louche uitziende mannen in een oranje overall, allemaal met handboeien om en aan elkaar geketend, en bewaakt door gewapende gerechtsdienaren. Dit zijn de nieuwe arrestanten, en dit is hun tweede stop in de gerechtelijke assemblagelijn. De eerste stop was het huis van bewaring. Een voor een worden hun namen afgeroepen en nadat hun handboeien zijn afgedaan, wandelen ze naar een plaats voor de stoel van de rechter, een van de twintig in ons rechtssysteem die de eerste zittingen behandelt. De rechter stelt ze een paar vragen, waarvan de belangrijkste is: 'Heb je een advocaat?' Dat is bij slechts heel weinigen het geval, waarop de rechter ze dan doorverwijst naar het pro-Deoadvocatenkantoor. Af en toe zal een groentje opstaan, naast zijn nieuwe cliënt, en tegen hem zeggen dat hij verder niets moet zeggen. Daarna wordt een datum vastgesteld waarop ze terug moeten komen.

Tadeo Zapate heeft echter wel een advocaat. Ze roepen zijn naam af en we zien elkaar voor de stoel van de rechter. Zijn gezicht ziet er nu zelfs nog erger uit. De meeste gefluisterde gesprekken verstommen als het publiek zich realiseert dat dit de man is over wie iedereen het heeft, de veelbelovende Mixed Martial Arts-vechter die nu dé ster is op YouTube.

'Bent u Tadeo Zapate?' vraagt de rechter geïnteresseerd, de eerste keer vanochtend dat hij echt belangstelling toont.

'Ja, meneer.'

'En ik neem aan dat meneer Sebastian Rudd uw advocaat is?'

'Ja, meneer.'

Een assistent-officier van justitie gaat behoedzaam achter hem staan.

De rechter zegt: 'Op dit moment wordt u beschuldigd van een uitgelokte aanval. Begrijpt u dat?'

'Ja, meneer.'

'Meneer Rudd, hebt u uw cliënt uitgelegd dat de beschuldiging kan worden veranderd in een zwaardere?'

'Ja, meneer, hij begrijpt dat.'

'Trouwens, wat is het laatste nieuws over de scheidsrechter?' vraagt hij aan de assistent-officier van justitie, alsof de man zijn behandelend arts is.

'Het laatste nieuws is dat meneer King in levensgevaar is.'

'Goed dan,' zegt zijne edelachtbare. 'Laten we elkaar hier over een week weer treffen en kijken hoe de zaak er dan voor staat. Tot die tijd, meneer Rudd, gaan we het niet over een eventuele borg hebben.'

'Uitstekend, edelachtbare,' zeg ik.

We mogen weg.

Als Tadeo wegloopt, fluister ik: 'Ik zie je morgen in het huis van bewaring.'

'Bedankt,' zegt hij. Dan kijkt hij naar het publiek en ziet zijn moeder, die omringd wordt door een hele groep huilende familieleden.

Vijfentwintig jaar geleden is ze vanuit El Salvador geëmigreerd, ze heeft een werkvergunning, werkt 's avonds in een cafetaria en voedt een heel stel kinderen, kleinkinderen en andere familieleden op. Tadeo en zijn prestaties bij het kooivechten waren haar ontsnapping naar een beter leven. Miguel houdt haar hand vast en fluistert iets in het Spaans. Hij is zelf al een paar keer opgeslokt door ons gerechtelijk systeem en kent het klappen van de zweep.

Ik praat even met hen, verzeker ze dat ik alles doe wat maar gedaan kan worden en verlaat samen met hen de rechtszaal.

In de hal staan een paar verslaggevers te wachten, twee met een camera. Daar leef ik voor.

13

Het is een heel drukke ochtend. Terwijl ik samen met Tadeo in de rechtbank ben, doet Judith precies wat ze heeft beloofd en dient een smerige motie in om mijn bezoekrecht in te trekken, zelfs de drie uren die ik op kerstavond heb en de twee uren op de verjaardag van mijn zoon.

Ze beweert dat ik ongeschikt ben als ouder, dat ik een gevaar vorm voor zijn fysieke veiligheid en een 'gruwelijke invloed' heb op zijn leven. Ze eist een spoedhoorzitting.

Wat een drama. Alsof de jongen in gevaar verkeert.

De twee Harry's bereiden een felle reactie voor die ik maandagmiddag indien. Voor de zoveelste keer trek ik ten strijde in haar constante kruistocht om mij een paar waardevolle lessen te leren. Geen enkele rechter zal haar eisen inwilligen, en dat weet ze. Maar ze doet het toch, omdat ze kwaad is en denkt dat ik, wanneer ze me weer een keer door de mangel haalt, het uiteindelijk wel zal opgeven en uit hun leven verdwijn. Ik heb gewoon zin in die hoorzitting.

Maar eerst hebben we een ander probleem. Die woensdag tegen twaalven belt ze me op mijn mobieltje en zegt alleen: 'Vanmiddag hebben we een afspraak op school.'

Is dat zo? Dit is misschien de tweede keer dat me wordt gevraagd naar school te gaan en me als een ouder te gedragen. Tot nu toe is ze er uitstekend in geslaagd mij buiten te sluiten. Ik vraag: 'Oké, wat is er aan de hand?'

'Starcher zit in de problemen. Hij heeft gevochten op school, een ander kind een vuistslag gegeven.'

Ik word overweldigd door vaderlijke trots en schiet bijna in de lach. Maar ik beheers me en vraag: 'O jee, wat is er gebeurd?' Het liefst zou ik nog meer vragen stellen, zoals 'Heeft hij gewonnen?', 'Hoe vaak heeft hij hem gestompt?' en 'Was dat andere kind een derdeklasser?'. Maar ik slaag erin mijn opwinding niet te laten blijken.

'Daar gaat dat gesprek dus over. Ik zie je om vier uur in het kantoor van de directeur.'

'Vier uur, vandaag?'

'Ja,' zegt ze, vals en gedecideerd.

'Oké.' Ik moet dan in de rechtbank zijn, maar dat is geen probleem. Ik zou dit gesprek voor geen geld willen missen. Mijn zoon, een zacht jochie dat nooit de kans heeft gekregen stoer te zijn, heeft iemand geslagen! Onderweg naar school zit ik de hele tijd te glimlachen.

Het is een groot kantoor met een salontafel met verschillende stoelen eromheen. Daar komen we bij elkaar, heel ontspannen. De directeur heet Doris, een uitgeputte oudgediende met ten minste veertig jaar in het openbareschoolsysteem achter de rug. Maar ze lacht gemakkelijk en heeft een geruststellende stem. Wie weet hoeveel van dit soort gesprekken ze al heeft gevoerd.

Judith en Ava zijn er al als ik binnenkom. Ik knik zwijgend naar ze. Judith draagt een designerjurk en ziet er schitterend uit. Ava, het ex-lingeriemodel, draagt een superstrakke leren broek en een strakke bloes. Ze heeft misschien de hersens van een woestijnrat, maar een lichaam dat op de cover van tijdschriften thuishoort. Beide vrouwen zien er prachtig uit en het is wel duidelijk, in elk geval voor mij, dat ze er veel tijd in hebben gestoken om zich voor deze gelegenheid te kleden. Maar waarom?

Als juf Tarrant binnenkomt, begin ik het te begrijpen. Ze is Starchers lerares, een knappe vrouw van drieëndertig die net is gescheiden en volgens een bron weer op zoek is. Ze heeft kort blond haar, prachtig geknipt, en zulke grote bruine ogen dat iedereen haar nog een tweede blik zal gunnen. Judith en Ava zijn niet langer de grootste spetters in dit vertrek. Sterker nog, ze vallen volkomen in het niet.

Ik sta op en schenk overdreven veel aandacht aan juf Tarrant, die van deze aandacht geniet.

Judith schiet meteen volledig in de bitchstand – waarmee ze natuurlijk al min of meer is geboren – maar Ava's ogen kijken af en toe naar de lerares terwijl ik mijn blik bijna niet van haar los kan rukken.

Doris vertelt ons de basale feiten. Tijdens de pauze gistermiddag speelden een paar jongens uit de tweede klas op het schoolplein *kickball*. Er vielen woorden, daarna volgde een handgemeen en toen gaf een jongen die Brad heet Starcher een duw, waarop Starcher deze Brad op zijn mond stompte. Dat veroorzaakte een sneetje en dus bloed, en daardoor werd het opeens een Heel Belangrijke Gebeurtenis. Niet verrassend hielden de jongens hun mond toen de leraressen erbij kwamen en hebben niet veel gezegd.

Ik zeg: 'Klinkt vrij onschuldig. Het zijn immers jongens.'

Geen van de vier vrouwen is het met me eens, maar dat had ik ook niet verwacht.

Juf Tarrant zegt: 'Een van de jongens vertelde me dat Brad Starcher belachelijk maakte, omdat zijn foto in de krant stond.'

'Wie deelde de eerste klap uit?' vraag ik, bijna onbeleefd.

Ze wringen zich in allerlei bochten en vinden het maar een lastige vraag.

'Maakt dat iets uit?' snauwt Judith.

'Natuurlijk, verdomme!'

Doris, die problemen aan ziet komen, zegt snel: 'Vechten is hier niet toegestaan, meneer Rudd, ongeacht wie er is begonnen. We leren onze leerlingen zich niet in te laten met dergelijke activiteiten.'

'Dat begrijp ik wel, maar u kunt niet van een kind verwachten dat hij niet voor zichzelf opkomt als hij wordt gepest.'

Het onderwerp 'pesten' staat erg in de belangstelling tegenwoordig. Nu mijn kind hier het slachtoffer van is, weten ze niet goed wat ze moeten zeggen.

Juf Tarrant zegt: 'Nou, ik weet niet zeker of hij wel werd gepest.'

'Is Brad een rotte appel?' vraag ik de juf.

'Nee, zeker niet. Ik heb dit jaar een geweldige groep kinderen.'

'Dat geloof ik graag, en mijn kind is er daar een van. Dit zijn kleine kinderen, oké? Ze kunnen elkaar niet echt iets aandoen. Dus duwen en stompen ze elkaar op het schoolplein. Het zijn jongens, verdomme! Laat ze jongens zijn en straf ze niet elke keer als ze een conflict met elkaar hebben.'

'We leren ze niet te vechten, meneer Rudd,' zegt Doris braaf.

Judith snuift. 'Heb jij met hem over vechten gepraat?'

'Ja, dat heb ik. Ik heb tegen hem gezegd dat vechten verkeerd is, dat hij nooit zelf mag beginnen. Maar dat hij, wanneer iemand anders begint te vechten, zichzelf altijd mag verdedigen. En wat is daar verkeerd aan?'

Geen van de vier vrouwen reageert, dus zeg ik: 'Je kunt hem maar beter leren voor zichzelf op te komen, anders zal hij zijn hele leven worden gepest. Dit zijn kinderen en die vechten dus. Soms winnen ze, soms verliezen ze, maar ze groeien er wel overheen. Geloof me, als een jongen ouder wordt en een paar keer klappen heeft gekregen, heeft hij geen lol meer in vechtpartijen.'

Nu betrap ik Ava er al voor de tweede keer op dat ze naar juf Tarrants benen kijkt. Ik kijk er ook naar, ik kan er niets aan doen. Die benen verdienen gewoon heel veel aandacht.

Doris zit naar deze bronstrituelen te kijken; zij heeft alles al eens meegemaakt. Ze zegt: 'Brads ouders zijn helemaal van slag.'

Ik reageer meteen en zeg: 'Dan wil ik heel graag met hen praten, om mijn verontschuldigingen aan te bieden en ervoor te zorgen dat Starcher dat ook doet. Wat vindt u daarvan?'

'Ik regel dit!' snauwt Judith.

'Waarom heb je me dan uitgenodigd om hiernaartoe te komen? Zal ik je dat vertellen? Jij wilt dat alle schuld netjes op mijn schouders wordt gelegd. Vijf dagen geleden heb ik hem meegenomen naar die kooigevechten en nu vecht hij op het schoolplein. Dat is het overduidelijke bewijs dat dit mijn schuld is. Je wilde een paar getuigen. Dus zitten we nu hier. Voel je je nu beter?'

Iedereen hapt natuurlijk naar adem.

Judith kijkt me met een blik vol haat aan en ik kan de stoom bijna uit haar oren zien komen.

Doris, de professional, zegt snel: 'Oké, oké. Ik vind het wel een goed idee dat u met Brads ouders gaat praten.'

'Een van ons tweeën of een van ons drieën?' vraag ik. Wat een slimme vraag. 'Sorry hoor, maar anders wordt het wel een beetje druk.'

Ava kijkt me vuil aan.

Ik kijk naar de benen van de lerares. Wat een idiote bespreking.

Doris toont wat ruggengraat door me aan te kijken en te zeggen: 'Ik vind dat u het moet doen. U hebt gelijk; het is een jongensding. Bel Brads ouders maar en bied uw verontschuldigingen aan.'

'Komt in orde.'

'Wat voor straf krijgt Starcher?' vraagt Ava omdat Judith nu geen woord kan uitbrengen.

Doris vraagt: 'Wat vindt u, juf Tarrant?'

'Tja, er moet een straf volgen.'

Ik maak de zaak nog erger door te zeggen: 'Zeg nu niet dat u hem gaat schorsen.'

Juf Tarrant zegt: 'Nee, hij en Brad zijn vrienden en ik denk dat zij dit al vergeten zijn. Wat vindt u van een week lang tijdens de pauzes binnenblijven?'

'Mag hij dan wel lunchen?' vraag ik, alleen maar om een spaak in de raderen van het recht te steken. Ik ben advocaat, het gebeurt instinctief.

Ze glimlacht maar negeert mijn vraag.

Uiteindelijk worden we het ergens over eens, en dan ben ik de eerste die opstaat om te vertrekken. Als ik de parkeerplaats af rijd, realiseer ik me dat ik glimlach. Starcher heeft standgehouden!

Die avond laat stuur ik een mailtje naar juf Tarrant – ze heet Naomi – en bedank haar omdat ze deze zaak zo goed heeft aangepakt.

Tien minuten later stuurt ze een mailtje terug en bedankt me.

Ik stuur meteen weer een mailtje terug en vraag of ze met me uit eten wil. Twintig minuten later schrijft ze dat het geen goed idee is om te daten met ouders van haar leerlingen. Met andere woorden: nu niet, maar in de toekomst misschien wel.

Het is woensdag en het regent. We hebben al heel vaak Dirty Golf gespeeld als het slecht weer was, maar Alan heeft vanavond afgeblazen: hij wil niet nog meer diepe voren in de fairways. Old Rico is vanavond gesloten. Ik ben klaarwakker, maak me zorgen over Tadeo en Doug Renfro, en ik ben ook een beetje opgewonden door de kleine kans die ik maak bij juffrouw Tarrant. Ik kan niet slapen, alweer niet, dus pak ik een paraplu en loop snel naar The Rack. Om middernacht verlies ik tijdens 9-ball tien dollar per potje aan een kind dat niet ouder lijkt dan vijftien. Ik vroeg hem of hij naar school gaat, waarop hij antwoordde: 'Soms.'

Curly kijkt naar ons en fluistert op een bepaald moment tegen me: 'Heb hem nooit eerder gezien. Verbazingwekkend.'

Gelukkig sluit Curly de tent om één uur 's nachts.

De jongen heeft me negentig dollar afhandig gemaakt. De volgende keer zal ik hem ontlopen.

Om twee uur slaag ik erin mijn ogen te sluiten en in slaap te vallen.

14

Partner belt me om vier uur 's nachts op: Sean King is overleden aan een hersenbloeding. Ik zet koffie en drink die in het donker op terwijl ik neerkijk op de City, die op dit tijdstip volkomen verlaten en stil is. Het is vollemaan en het maanlicht reflecteert op de hoge gebouwen in het centrum.

Wat een ramp. Nu moet Tadeo Zapate minstens een jaar of tien achter de tralies zitten. Hij is tweeëntwintig, dus te oud voor kooivechten als hij er weer uit komt, te oud voor heel veel dingen. Ik denk aan het geld, heel even maar. Ik heb dertigduizend dollar in deze jongen geïnvesteerd voor een kwart van zijn verdiensten, tot nu toe tachtigduizend dollar. Daarnaast heb ik nog eens twintigduizend verdiend door op hem te wedden. Ik sta dus al iets in de plus wat het geld betreft. Ik probeer niet aan zijn toekomstige verdiensten te denken, die enorm zouden zijn geweest. Dat alles lijkt nu onbelangrijk.

Daarna denk ik aan Tadeo's familie, hun zware leven en de hoop die hij ze gaf. Hij was hun mogelijke uitweg, weg van het straatleven en het geweld, naar de middenklasse en misschien wel meer. Nu zullen ze nog armer worden, terwijl hij wegrot in de gevangenis.

Er is geen enkel verweer, geen enkele geloofwaardige juridische tactiek om hem te redden. Ik heb de beelden inmiddels al wel honderd keer bekeken. De laatste serie slagen op Sean Kings gezicht werd uitgedeeld toen hij bewusteloos was. Het zal niet moeilijk zijn om een deskundige te vinden die zal zeggen dat die stoten de fatale schade hebben aangericht. Maar er zal helemaal geen deskundige nodig zijn. Deze zaak komt niet eens voor. Ik zal mijn cliënt zo goed mogelijk helpen als ik de staat er op de een of andere manier toe kan dwingen ons een goed schikkingsvoorstel te doen. Ik hoop alleen dat het tien jaar is en niet dertig, maar eigenlijk weet ik wel dat dit irreëel is. Geen enkele officier van justitie in dit land zou de kans laten lopen om zo'n bekende moordenaar te grazen te nemen.

Ik dwing mezelf om aan Sean King te denken, maar ik kende die man helemaal niet. Ik ben ervan overtuigd dat zijn familie wanhopig is en zo, maar mijn gedachten dwalen alweer af naar Tadeo.

Om zes uur neem ik een douche, kleed me aan en ga naar het huis van bewaring. Ik moet Tadeo vertellen dat zijn leven zoals hij het kende voorbij is.

15

De volgende maandag verschijnen Tadeo Zapate en ik weer in de rechtbank, maar nu is de sfeer totaal anders. Hij wordt vandaag beschuldigd van moord, en dankzij internet is hij beroemd. Het is alsof maar weinig mensen de verleiding kunnen weerstaan om hem met zijn blote handen Sean King te zien vermoorden.

Zoals verwacht wijst de rechter een eventuele borg af, waarna ze Tadeo wegbrengen.

Ik heb twee korte gesprekjes gevoerd met de officier van justitie en het ziet ernaar uit dat ze bloed willen zien. Op moord staat maximaal dertig jaar en na een bekentenis gaan ze akkoord met twintig. In ons verknipte systeem van voorwaardelijke vrijlating, moet hij ten minste tien jaar zitten. Dit moet ik mijn cliënt nog uitleggen.

Hij zit nog steeds in de ontkenningsfase. Hij denkt ten onrechte dat een goede advocaat, omdat hij er spijt van heeft en het niet kan verklaren, wel aan een paar touwtjes kan trekken en vrijspraak voor hem kan regelen.

Het is een trieste dag, maar geen volledig verspilde dag. In de grote open hal buiten de rechtszaal staat een groep verslaggevers op me te wachten. Er is nog geen spreekverbod opgelegd, dus mag ik alle belachelijke dingen zeggen die advocaten altijd zeggen lang voordat een proces plaatsvindt: 'Mijn cliënt is een goede man die doordraaide toen hij onterecht werd behandeld. Nu is hij wanhopig door wat er is gebeurd. Hij huilt, omdat hij medelijden heeft met de familie van Sean King. Hij zou er alles voor overhebben om die paar kostbare seconden te kunnen terugdraaien. We zullen een sterke verdediging opbouwen. Ja, natuurlijk hoopt hij weer te kunnen vechten. Hij hielp zijn arme moeder met het onderhouden van haar gezin en een huis vol familieleden.'

Et cetera.

16

Terwijl de twee Harry's de noodzakelijke documenten produceren, en terwijl rechter Samson de advocaten van de City fel toespreekt als ze bij zijn rechtszaal in de buurt komen, komt de civiele procedure in een ongebruikelijk hoog tempo dichterbij.

We doen mee aan een wedstrijd, die we echter niet zullen winnen. Ik zou Doug Renfro's civiele zaak heel graag in een bomvolle rechtszaal willen afronden vóórdat de strafrechtszaak begint. Het probleem is dat we bij strafzaken wel snelrecht kennen, maar bij civielrechtelijke zaken niet. In theorie moet een strafzaak binnen 120 dagen na de voorlopige tenlastelegging voor de rechter worden gebracht, hoewel de advocaat van de verdachte deze periode eigenlijk altijd verlengt, omdat er meer tijd nodig is om de zaak voor te bereiden. Een dergelijke regel is niet van toepassing bij civielrechtelijke zaken, die zich vaak jaren voortslepen. Als ik mijn zin kreeg, zouden we de civielrechtelijke zaak eerst afhandelen, een geweldige uitspraak krijgen die de voorpagina zou halen en die, nog belangrijker, toekomstige juryleden voor het strafproces zou beïnvloeden. De pers zou geen genoeg kunnen krijgen van het Renfro-debacle, en ik zou kunnen genieten van het feit dat ik de kans krijg om eigenlijk namens de hele stad de politieagenten in de getuigenbank het vuur na aan de schenen te leggen.

Als de strafzaak eerst wordt behandeld en Doug Renfro wordt veroordeeld, zal het veel moeilijker zijn om de civiele zaak te winnen, want omdat hij veroordeeld is, kan hij niet als getuige optreden.

Rechter Samson begrijpt dit en probeert te helpen. Nog geen drie maanden na de verknoeide SWAT-inval geeft hij alle acht agenten opdracht in zijn kamer te verschijnen voor een depositie: ze moeten in mijn bijzijn een beëdigde schriftelijke getuigenverklaring ondertekenen. Geen enkele rechter, federaal of anders, zou zelfs maar overwegen zich door een depositie heen te worstelen; dat zouden ze ver beneden hun waardigheid vinden. Maar om de sfeer te bepalen en de politieagenten en hun advocaten duidelijk te maken dat hij ze bijzonder wantrouwt, geeft rechter Samson de opdracht dat de deposities in zijn kamer moeten worden afgelegd, in aanwezigheid van zijn griffier en de rechter zelf.

Het is een slopende marathon die het uiterste van me vergt. Ik begin met inspecteur Chip Sumerall, de leider van het SWAT-team. Ik voel hem aan de tand over zijn ervaring, training en deelname aan andere huisinvallen. Ik ben met opzet saai, langdradig, onbewogen. Het is maar een depositie, met als doel een beëdigde schriftelijke getuigen-verklaring te verkrijgen. Met behulp van kaarten, foto's en video's zijn we urenlang bezig met het doornemen van de zaak-Renfro.

De depositie van de acht politieagenten kost zes saaie dagen. Maar hun verklaring staat nu zwart op wit en dus kunnen ze hun verhaal niet wijzigen, niet tijdens het strafrechtelijke en ook niet tijdens het civielrechtelijke proces.

17

De enige keren dat ik in de rechtbank voor familierechtszaken kom, is wanneer ik daar naartoe word gesleept om verantwoording af te leggen voor mijn zonden. Zelfs onder bedreiging zou ik geen echtscheidings- of adoptiezaak aannemen. Maar Judith verdient de kost in de loopgravenoorlogen van echtscheidingszaken, zodat ze daar een thuiswedstrijd speelt. Zijne edelachtbare vandaag is ene Stanley Leef, een chagrijnige oude rot die er al jaren geen zin meer in heeft. Judith vertegenwoordigt zichzelf, net als ik. Voor deze gelegenheid heeft ze Ava meegesleept, die als enige toeschouwer aanwezig is, gekleed in een rokje dat zo kort is dat je zo ongeveer alles kunt zien. Ik zie dat rechter Leef naar haar kijkt en van het uitzicht geniet.

Omdat we allebei advocaat zijn en onszelf vertegenwoordigen, slaat rechter Leef de formaliteiten over en staat ons toe zittend te praten, alsof het hier gaat om een scheidsrechterlijke beslissing. Wat we zeggen is echter wel officieel, en een stenograaf noteert alles.

Judith begint als eerste. Ze vermeldt de feiten en laat het klinken alsof ik de slechtste ouder ooit ben, omdat ik mijn zoon heb meegenomen naar kooigevechten. Vervolgens, vertelt ze, raakt Starcher vier dagen later betrokken bij zijn eerste gevecht op school. Een duidelijk bewijs dat ik hem in een monster heb veranderd!

Rechter Leef fronst alsof dit gewoon vreselijk is.

Met zoveel dramatiek als ze maar kan opbrengen, roept Judith dat mijn bezoekrecht volledig zou moeten worden ingetrokken, zodat het kind nooit meer door mij beïnvloed kan worden.

Rechter Leef kijkt me even aan met een blik die lijkt uit te drukken: is ze getikt?

Maar we zijn hier niet voor gerechtigheid, maar voor een show. Judith is een boze moeder en ze heeft me voor de zoveelste keer naar de rechtbank gesleept. Mijn straf is niet het verlies van het bezoekrecht, maar het feit dat ik überhaupt iets met haar te maken heb. Ze laat niet met zich sollen! Ze zal haar kind ten koste van alles beschermen!

Zittend vertel ik mijn kant van het verhaal zonder ook maar een heel klein beetje te overdrijven.

Judith haalt de krant tevoorschijn met 'haar zoon op de voorpagina'. Wat een vernedering! Hij had wel zwaargewond kunnen raken!

Rechter Leef valt bijna in slaap.

Ze haalt er een expert bij, een kinderpsycholoog. Dokter Salabar, een vrouw natuurlijk, vertelt de rechter dat ze Starcher heeft gesproken, een uur met hem heeft doorgebracht en met hem heeft gepraat over de kooigevechten en 'het gevecht' op het schoolplein, en dat ze nu van mening is dat de slachtpartij waar hij onder mijn toezicht getuige van is geweest een schadelijk effect heeft gehad en hem heeft aangemoedigd zelf te gaan vechten. Judith slaagt erin deze getuigenverklaring zo lang te rekken dat rechter Leef bijna in coma raakt.

Tijdens het kruisverhoor vraag ik: 'Bent u getrouwd?'

'Ja.'

'Hebt u een zoon, of zoons?'

'Twee jongens, ja.'

'Hebt u een van uw zoons ooit meegenomen naar een bokswedstrijd, een worstelwedstrijd of een kooigevecht?'

'Nee.'

'Is een van uw zoons ooit betrokken geweest bij een gevecht met een ander kind?'

'Dat denk ik wel, maar dat kan ik niet met zekerheid zeggen.'

Het feit dat ze deze vraag niet wil beantwoorden, spreekt boekdelen.

Rechter Leef schudt zijn hoofd.

'Hebben uw zoons ooit met elkaar gevochten?'

'Dat kan ik me niet herinneren.'

'U kunt zich dat niet herinneren? Was u een liefhebbende moeder die uw zoons alle aandacht schonk die mogelijk was?'

'Dat zou ik wel graag denken.'

'Dus u was er voor ze?'

'Zo vaak mogelijk, ja.'

'En u kunt zich geen enkele keer herinneren dat een van hen heeft gevochten?'

'Nee, op dit moment niet.'

'Een andere keer misschien wel? Schrap dat maar. Geen verdere vragen.' Ik kijk naar de rechter en zie dat hij gefrustreerd is.

De stemming wordt echter meteen een stuk beter als de volgende getuige plaatsneemt.

Dat is Naomi Tarrant, Starchers juf, en ze draagt een strakke jurk en stiletto's. Tegen de tijd dat ze heeft beloofd dat ze de waarheid zal spreken, is de oude rechter Leef klaarwakker. Net als ik.

Leraren hebben er een pesthekel aan als ze worden betrokken bij een strijd om het voogdijschap en bezoekrecht. Naomi vormt hierop geen uitzondering, hoewel ze weet hoe ze met deze situatie moet omgaan.

We hebben elkaar nu al een maand niet meer gemaild. Ze weigert met me uit eten te gaan, maar ik maak echt wel vorderingen. Ze verklaart dat Starcher nooit gewelddadige neigingen heeft getoond tot een paar dagen na zijn eerste bezoek aan de kooigevechten. Ze beschrijft de ruzie op het schoolplein zonder het een gevecht of handgemeen te noemen. Alleen een paar jongens die het oneens waren met elkaar.

Judith heeft haar als getuige opgeroepen; niet om haar te helpen de waarheid te achterhalen, maar om Naomi, en ieder ander, te laten zien dat zij de macht heeft ze naar de rechtbank te laten komen en de baas over ze te spelen.

Tijdens het kruisverhoor krijg ik het voor elkaar dat Naomi toegeeft dat vrijwel iedere normale jongen die zij ooit heeft lesgegeven op het schoolplein weleens bij de een of andere vechtpartij betrokken is geraakt. Een kwartier later is ze alweer getuige af, en als rechter Leef haar wegstuurt lijkt hij een beetje teleurgesteld.

Tijdens haar slotpleidooi herhaalt Judith wat ze al gezegd heeft en ze houdt een schril pleidooi voor volledige intrekking van het bezoekrecht.

Rechter Leef valt haar in de rede met: 'Maar de vader krijgt slechts zesendertig uur per maand. Dat is niet erg veel.'

'Dank u,' zeg ik.

'Dat is genoeg,' snauwt Judith tegen mij.

'Sorry.'

De rechter kijkt me aan en vraagt: 'Meneer Rudd, wilt u beloven dat u het kind weghoudt bij kooigevechten, en boks- en worstelwedstrijden?'

'Ja, dat beloof ik.'

'En wilt u ook beloven dat u het kind leert dat vechten een verkeerde manier is om meningsverschillen op te lossen?'

'Ja, dat beloof ik.'

Hij kijkt naar Judith en zegt: 'Uw verzoek is verworpen. Verder nog iets?'

Judith aarzelt heel even en zegt dan: 'Nou, dan zal ik in beroep moeten gaan.'

'Dat recht hebt u,' zegt hij en hij slaat met zijn hamer. 'Deze hoorzitting is afgelopen.'

18

Het strafproces van Doug Renfro begint op een maandagochtend en de rechtszaal zit vol kandidaat-juryleden. Terwijl ze door bodes naar binnen worden geleid en hun plaats gewezen krijgen, gaan de advocaten naar de kamer van de edelachtbare Ryan Ponder, al tien jaar rechter bij onze districtsrechtbanken en een van onze betere rechters. Zoals altijd op de eerste dag van een belangrijk proces hangt er een gespannen sfeer, iedereen is onrustig. De advocaten zien eruit alsof ze het hele weekend geen oog hebben dichtgedaan.

We zitten aan een grote tafel en bespreken een paar preliminaire zaken. Als we afronden, kijkt rechter Ponder me aan en zegt: 'Nog één ding, meneer Rudd. De staat biedt een deal aan, waarbij uw cliënt schuld bekent aan een ernstig misdrijf en geen gevangenisstraf krijgt; hij is vrij man. In ruil daarvoor laat hij zijn civielrechtelijke zaak tegen de City en alle andere gedaagden vallen. Klopt dat?'

'Dat klopt, meneer.'

'En hij zegt nee tegen deze deal?'

'Dat klopt.'

'Laten we dit vastleggen.'

Doug Renfro wordt uit een getuigenkamer gehaald en naar het kantoor van de rechter gebracht. Hij draagt een donker wollen pak, een wit overhemd en een donkere stropdas, en is beter gekleed dan ieder ander in het vertrek, misschien met uitzondering van mij. Hij staat fier rechtop, een oud-soldaat die niet kan wachten de strijd aan te gaan. De inval in zijn huis is nu tien maanden geleden en hoewel hij er nu veel ouder uitziet, zijn zijn wonden genezen en blaakt hij van het zelfvertrouwen.

Rechter Ponder neemt hem de eed af en zegt: 'Wel, meneer Renfro, de staat biedt u een deal aan, een schuldbekentenis in ruil voor strafvermindering. Het staat al zwart op wit. Hebt u deze gelezen en met uw advocaat besproken?'

'Dat heb ik, meneer.'

'En u realiseert zich dat, wanneer u deze deal aanneemt en schuld bekent, dit proces geen doorgang zal vinden, u dit gebouw als vrij man kunt verlaten en nooit meer bang hoeft te zijn dat u de gevangenis in moet?'

'Ja, dat begrijp ik. Maar ik ga geen schuld bekennen, nergens aan. De politie is mijn huis binnengedrongen en heeft mijn vrouw vermoord. Als ik schuld beken, zullen zij niet terecht hoeven staan en dat is verkeerd. Ik neem het risico wel met de jury.' Hij kijkt vol afkeer naar de officier van justitie en richt zijn blik dan weer op rechter Ponder.

De officier van justitie, een oudgediende met de naam Chuck Finney, verbergt zijn gezicht achter wat paperassen. Finney is geen slechte vent en hij zou hier liever helemaal niet zijn. Hij heeft een eenvoudig en duidelijk probleem: een opgefokte agent is gewond geraakt tijdens een inval en in de wet staat dat de man die hem heeft doodgeschoten schuldig is. Het is een foute wet, geschreven door lieden die er geen zak van snappen, en nu is Finney wel gedwongen deze te handhaven en kan hij de aanklacht niet zomaar laten vallen. De politiebond hijgt in zijn nek.

Nog even iets over Max Mancini. Max is de hoofdofficier van justitie, benoemd door de burgemeester met goedkeuring van de gemeenteraad. Hij is luidruchtig, extravagant, ambitieus, een gedreven man die het ver zal schoppen, hoewel niet duidelijk is hoever. Hij is even gek op de camera's als ik, en hij is bereid zijn ellebogen te gebruiken om maar voor een camera te kunnen staan. Hij is geslepen in de rechtszaal en gaat prat op een veroordelingspercentage van negenennegentig procent, net als alle andere officieren van justitie in Amerika. Omdat hij de baas is, kan hij de cijfers manipuleren en dus heeft hij harde bewijzen dat die negenennegentig procent klopt.

Normaal gesproken, in zo'n belangrijke zaak als deze, die gegarandeerd de voorpagina's haalt en waar 's ochtends, 's middags en 's avonds liveopnamen van worden gemaakt, zou Max zijn beste kleren dragen en de schijnwerpers opzoeken. Maar deze zaak is gevaarlijk, en dat weet Max. Dat weet iedereen. De politieagenten zaten fout. De Renfro's zijn hier de slachtoffers. Het lijkt onwaarschijnlijk dat hij schuldig wordt bevonden, en als er één ding is dat Max Mancini niet kan riskeren, is het een onsuccesvol vonnis.

Dus heeft onze hoofdofficier van justitie zich verstopt en tot nu toe heeft hij nog niets van zich laten horen. Ik weet zeker dat hij ergens in de schaduw op de loer ligt, naar alle camera's kijkt en vanbinnen doodgaat, maar tijdens dit proces zal Max zich ook niet laten zien. Nee, dat heeft hij Chuck Finney in de schoenen geschoven.

19

De selectie van de jury kost drie dagen, en het is duidelijk dat alle twaalf leden al veel van de zaak af weten. Ik heb me suf gepiekerd over de vraag of ik een verzoek moest indienen om dit proces elders te laten voeren, maar ik heb besloten dat niet te doen. Daar zijn drie redenen voor: de ene is legitiem en de andere zijn gebaseerd op puur ego. De eerste is dat veel mensen in deze stad het helemaal hebben gehad met de politieagenten hier en hun wrede tactieken. De tweede is dat er overal verslaggevers en camera's zijn en dat dit mijn stad is. Maar het belangrijkste is dat mijn cliënt het liefst een jury heeft die bestaat uit mensen uit zijn eigen stad.

In een volle rechtszaal zegt rechter Ponder: 'Dames en heren van de jury, we gaan dit proces beginnen met de openingsverklaringen. Eerst de openbaar aanklager namens de staat, meneer Finney, en dan de advocaat van de verdediging, meneer Rudd. Ik waarschuw u dat niets van wat u nu te horen krijgt echte bewijzen zijn. De bewijzen komen uit slechts één bron, en dat is de getuigenbank daar. Meneer Finney.'

De officier van justitie staat ernstig op van zijn stoel. Aan zijn tafel zitten verder nog hulpofficieren van justitie en nutteloze assistenten. Het is puur juridisch machtsvertoon, een poging om de jury te wijzen op de ernst van de zaak tegen meneer Renfro.

Ik heb een andere strategie. Doug en ik zitten alleen aan onze tafel. Twee kleine jongens geconfronteerd met de eindeloze voorraad mensen van de overheid. De tafel van de verdediging lijkt bijna verlaten vergeleken met het leger aan de andere kant van het middenpad. Ik ben gek op dit beeld van David versus Goliath.

Chuck Finney is verschrikkelijk saai en begint met een somber: 'Dames en heren, dit is een tragische zaak.'

Dat meen je niet, Chuck. Kun je echt niets beters bedenken?

Finneys hart ligt misschien niet bij deze zaak, maar hij is ook niet van plan het bij voorbaat op te geven. Er zitten te veel mensen te kijken, er staat te veel op het spel. Nu de bel voor de eerste ronde is geluid, is de wedstrijd begonnen. En het gaat niet om gerechtigheid, maar vanaf dit moment alleen maar om winnen. Hij geeft een redelijke beschrijving van de gevaren van politiewerk, vooral in deze tijd van aanvalswapens en goed getrainde criminelen, drugsbendes en terroristen. Politieagenten zijn tegenwoordig vaak het doelwit, het slachtoffer van extreem gewelddadige schurken die geen enkel respect hebben voor autoriteit. Er woedt een oorlog, een oorlog tegen drugs, een oorlog tegen terreur, een oorlog tegen zo ongeveer alles, en onze moedige wetshandhavers hebben alle recht zich tot de tanden toe te bewapenen. Daarom hebben de slimme mensen die onze wetten maken zes jaar geleden besloten dat het een misdrijf is als een persoon, ja, zelfs een huiseigenaar, schiet op onze politiemensen die alleen maar hun werk doen. Daarom is Doug Renfro schuldig volgens de wet. Hij schoot op onze politie, en hij heeft agent Scott Keestler verwond, een ervaren agent die alleen maar zijn werk deed.

Finney slaat de juiste toon aan en scoort al een paar punten. Een aantal juryleden kijkt afkeurend naar mijn cliënt. Hij heeft immers op een agent geschoten. Maar Finney is ook voorzichtig. De feiten werken niet in zijn voordeel, wat er ook in de wet staat. Hij is bondig, to the point en gaat al na tien minuten zitten. Een record voor een officier van justitie.

Rechter Ponder zegt: 'Meneer Rudd, voor de verdediging.'

Als advocaat van een verdachte zijn de feiten zelden in mijn voordeel. Maar als dat wel zo is, kan ik onmogelijk subtiel blijven. Ik sla ze snel en keihard om de oren, en kijk dan naar ze als ze liggen te kronkelen.

Ik ben er al vanaf het begin van overtuigd dat ik deze zaak met de openingsverklaring kan winnen. Ik smijt mijn schrijfblok op het spreekgestoelte en kijk de juryleden aan. Ik maak oogcontact, met hen allemaal, en zeg: 'Eerst schieten ze zijn hond dood, Spike, een twaalf jaar oude gele labrador die diep lag te slapen op zijn kleed in de keuken. Wat Spike heeft gedaan om het te verdienen dat hij werd doodgeschoten? Niets, hij was gewoon op het verkeerde moment op de verkeerde plaats. Waarom zouden ze Spike doden? Ze zullen deze vraag proberen te beantwoorden met een van hun standaardleugens. Ze zullen u vertellen dat Spike agressief was, zoals elke hond die ze doden als ze midden in de nacht privéwoningen binnenvallen. In de afgelopen vijf jaar, dames en heren, hebben onze dappere jongens van de SWAT in deze stad ten minste dertig onschuldige honden gedood, van oude mormels tot jonge puppy's, die zich allemaal alleen maar met hun eigen zaken bezighielden.'

Achter me staat Chuck Finney op en zegt: 'Bezwaar, edelachtbare. Ik zou niet weten waarom andere SWAT-acties relevant zijn voor deze zaak.'

Ik kijk de rechter aan en voordat hij een beslissing kan nemen, zeg ik: 'O, maar het is wél relevant, edelachtbare. Sta alstublieft toe dat de jury precies hoort hoe deze invallen verlopen. We zullen bewijzen dat deze politieagenten niet kunnen wachten om de trekker over te halen en dat ze op alles schieten wat maar beweegt.'

Rechter Ponder heft zijn hand en zegt: 'Zo is het wel genoeg, meneer Rudd. Ik zal het bezwaar verwerpen. Dit is slechts een openingsverklaring en geen bewijsvoering.'

Klopt, maar de juryleden hebben me al gehoord. Ik draai me naar hen om en zeg: 'Spike maakte geen schijn van kans. Het SWAT-team trapte de voordeur en de achterdeur tegelijk in, waarna acht zwaarbewapende warrior cops het huis van de Renfro's binnenrenden. En voordat Spike ook maar overeind kon komen en kon blaffen, was hij al uitgeschakeld, doodgeschoten door drie kogels uit een semiautomatisch handvuurwapen, net zo'n wapen als de Army Rangers gebruiken. En dat was nog maar het begin.' Ik zwijg even en kijk naar de juryleden, van wie sommigen zich drukker lijken te maken over de dode hond dan over alles wat er die nacht verder nog gebeurde.

'Acht politieagenten, acht SWAT-teamleden, allemaal voorzien van een uitgebreidere uitrusting en meer wapens dan welke Amerikaanse soldaat die heeft meegevochten in Vietnam en in de Tweede Wereldoorlog dan ook. Een kogelvrij vest, een nachtbril, uiterst moderne wapens, zelfs zwarte gezichtsverf om de show nog een beetje dramatischer te maken. Maar waarom? Waarom waren ze daar?' Inmiddels loop ik heen en weer, voor de jurybank langs. Ik kijk naar het publiek, de zaal zit helemaal vol, en ik zie de commissaris van politie op de voorste rij zitten die me met een blik vol haat aankijkt. Hun gebruikelijke routine in elke zaak waar de politie bij betrokken is, is een stuk of twaalf geüniformeerde agenten op de eerste rijen laten plaatsnemen die met hun armen over elkaar naar de juryleden zitten te kijken. Daar wilde rechter Ponder echter niets van weten. Ik diende een motie in om geüniformeerde politieagenten uit de rechtszaal te weren, en daar ging hij mee akkoord. De acht SWAT-jongens worden vastgehouden in de getuigenkamers en missen alle pret.

'Deze ramp is begonnen met de buurjongen Lance, een probleemkind van negentien, een nietsnut. Lance was officieel werkloos, maar zat helemaal niet zonder werk. Hij verdiende goed met de in- en verkoop van illegale drugs, vooral ecstasy. Lance was te slim om op straat te dealen en dus gebruikte hij het internet. Maar niet het internet dat wij kennen. Lance leefde in de duistere en verboden wereld van het Dark Web, een plaats waar Google en Yahoo en andere geweldige zoekmachines niet voorkomen. Lance kocht en verkocht al twee jaar drugs op het Dark Web toen hij zich realiseerde dat de Renfro's een onbeveiligde verbinding hadden. Voor een slimme jongen als Lance was het een koud kunstje om daarvan gebruik te maken. Een jaar lang kocht en verkocht hij ecstasy via het draadloze internet van de Renfro's, die daar natuurlijk geen idee van hadden. Deze zaak gaat echter niet over drugshandel, dus laat u niet voor de gek houden. Deze zaak gaat om een reusachtige blunder van ons politiekorps. Rechercheurs van de staat waren op zoek naar onlinedrugsdealers en stuitten op het IP-adres van de Renfro's. Zonder verdere bewijzen en zonder een uitgebreider onderzoek kwamen ze in actie. Ze kregen twee bevelschriften: een arrestatiebevel voor Doug Renfro en een huiszoekingsbevel voor zijn huis.'

Hier zwijg ik even en neem een slok water. Nooit eerder heb ik meegemaakt dat het zo stil was in een rechtszaal. Alle ogen zijn op mij gericht. Alle oren luisteren. Ik loop terug naar de jurybank en leun op het spreekgestoelte, alsof ik gezellig met mijn opa sta te kletsen. 'Weet u, vroeger, niet eens zo lang geleden, toen politiewerk nog werd verricht door politieagenten die hun vak verstonden en wisten hoe ze met criminelen moesten omgaan, in de tijd dat ze wisten dat ze politieagent waren en geen Navy SEAL, in die tijd, dames en heren, zouden een paar agenten met het arrestatiebevel naar meneer Renfro's huis zijn gereden, op een normaal tijdstip, ze zouden hebben aangebeld, zijn huis binnen zijn gegaan en hem hebben verteld dat ze hem kwamen arresteren. Ze zouden hem boeien en meenemen, heel professioneel. Een paar andere agenten zouden zijn huis in gaan met een huiszoekingsbevel en meneer Renfro's computer meenemen. Een paar uur later zou de politie weten dat ze een fout hadden gemaakt. Ze zouden duizend excuses aanbieden aan meneer Renfro en hem naar huis brengen. Daarna zouden ze de echte dader opsporen. Vergelijk toen met nu. Nu, in elk geval in deze stad met de huidige leiding, voert de politie midden in de nacht verrassingsaanvallen uit op nietsvermoedende en gezagsgetrouwe burgers, en ze schieten op hen en op hun honden, en als ze zich realiseren dat ze het verkeerde huis zijn binnengevallen, liegen ze en verbloemen ze hun fouten.'

Weer zwijg ik een hele tijd, loop naar het spreekgestoelte, kijk naar een paar aantekeningen die ik niet nodig heb en dan weer naar de juryleden. Ik heb het idee dat ze allemaal de adem inhouden. 'Dames en heren, in deze staat hebben we een vervelende wet die zegt dat een huiseigenaar, zoals Doug Renfro, automatisch schuldig is als hij op een politieagent schiet, zelfs als die agent in het verkeerde huis is. Waarom voeren we dit proces dan? Waarom leest iemand niet gewoon deze wettekst voor en zegt dat meneer Renfro de eerstkomende veertig jaar in de gevangenis moet doorbrengen? Omdat er niet zoiets bestaat als "automatisch schuldig". Daarom hebben we jury's, en het zal uw werk zijn om te beslissen of Doug Renfro wist wat hij deed. Wist hij dat de politie in zijn huis was? Toen hij naar de overloop rende en in het donker bewegende figuren zag, wat dacht hij toen? Dat zal ik u vertellen. Hij was doodsbang. Hij was ervan overtuigd dat gevaarlijke criminelen zijn huis waren binnengedrongen en hij begon te schieten. En, het belangrijkste, hij wist niet dat het politieagenten waren. Als hij dat niet wist, kan hij dus niet schuldig worden bevonden. Deze mensen kónden toch niet van de politie zijn? Waarom zouden politieagenten zijn huis binnenvallen, hij had immers niets verkeerds gedaan. Waarom zouden ze om drie uur 's nachts zijn huis binnendringen, toen iedereen lag te slapen? Waarom drukten ze niet op de bel, waarom klopten ze niet op de deur? Waarom trapten ze de voordeur in, en de achterdeur? Waarom, waarom, waarom? Politieagenten gedragen zich niet zo gewelddadig, toch?'

20

De eerste getuige is een hoge piet van de staatspolitie. Ruskin heet hij, en hij wordt in de getuigenbank gezet met de onmogelijke taak om te rechtvaardigen wat de politie heeft gedaan in de nacht waarin ze het huis van de Renfro's binnenvielen. Terwijl Finney vragen stelt die zo duidelijk voorgekookt zijn dat ze geen enkele spontaniteit meer hebben, ploeteren ze door de 'sluipende' toename van de onlinedrugshandel, de 'verontrustende' stijging van het aantal tieners dat daar koopt en verkoopt, et cetera.

Ik spring constant op met: 'Edelachtbare, ik maak bezwaar vanwege irrelevantie. Wat heeft dit met Doug Renfro te maken?'

Nadat rechter Ponder mijn bezwaar drie keer heeft verworpen, begint hij gefrustreerd te raken.

Finney voelt dit aan en gaat door. Ze houden een langdradige verhandeling, in een poging uit te leggen hoe de staatspolitie een internetval had opgezet om drugsdealers te vangen. Over het algemeen met vrij veel succes, want in onze staat hebben ze ongeveer veertig mensen opgepakt. Slimme politieagenten, ja toch?

'Hebben jullie nog meer mensen vermoord?' is mijn eerste vraag, afgevuurd vanaf mijn stoel. Dan spring ik op voor wat een ruzieachtig kruisverhoor zal worden.

Ik vraag Ruskin naar de andere arrestaties. Zijn daar ook SWAT-teams gebruikt om de arrestatiebevelen te overhandigen? Zijn er nog meer invallen gedaan in woningen om drie uur 's nachts? Zijn er nog meer mensen hun hond kwijtgeraakt? Hebben ze daar ook tanks op afgestuurd? Halverwege mijn kruisverhoor dwing ik hem toe te geven wat de wereld al maanden weet: ze hadden het verkeerde huis. Zijn aarzeling om dit toe te geven, ondermijnt zijn geloofwaardigheid.

In twee uur reduceer ik Ruskin tot een brabbelende gek, een man die de getuigenbank het liefst zo snel mogelijk wil verlaten.

Ik ben vaak een hypocriete klootzak als mijn cliënt schuldig is, maar als mijn cliënt onschuldig is, straal ik arrogantie en superioriteit uit. Dat realiseer ik me heel goed en ik doe mijn uiterste best om de indruk te wekken, in elk geval naar de jury toe, dat ik een aardige vent ben. Het kan me echt niets schelen of ze me haten, zolang ze mijn cliënt maar niet haten. Maar als ik een heilige vertegenwoordig zoals Doug Renfro, is het onvermijdelijk dat ik wel fel, maar niet agressief lijk. Vol ongeloof over deze onrechtvaardigheid, maar ook vertrouwenwekkend.

Hun volgende getuige is Chip Sumerall, de teamleider tijdens de inval, en inspecteur van de politie. Hij wordt uit een getuigenkamer gehaald en legt de eed af waarbij hij belooft de waarheid te vertellen. Zoals altijd draagt hij zijn uniform met zo veel mogelijk insignes en medailles, in vol ornaat, maar zonder zijn dienstpistool en handboeien. Hij is een verwaande klootzak met veel eigendunk, dikke armen en stekeltjes. We hadden woorden tijdens zijn depositie en ik kijk naar hem alsof hij nu al liegt.

Finney neemt hun verhaal met hem door. Ze zeuren maar door over zijn uitgebreide training en ervaring, en over zijn geweldige cv. Systematisch nemen ze de tijdlijn van de inval door. Hij speelt de zwartepiet zo goed mogelijk door en zegt herhaaldelijk dat hij alleen maar bevelen opvolgde.

Ik krijg de indruk dat de hele rechtszaal wacht tot ik hem tijdens het kruisverhoor in stukken scheur, maar het kost me moeite me in te houden. Ik begin met een opmerking over zijn uniform, hoe mooi en professioneel dat is. Hoe vaak draagt hij dat? Wat betekenen een paar van zijn medailles? Daarna vraag ik hem het uniform te beschrijven dat hij droeg toen hij Renfro's deuren intrapte. Laag na laag, artikel na artikel, wapen na wapen – van zijn legerlaarzen met stalen neus tot zijn gevechtshelm – nemen we zijn hele uitrusting door. Ik vraag hem naar zijn machinepistool, een Heckler & Koch-MP5. 'Ontworpen voor hevige gevechten en de beste ter wereld,' zegt hij trots. Ik vraag hem of hij het die nacht heeft gebruikt en hij zegt van wel. Ik zaag maar door over de vraag of hij de schoten heeft afgevuurd die Kitty Renfro hebben gedood, en hij beweert dat niet te weten. Het was donker en alles gebeurde heel snel. De kogels vlogen in het rond, de politie 'werd beschoten'.

Terwijl ik door de rechtszaal loop, kijk ik naar Doug. Hij heeft zijn handen voor zijn gezicht geslagen, hij beleeft deze nachtmerrie weer. Ik kijk naar de juryleden; sommigen kunnen hun oren niet geloven.

'U zei dat het donker was, agent. Maar u droeg toch een nachtbril?'

'Ja.' Hij is goed geïnstrueerd en houdt zijn antwoorden zo kort mogelijk.

'Die zijn toch zo ontworpen dat agenten daarmee in het donker kunnen zien?'

'Ja.'

'Oké, dus waarom kon u dan niets zien in het donker?'

Zijn antwoord ligt voor de hand: hij kronkelt een beetje, maar hij blijft rustig. Hij probeert het antwoord te omzeilen met: 'Tja, zoals ik al zei, gebeurde het allemaal heel snel. Voordat ik goed kon focussen, werden er schoten afgevuurd en schoten we terug.'

'En u kon Kitty Renfro niet zien, aan het einde van de gang, tien meter verderop in haar witte pyjama?'

'Ik heb haar niet gezien, nee.'

Ik stel eindeloos veel vragen over wat hij wel heeft gezien of had moeten zien. Nadat ik elk punt dat ik met dit onderwerp kan scoren heb behaald, begin ik weer over de procedures bij de politie. Wie gaf toestemming voor de SWAT-missie? Wie waren er aanwezig toen dit besluit werd genomen? Had hij of iemand anders het gezonde verstand om misschien te begrijpen dat een dergelijke missie niet noodzakelijk was? Waarom tot drie uur 's nachts met de inval wachten, tot het donker was? Waarom dacht u dat Doug Renfro zo gevaarlijk was? Hij begint in te storten, wordt snel minder zelfverzekerd en kijkt naar Finney voor hulp, maar die kan niets voor hem doen. Hij kijkt naar de jury en ziet alleen maar wantrouwige blikken.

Ik ga maar door en leg de idiotie van hun procedures bloot. We praten over hun training en over hun uitrusting. Ik slaag er zelfs in de tank ter sprake te brengen, en rechter Ponder geeft me toestemming daar een vergrote foto van te laten zien.

Het wordt pas echt leuk als ik andere mislukte invallen ter sprake kan brengen. Sumerall is al twee keer geschorst wegens gebruik van excessief geweld, en die gevallen neem ik uitgebreid met hem door. Af en toe loopt hij rood aan. Soms zit hij te zweten. Ten slotte, om zes uur, nadat Sumerall vier gruwelijke uren in de getuigenbank heeft gezeten, vraagt rechter Ponder me of ik bijna klaar ben.

'Nee meneer, ik ben nog maar net begonnen,' zeg ik, superfit en met mijn blik op Sumerall gericht. Ik ben zo opgefokt dat ik wel tot middernacht door kan gaan.

'Goed, dan schorsen we de zitting tot morgenochtend negen uur.'

21

Vrijdagochtend precies om negen uur wordt de jury naar binnen gebracht en begroet door rechter Ponder. Agent Sumerall wordt naar de getuigenbank geroepen en gaat weer zitten. Zijn arrogantie is iets verminderd, maar niet helemaal verdwenen.

'Ga alstublieft verder met uw kruisverhoor, meneer Rudd,' zegt Ponder.

Met behulp van een klerk rol ik een grote plattegrond uit van de begane grond en de eerste verdieping van het huis van de Renfro's en hang hem op. Ik vraag Sumerall, als de leider van het team, of hij ons wil vertellen hoe de acht mannen zijn geselecteerd. Waarom waren ze verdeeld in twee teams, een voor de voordeur en een voor de achterdeur? Wat was de rol van iedere man? Welke wapens had iedere agent? Wie nam het besluit om niet aan te bellen, maar gewoon het huis binnen te vallen? Hoe zijn de deuren opengemaakt? Wie deed dat? Wie waren de eerste politieagenten die naar binnen gingen? Wie heeft Spike doodgeschoten, en waarom?

Sumerall kan of wil de meeste vragen niet beantwoorden, en het duurt niet lang of hij ziet eruit als een idioot. Hij was de commandant en daar is hij heel erg trots op, maar in de getuigenbank weet hij een heleboel details niet.

Ik neem hem twee uur lang onder handen en dan pauzeren we.

Terwijl we snel een kop koffie drinken, zegt Doug dat de juryleden sceptisch en wantrouwig zijn; een paar lijken witheet. 'We hebben ze,' zegt hij, maar ik waarschuw hem. Ik maak me zorgen over twee juryleden, omdat ze volgens mijn oude vriend Nate Spurio banden hebben met het politiekorps. De vorige avond hebben we samen iets gedronken en toen vertelde hij me dat de politie vertrouwt op juryleden nummer vier en zeven. Daar zal ik me later mee bezighouden.

Ik weersta de verleiding om Sumerall de hele dag bezig te houden, iets wat ik vaker doe dan zou moeten. Een kruisverhoor afnemen is een kunst en ermee ophouden als je voor staat maakt daar deel van uit. Ik heb het nog niet helemaal onder de knie, omdat ik instinctief de neiging heb een bruut als Sumerall te blijven slaan als ik hem al gevloerd heb.

Doug zegt, heel verstandig: 'Ik denk dat je al genoeg hebt gedaan met deze getuige.'

Hij heeft gelijk en dus zeg ik tegen de rechter dat ik klaar ben met Sumerall.

De volgende getuige is Scott Keestler, de agent die is beschoten, kennelijk door Doug Renfro.

Finney begint als eerste en probeert wat medeleven op te wekken. In werkelijkheid, en ik heb alle medische rapporten, was de kogelwond in zijn hals hoogstens iets ernstiger dan een oppervlakkige wond. In een gevechtssituatie zou hij een paar pleisters hebben gekregen en zijn teruggestuurd naar het front. Maar het Openbaar Ministerie moet hier scoren, en Keestler doet net alsof hij een kogel tussen de ogen heeft gekregen. Ze gaan hier veel te lang op door, tot we ten slotte pauzeren om te gaan lunchen.

Terug in de rechtszaal zegt Finney: 'Geen verdere vragen, edelachtbare.'

'Meneer Rudd.'

Op luide toon duik ik boven op agent Keestler en vraag: 'Agent, hebt u Kitty Renfro vermoord?'

Alle aanwezigen happen naar adem.

Finney schiet overeind, maakt bezwaar.

Rechter Ponder zegt: 'Meneer Rudd, als u...'

'We hebben het hier over moord, rechter, ja toch? Kitty Renfro was ongewapend toen iemand haar in haar eigen huis doodschoot. Dat is moord.'

Finney zegt luid: 'Dat is niet zo. We hebben een wet over dit onderwerp. Wetshandhavers zijn niet aansprakelijk...'

Ik val hem in de rede. 'Misschien niet aansprakelijk, maar het blijft moord.' Ik steek mijn handen uit naar de jury en vraag: 'Hoe zou u het anders willen noemen?'

Drie of vier juryleden knikken.

Rechter Ponder zegt: 'Ik verzoek u het woord "moord" niet meer te gebruiken, meneer Rudd.'

Ik haal diep adem, net als alle andere aanwezigen.

185

Keestler ziet eruit alsof hij tegenover een vuurpeloton staat.

Ik loop terug naar het spreekgestoelte, kijk hem aan en vraag beleefd: 'Wetshandhaver Keestler, wat droeg u in de nacht van deze SWAT-inval?'

'Wat bedoelt u?'

'Wat droeg u die nacht? Vertel de jury wat u allemaal op uw lichaam droeg.'

Hij slikt moeizaam en begint dan met de kleding, de wapens, et cetera. Het is een lange lijst.

'Ga door,' zeg ik.

Hij eindigt met: 'Boxershorts, T-shirt, witte sportsokken.'

'Dank u. Is dat alles?'

'Ja.'

'Weet u het zeker?'

'Ja.'

'Absoluut zeker?'

'Ja, ik weet het zeker.'

Ik kijk naar hem alsof hij een vreselijke leugenaar is, dan loop ik naar de bewijstafel en pak een grote kleurenfoto van Keestler, die liggend op een brancard naar de Spoedeisende Hulp wordt gebracht. Zijn gezicht is goed te zien. Omdat de foto al als bewijs is aangenomen, geef ik hem aan Keestler en vraag: 'Bent u dat?'

Hij kijkt ernaar, in de war, en zegt: 'Dat ben ik.'

De rechter geeft me toestemming de foto aan de juryleden te laten zien.

Ze nemen er alle tijd voor, kijken aandachtig naar de foto en dan neem ik hem weer aan. 'Goed dan, wetshandhaver Keestler, wat is dat zwarte spul op uw gezicht?'

Hij glimlacht, opgelucht. Jakkes! 'O, dat, dat is gewoon zwarte camouflageverf.'

'Ook wel oorlogsverf genoemd?'

'Geloof het wel. Het heeft verschillende namen.'

'Wat is het doel van oorlogsverf?'

'Het dient voor camouflagedoeleinden.'

'Het is dus behoorlijk belangrijk, hè?'

'Zeker, ja.'

'Het is noodzakelijk om de veiligheid van de mannen op de grond te verzekeren, nietwaar?'

'Absoluut.'

'Hoeveel van de acht wetshandhavers in uw SWAT-team hadden hun gezicht die nacht besmeerd met zwarte oorlogsverf?'

'Ik heb ze niet geteld.'

'Droegen jullie die nacht allemaal zwarte oorlogsverf?'

Hij weet het antwoord en denkt dat ik dat ook weet. Hij zegt: 'Dat weet ik echt niet zeker.'

Ik loop naar mijn tafel en pak een lange depositie. Ik zorg ervoor dat hij dit ziet. 'Goed dan, wetshandhaver Keestler...'

Finney staat op en zegt: 'Edelachtbare, ik maak bezwaar. Hij blijft de term "wetshandhaver" gebruiken en dat vind ik...'

'U hebt die term zelf als eerste gebruikt,' snauwt rechter Ponder. 'U hebt hem ook gebruikt. Bezwaar verworpen.'

Uiteindelijk stellen we vast dat vier van de politieagenten zichzelf hebben versierd met zwarte oorlogsverf en tegen de tijd dat ik dit onderwerp laat rusten, ziet Keestler er even dom uit als een tiener die met waskrijt speelt. Het wordt tijd om echt iets leuks te doen. Ik zeg: 'Goed, wetshandhaver Keestler, u speelt heel veel videospelletjes, nietwaar?'

Finney staat alweer op. 'Bezwaar, edelachtbare. Irrelevant.'

'Verworpen,' zegt zijne edelachtbare kortaf zonder zelfs maar naar de officier van justitie te kijken. Rechter Ponder heeft het helemaal gehad met de politie en hun leugens en hun trucjes, dat is nu wel duidelijk. We hebben alle troeven in handen – een zeldzaamheid voor mij – en ik weet niet goed wat ik hiermee aan moet. Moet ik kappen en de zaak aan de jury laten nu ze aan onze kant staan? Of ga ik door, om zo veel mogelijk punten te scoren?

Scoren is ontzettend leuk en bovendien heb ik het gevoel dat de jury het volkomen met me eens is en wel geniet van deze puinhoop. 'Noem eens een paar videospelletjes die u graag speelt.'

Hij noemt er een paar, onschuldige, bijna kinderachtige spelletjes waardoor hij veel weg heeft van een kind van tien. Hij en Finney weten wat er nu gaat komen en zetten zich schrap, maar daar heeft Keestler zichzelf alleen maar mee.

'Hoe oud bent u, meneer Keestler?'

'Zesentwintig,' zegt hij glimlachend. Eindelijk een eerlijk antwoord!

'En u speelt nog altijd videospelletjes?'

'Eh... jawel, meneer.'

'U hebt zeker duizenden uren videospelletjes gespeeld, nietwaar?'

'Denk het wel.'

'En een van uw favorieten is *Mortal Combat 3*, toch?' Ik houd zijn depositie omhoog, een dikke beëdigde verklaring waarin ik heb ontdekt dat hij als kind al verslaafd was aan videospelletjes en daar nog altijd gek op is.

'Dat denk ik wel, ja,' zegt hij.

Ik zwaai zijn depositie heen en weer alsof het vergif is en vraag: 'Goed, hebt u niet verklaard, in een beëdigde depositie, dat u al tien jaar *Mortal Combat 3* speelt?'

'Ja, meneer.'

Ik kijk naar rechter Ponder en zeg: 'Edelachtbare, ik zou de jury graag een clip willen laten zien van *Mortal Combat 3*'

Finney wringt zich in allerlei bochten. We discussiëren hier al een maand over, en Ponder heeft nog altijd niets besloten, tot nu. Ten slotte zegt hij: 'Ik ben benieuwd. Laten we maar eens kijken.'

Finney smijt een schrijfblok op zijn tafel, volledig gefrustreerd.

Ponder gromt: 'Dat is wel genoeg theater, meneer Finney. Ga zitten!'

Het komt zelden voor dat een rechter aan mijn kant staat en ik weet niet goed wat ik moet doen.

Het licht in de rechtszaal wordt gedimd en er zakt een scherm uit het plafond. Een technicus heeft van het videospelletje een clip van vijf minuten samengesteld. Op mijn teken zet hij het volume hoog en wordt de jury opgeschrikt door de onverwachte verschijning van een stoere soldaat die een deur intrapt, terwijl er op de achtergrond explosies klinken. Een dier dat op een hond lijkt, maar met glinsterende tanden en enorme klauwen, springt naar voren en onze held schiet hem neer. In deuren en ramen verschijnen schurken, en die worden allemaal opgeblazen. De kogels die je kunt zien, knallen en schieten alle kanten op. Lichaamsdelen worden afgerukt. Er ligt een grote plas bloed. Mensen gillen en schieten en sterven met veel dramatiek, en na twee minuten hebben we eigenlijk al genoeg gezien.

Na vijf minuten heeft de hele rechtszaal behoefte aan een pauze. De clip is afgelopen en het licht gaat weer aan.

Ik kijk naar Keestler, die nog steeds in de getuigenbank zit, en vraag: 'Gewoon een leuk videospelletje, nietwaar, wetshandhaver Keestler?'

Hij antwoordt niet.

Ik kijk een paar seconden naar hem terwijl hij bijna verdrinkt en vraag dan: 'En u speelt ook graag het videospel *Home Invasion*, nietwaar?'

Hij haalt zijn schouders op, kijkt Finney hulpeloos aan en gromt ten slotte: 'Ik denk het wel.'

Finney staat op en zegt: 'Rechter, is dit echt relevant?'

Ponder leunt op zijn ellebogen, is klaar voor meer en zegt: 'O, maar ik denk dat dit heel erg relevant is, meneer Finney. Laten we de video bekijken.'

Het licht gaat uit en drie minuten lang kijken we naar dezelfde stompzinnige verminkingen en naar heel veel bloed. Als ik zou merken dat Starcher zich met deze troep bezighield, stopte ik hem in een afkickkliniek.

Op een bepaald moment fluistert jurylid nummer zes luid: 'Lieve hemel!'

Ik kijk naar de juryleden die hun blik vol walging en afkeer op het scherm hebben gericht.

Als de clip afgelopen is, dwing ik Keestler te zeggen dat hij ook gek is op het spelletje *Crack House, Special Ops*. Hij geeft toe dat de politieagenten een kleedkamer hebben in de kelder van het politiebureau en dat die, met dank aan de belastingbetaler, is voorzien van een flatscreen-tv met een 54 inch-beeldscherm. Daar komen de jongens tussen de SWAT-acties door bij elkaar en spelen videospeltoernooien. Onderbroken door Finneys zinloze bezwaren trek ik dit uit Keestler, stukje bij beetje. Inmiddels wil hij er niet meer over praten, maar dat maakt de zaak alleen maar erger voor hem en de openbaar aanklager. Als ik klaar met hem ben, is hij ingestort en lijkt hij ongeloofwaardig.

Ik ga zitten en kijk naar de tribune. De commissaris van politie is vertrokken, voorgoed.

Rechter Ponder vraagt: 'Wie is uw volgende getuige, meneer Finney?'

Finney heeft de neerslachtige blik van een officier van justitie die niet nog meer getuigen wil oproepen. Wat hij wel wil, is de stad met de eerstvolgende trein verlaten. Hij kijkt naar een schrijfblok en zegt: 'Agent Boyd.'

Boyd heeft die nacht zeven kogels afgevuurd. Toen hij zeventien was, is hij veroordeeld voor rijden onder invloed, maar hij is erin geslaagd die veroordeling later te laten schrappen. Finney weet niets van dat rijden onder invloed, maar ik wel. Toen Boyd twintig was, is hij oneervol uit het leger ontslagen. Toen hij vierentwintig was, belde zijn vriendin 911 en beschuldigde hem van huiselijk geweld. Dat werd allemaal onder het tapijt geveegd en de aanklachten werden onbewezen verklaard.

Boyd heeft ook meegedaan aan twee andere mislukte swat-invallen, en hij is gek op dezelfde videospelletjes waar Keestler het zo druk mee heeft.

Boyd aan een kruisverhoor onderwerpen zou weleens het hoogtepunt van mijn juridische carrière kunnen zijn, maar rechter Ponder zegt opeens: 'Ik schors de zitting tot maandagochtend negen uur. Ik wil de aanklager en verdediger spreken, in mijn kamer.'

22

Zodra de deur dicht is, kijkt rechter Ponder Finney aan en bromt: 'Uw zaak stinkt. De verkeerde man staat terecht.'

De arme Finney weet dat wel maar kan dat niet zeggen. Sterker nog, op dit moment kan hij helemaal niets zeggen.

De rechter snauwt: 'Bent u van plan alle acht leden van het SWAT-team als getuige op te roepen?'

'Op dit moment is het antwoord nee,' zegt Finney moeizaam.

Ik duik erop en zeg: 'Geweldig, dan roep ik ze op als getuigen à decharge. Ik wil ze alle acht voor de jury laten verschijnen.'

De rechter kijkt me met een angstige blik aan. Ik heb volkomen het recht dit te doen en dat weten ze. Een paar seconden lang proberen ze zich de nachtmerrie voor te stellen wanneer de andere zes speelgoedsoldaatjes voor de jury moeten opdraven, terwijl ik ze als een gek neermaai.

Zijne edelachtbare kijkt Finney aan en vraagt: 'Hebt u al overwogen de beschuldiging in te trekken?'

Natuurlijk niet. Finney is misschien wel gedemoraliseerd maar nog steeds een officier van justitie.

Normaal gesproken heeft de rechter in een strafproces het recht om de bewijzen van de staat uit te sluiten en een vonnis te wijzen in het voordeel van de verdachte. Dat gebeurt echter zelden. En in deze zaak speelt ook de wet mee dat iedere persoon die op een politieman schiet die zijn of haar huis binnenkomt – of de agenten nu het juiste adres hebben of niet – schuldig is aan poging tot moord. Natuurlijk is dat een foute wet, slecht opgesteld en afschuwelijk geschreven, maar volgens rechter Ponder heeft hij niet de optie de zaak te seponeren.

We moeten dus toewerken naar een definitief vonnis.

23

In het weekend wordt een van de resterende zes SWAT-agenten opeens in het ziekenhuis opgenomen en kan niet getuigen. Een ander verdwijnt gewoon. Het kost me anderhalve dag om de overgebleven vier af te maken.

We halen de voorpagina's en de politie heeft nog nooit zo'n slechte pers gehad. Ik probeer dit glorieuze moment te koesteren, want het is onwaarschijnlijk dat dit ooit weer gebeurt.

Op de laatste dag van de getuigenverklaringen tref ik de familie Renfro voor een vroeg ontbijt. Het onderwerp is de vraag of Doug wel of niet zou moeten getuigen. Zijn drie volwassen kinderen – Thomas, Fiona en Susanna – zijn aanwezig. Zij hebben het hele proces bijgewoond en twijfelen er niet aan dat onze jury hun vader niet zal veroordelen, ongeacht wat er in de een of andere stomme wet staat.

Ik vertel ze wat het ergste is wat er kan gebeuren: dat Finney hem tijdens het kruisverhoor het bloed onder de nagels vandaan haalt en erin slaagt hem te ergeren. Hij zal Doug laten toegeven dat hij vijf schoten heeft afgevuurd met zijn pistool en expres heeft geprobeerd de agenten te doden. De enige manier waarop de staat deze zaak kan winnen, is wanneer Doug instort in de getuigenbank, iets wat we echter niet verwachten. De man staat stevig in zijn schoenen en hij wil per se een getuigenverklaring afleggen. Op dit punt in elk proces heeft de verdachte het recht te getuigen, ongeacht wat zijn advocaat ervan denkt. Ze zetten me onder druk. Mijn instinct zegt me hetzelfde als dat van iedere advocaat: als de staat er niet in is geslaagd zijn zaak hard te maken, zorg dan dat de cliënt niet gaat getuigen.

Maar Doug Renfro weigert te accepteren dat dit recht hem wordt ontzegd.

24

Eerst vraag ik Doug naar zijn militaire carrière. Hij heeft zijn land veertien jaar trots in uniform gediend, zonder een smetje: twee keer uitgezonden naar Vietnam, één Purple Heart, twee weken gevangengezeten voordat hij werd bevrijd, zes medailles, eervol ontslag. Een échte soldaat, geen nepsoldaat.

Een gezagsgetrouwe burger met slechts één bekeuring voor te hard rijden.

De contrasten zijn groot en spreken voor zich.

Op de betreffende avond hadden Kitty en hij tot tien uur tv-gekeken, nog een paar minuten gelezen en toen het licht uitgedaan. Hij gaf haar een nachtkus, zei dat hij altijd van haar zou houden en ze vielen in slaap. Ze werden uit hun dromen gewekt toen de inval begon. Het huis schudde op zijn grondvesten, er werd geschoten. Doug pakte zijn pistool en zei tegen Kitty dat ze 911 moest bellen. In de chaos die volgde, rende hij naar de donkere overloop. Hij zag twee schaduwen snel de trap op komen en beneden hoorde hij stemmen. Hij liet zich op de grond vallen en begon te schieten. Hij werd meteen in de schouder geraakt. Nee, zei hij vol gevoel, niemand heeft ook maar één keer geroepen dat ze van de politie waren. Kitty gilde en rende de gang in en werd geraakt door een hele serie kogels. Doug stort in als hij vertelt welke geluiden zijn vrouw maakte toen ze werd beschoten.

De helft van de juryleden huilt ook.

25

Finney probeert te bewijzen dat Doug Renfro opzettelijk op de politie heeft geschoten, maar Doug vermorzelt hem door keer op keer te zeggen: 'Ik wist niet dat ze van de politie waren. Ik dacht dat het criminelen waren die mijn huis binnendrongen.'

Ik roep geen andere getuigen op. Ik heb ze niet nodig.

Finney houdt een halfslachtig slotpleidooi, terwijl hij weigert oogcontact te maken met de juryleden.

Als het mijn beurt is, herhaal ik de belangrijkste feiten en slaag erin me te beheersen. Het zou nu heel eenvoudig zijn om de politieagenten af te zeiken, om alles extreem te benadrukken, maar de jury heeft al genoeg gehoord.

Rechter Ponder vertelt de juryleden welke wet van toepassing is en zegt dan dat het tijd is dat ze zich terugtrekken voor overleg.

Maar niemand komt in beweging. Wat er dan gebeurt is uniek.

Jurylid nummer zes, Willie Grant, staat langzaam op en zegt: 'Edelachtbare, ik ben tot voorzitter van deze jury gekozen en ik heb een vraag.'

De rechter, een man met heel veel zelfbeheersing, schrikt en kijkt met een wilde blik naar Finney en mij.

Het is weer doodstil in de rechtszaal. Ik haal niet eens adem.

Zijne edelachtbare zegt: 'Tja, ik weet niet goed wat ik nu moet zeggen. Ik heb de jury opdracht gegeven zich terug te trekken voor overleg.'

De juryleden hebben zich nog niet verroerd.

Meneer Grant zegt: 'We hoeven niet te overleggen, edelachtbare. We weten al wat we gaan doen.'

'Maar ik heb jullie herhaaldelijk gewaarschuwd dat jullie de zaak niet mogen bespreken,' zegt Ponder streng.

Meneer Grant is niet onder de indruk en zegt: 'We hebben de zaak niet besproken, maar al wel over een vonnis gepraat. Er valt verder niets te bespreken of te overleggen. Mijn vraag is: waarom staat meneer Renfro terecht en niet de politieagenten die zijn vrouw hebben vermoord?'

Iedereen in de rechtszaal hapt naar adem en begint te fluisteren.

Rechter Ponder probeert de zaal tot bedaren te brengen door luid zijn keel te schrapen en te vragen: 'Is uw vonnis unaniem?'

'Dat kunt u wel zeggen. We oordelen dat meneer Renfro niet schuldig is en we vinden dat deze politieagenten van moord beschuldigd moeten worden.'

'Ik vraag de juryleden een hand op te steken als u het eens bent met dit vonnis.'

Twaalf handen vliegen omhoog.

Ik sla mijn arm om Doug Renfro heen als hij weer instort.

Deel 4
De ruil

1

Vaak verdwijn ik een tijdje na een belangrijk proces, vooral als dat de voorpagina's heeft gehaald en veel op tv is geweest. Niet omdat ik niet van de aandacht geniet, hoor. Ik ben een advocaat; dat zit in mijn genen. Maar tijdens het Renfro-proces heb ik het politiekorps vernederd, een paar agenten in hun hemd gezet – ontzettend stoere mannen die er niet aan gewend zijn om verantwoording voor hun wandaden af te leggen. Men zegt weleens dat 'het tegenwoordig gevaarlijk op straat is' en dus is het tijd voor een pauze. Eén dag na het vonnis, stop ik wat kleren in de bus, net als mijn golfclubs, een paar boeken en een halve kist kwalitatief goede cognac en verlaat de stad. Het weer is ruig en winderig, te koud om te golfen, dus rijd ik naar het zuiden net als talloze andere overwinteraars op zoek naar de zon. Tijdens mijn reizen heb ik ontdekt dat er in elk stadje met meer dan tienduizend inwoners wel een openbare golfbaan te vinden is. In het weekend is het er meestal ontzettend druk, maar door de week relatief rustig. Ik zak langzaam af naar het zuiden, bezoek minstens één golfbaan per dag, soms twee, en speel alleen, zonder caddie en zonder scorekaart, betaal contant voor goedkope motelkamers, eet weinig en drink 's avonds laat cognac terwijl ik de nieuwste James Lee Burke of Michael Connelly zit te lezen. Als ik heel veel geld had, zou ik de rest van mijn leven zo kunnen doorbrengen.

Maar dat heb ik niet en dus keer ik uiteindelijk terug naar de City, waar ik word ingehaald door mijn algemene bekendheid.

2

Ongeveer een jaar geleden werd er een jonge vrouw, Jiliana Kemp, ontvoerd nadat ze een ziekenhuis had verlaten waar ze een vriendin had bezocht. Haar auto werd onbeschadigd gevonden op de tweede verdieping van een parkeergarage naast het ziekenhuis. Bewakingscamera's zagen haar terwijl ze naar haar auto liep maar raakten haar kwijt toen ze buiten beeld stapte. De beelden van alle veertien camera's werden geanalyseerd. Op deze opnamen stond het kenteken van elke andere auto die in een tijdsbestek van vierentwintig uur kwam of ging, en onthulde slechts één belangrijke aanwijzing: een uur nadat Jiliana naar haar auto liep, verliet een blauwe Ford-suv de parkeerplaats. De chauffeur was een blanke man met een honkbalpetje en een bril. De suv had gestolen kentekenplaten uit Iowa. Die nacht zagen de bewakers niets verdachts, en de man die het parkeerkaartje aannam van de blanke man kon zich hem niet herinneren. Veertig voertuigen waren door de uitgang gegaan in het uur voorafgaand aan het vertrek van de suv.

Rechercheurs doorzochten elke vierkante centimeter van de garage en vonden niets. Haar ontvoerder eiste geen losgeld. Er werd eerst fanatiek naar haar gezocht maar na een tijdje bijna niet meer. Een eerste beloning van honderdduizend dollar leverde geen enkele tip op. Twee weken later werd de blauwe suv ontdekt in een park honderdvijftig kilometer verderop. Hij was een maand eerder gestolen in Texas. De kentekenplaten kwamen uit Pennsylvania, ook gestolen natuurlijk.

De ontvoerder speelde een spelletje. Hij had de suv schoongemaakt: geen vingerafdrukken, geen haren, geen bloed, niets. Zijn actieradius en zijn planning baarden de onderzoekers zorgen. Ze zaten niet achter een gewone crimineel aan.

De zaak was nog belangrijker door het feit dat Jiliana Kemps vader een van de twee ondercommissarissen van politie was. Daardoor kreeg deze zaak natuurlijk de hoogste prioriteit. Wat in die tijd niet bekend werd gemaakt, was dat Jiliana drie maanden zwanger was. Meteen na haar verdwijning vertelde haar vriend, met wie ze samenwoonde, haar ouders dit nieuws. Ze hielden het geheim, terwijl de politie vierentwintig uur per dag doorwerkte om haar te vinden.

Niemand heeft ooit meer iets van Jiliana gehoord. Haar lichaam is nooit gevonden. Ze is waarschijnlijk dood, maar wanneer werd ze vermoord? Het ergste scenario is het meest voor de hand liggend: dat ze niet meteen is vermoord, maar gevangen werd gehouden tot na de bevalling.

Negen maanden na haar verdwijning, toen de beloning steeds hoger werd, leidde een tip de politie naar een pandjeshuis niet ver bij mijn flatgebouw vandaan. Een gouden halsketting met een Grieks muntje eraan was voor tweehonderd dollar verpand. Jiliana's vriend identificeerde de halsketting en zei dat hij haar deze de voorgaande kerst cadeau had gegeven. De rechercheurs zetten alles op alles om te achterhalen wie de ketting in bezit hadden gehad. Deze zoektocht leidde naar een ander pandjeshuis, naar een andere transactie, en ten slotte naar een verdachte, Arch Swanger.

Swanger was een eenendertigjarige nietsnut zonder duidelijke bron van inkomsten. Van hem was bekend dat hij een kruimeldief was en ook weleens wat drugs verkocht. Hij woonde in een vervallen woonwagenkamp met zijn moeder, een dronkenlap met een arbeidsongeschiktheidsuitkering. Nadat Swanger een maandlang intensief was gevolgd en nagetrokken, werd hij ten slotte naar het bureau gebracht om te worden verhoord. Hij gaf ontwijkende en terughoudende antwoorden, en nadat hij twee uur tevergeefs was ondervraagd hield hij helemaal zijn mond en eiste een advocaat. Omdat de politie weinig harde bewijzen had, lieten ze hem gaan, maar ze bleven hem in de gaten houden. Toch slaagde hij er een paar keer in te verdwijnen, maar hij keerde altijd weer terug naar huis.

Vorige week brachten ze hem weer naar het bureau voor verhoor en eiste hij nogmaals een advocaat.

'Oké, wie is je advocaat?' vroeg de rechercheur.

'Die vent die Rudd heet, Sebastian Rudd.'

3

Het laatste wat ik kan gebruiken, is nog meer problemen met de politie. Maar in ons vak kunnen we onze cliënten niet altijd zelf uitkiezen. En iedere verdachte, hoe verachtelijk hij of zijn misdrijf ook is, heeft recht op een advocaat. De meeste leken begrijpen dit niet en vinden het niet belangrijk. Ik vind het ook niet belangrijk. Dit is mijn werk. Eerlijk gezegd ben ik vooral blij dat Swanger mij heeft uitgekozen, heel blij dat ik mijn neus weer eens in een nieuwe sensationele zaak mag steken.

Maar dit proces zal me de rest van mijn leven blijven achtervolgen. Ik vervloek de dag waarop ik me naar Central – het hoofdbureau van politie, haastte voor mijn eerste gesprek met Arch Swanger.

Het politiekorps heeft meer lekken dan een oude waterleiding, en tegen de tijd dat ik in Central aankom, is het nieuwtje al bekend. Een verslaggever met een cameraman vangt me op als ik het gebouw binnenkom en wil weten of ik Arch Swanger vertegenwoordig. Kortaf zeg ik 'Geen commentaar' en loop door. Maar vanaf dat moment weet iedereen in de stad dat ik zijn advocaat ben. Een perfecte combi, nietwaar? Een monsterlijke moordenaar en de rogue advocaat die iedereen wel wil verdedigen.

Ik ben al heel vaak in Central geweest en het bruist er altijd van een gehaaste energie. Agenten in uniform rennen rond en maken ruwe grapjes met collega's die aan een bureau zitten. Rechercheurs in een goedkoop pak slenteren door de gangen, met een vuile blik alsof ze woedend zijn op de wereld. Bange gezinnen zitten op banken op slecht nieuws te wachten. En er is altijd wel een advocaat die gespannen aan het onderhandelen is met een agent, of die zich naar een cliënt haast voordat die zijn mond opendoet.

Vandaag is de sfeer extra gespannen. Ik krijg meer blikken dan gebruikelijk als ik binnenkom. Waarom ook niet? Zij hebben de moordenaar opgepakt, hij zit verderop in de gang, en nu komt zijn advocaat om hem te redden. Ze zouden allebei moeten worden opgepakt en op de pijnbank moeten worden gelegd.

Ook voelbaar is de nog altijd open wond van het Renfro-proces, dat slechts drie weken geleden is afgerond. Politieagenten hebben een goed geheugen, en een paar van deze kerels zouden graag een wapenstok willen grijpen en mijn botten breken, of erger.

Ze nemen me door een doolhof mee naar de verhoorkamers. Achter in de gang, rokend en door een spiegelwand kijkend, zitten twee rechercheurs van de afdeling Moordzaken.

Een van hen is Landy Reardon, de agent die me heeft opgebeld met het nieuws dat ik, van alle advocaten in de City, was uitverkoren. Reardon is de beste moordrechercheur van het korps. Hij gaat al bijna met pensioen en de jaren hebben hun tol geëist: hij is een jaar of zestig maar ziet er tien jaar ouder uit en hij heeft dik grijs haar, dat hij zelden aanraakt. Hij rookt nog altijd aan zijn diepe rimpels te zien. Hij knikt als hij me ziet: kom maar.

De andere rechercheur verdwijnt.

Het fijne aan Landy Reardon is dat hij goudeerlijk is en geen tijd zal verspillen aan een zaak die hij niet kan bewijzen. Hij gaat altijd fanatiek op zoek naar het bewijs, maar als dat er niet is, is het er niet. In dertig jaar heeft hij nog nooit de verkeerde moordverdachte beschuldigd. Maar als Landy je oppakt voor moord, sluiten de rechter en de jury zich bij hem aan en sterf je waarschijnlijk in de gevangenis.

Hij heeft al vanaf het begin de leiding over de zaak-Jiliana Kemp. Vier maanden geleden heeft hij een lichte hartaanval gehad en zijn arts zei dat hij met pensioen moest. Hij nam een andere arts.

Ik sta naast hem en we kijken door de spiegel. We begroeten elkaar niet. Hij vindt alle advocaten uitschot en zal me nooit een hand geven.

Swanger zit alleen in de verhoorkamer. Hij zit achterovergeleund op zijn klapstoel met zijn voeten op de tafel; hij heeft hier geen zin in.

'Wat heeft hij gezegd?' vraag ik.

'Niets. Naam, rang en serienummer, en daarna vroeg hij naar jou. Zei dat hij je naam in de krant had zien staan.'

'Hij kan dus lezen?'

'IQ van 130, volgens mij. Hij ziet er alleen dom uit.'

Dat is inderdaad zo. Dik, dubbele onderkin, grote bruine sproeten, schedel op een paar gewaxte borsteltjes na geschoren, zoals de haarstijl van zestig jaar geleden, het pre-Beatles-tijdperk. Om aandacht te trekken of om voor gek te lopen draagt hij een bril met ronde glazen, belachelijk groot en aquablauw.

'Die bril,' zeg ik.

'Drogist, goedkoop en nep. Hij heeft geen bril nodig, maar volgens hem is hij slim als het op vermommen aankomt. Eerlijk gezegd is hij vrij goed. Hij is de afgelopen maand al een paar keer aan onze surveillance ontsnapt maar kwam steeds weer terug naar huis.'

'Wat weet je van hem?'

Landy ademt moeizaam en gefrustreerd uit. 'Niet veel,' zegt hij, en ik heb bewondering voor hem omdat hij zo eerlijk is. Hij is een geweldige agent; hij is niet zo dom dat hij me in vertrouwen neemt, maar hij wekt wel vertrouwen.

'Genoeg voor een voorlopige tenlastelegging?'

'Was dat maar waar. We kunnen hem niet eens arresteren. De baas wil hem een week of twee vasthouden. De druk opvoeren, weet je, om te zien of hij doorslaat. Maar eigenlijk om af te wachten of we geluk hebben. Kan hij lang wachten. Eerlijk gezegd, Rudd, hebben we niet veel.'

'Zo te zien heb je wel veel argwaan.'

Landy kreunt en lacht. 'Daar zijn we goed in. Kijk maar eens naar hem, natuurlijk hebben we argwaan. Ik zou hem veroordelen tot tien jaar eenzame opsluiting, alleen al op basis van de eerste indruk.'

'Vijf misschien,' zeg ik.

'Praat met hem en als je wilt, laat ik je morgen zijn dossier zien.'

'Oké, ik ga naar binnen, maar ik ken deze vent niet en weet niet eens of ik zijn advocaat wel zal worden. Het is altijd de vraag of iemand me kan betalen en hij ziet er niet erg welvarend uit. Als hij geen geld heeft, neemt een pro-Deoadvocaat het van me over en ben ik weg.'

'Veel plezier.'

4

Swanger haalt zijn voeten van de tafel en staat op. We stellen ons aan elkaar voor. Stevige handdruk, oogcontact, ontspannen stem zonder een spoortje ongerustheid.

Omdat ik laconiek wil lijken, beheers ik me en vraag hem niet of hij die verdomde bril wil afzetten. Als hij hem mooi vindt, dan vind ik hem prachtig.

'Ik heb u op tv gezien,' zegt hij. 'Die kooivechter die die scheids heeft gedood. Wat is er met hem gebeurd?'

'Die zaak is nog niet voorgekomen. Ga je weleens naar kooigevechten?'

'Nee. Mijn moeder en ik kijken ernaar op tv. Een paar jaar geleden heb ik overwogen dat ook te gaan doen.'

Ik schiet bijna in de lach. Zelfs als hij vijftien kilo zou afvallen en acht uur per dag zou trainen, hield hij het nog geen tien seconden vol in een kooi. Hij zou waarschijnlijk al in de kleedkamer flauwvallen. Ik zit aan de tafel, met lege handen, en vraag: 'Goed, waar wilde je met mij over praten?'

'Dat meisje, man, u weet wel. Hier denken ze dat ik daar iets mee te maken heb en ze zitten me op de huid. Ze achtervolgen me nu al maanden, verstoppen zich altijd in de schaduw alsof ik niet weet wat er aan de hand is. Dit is de tweede keer dat ze me hiernaartoe hebben gesleept, net zoals je weleens op de tv ziet. Kijkt u weleens naar *Law & Order*? Nou, deze jongens hebben daar veel te vaak naar gekeken en het zijn echt heel slechte acteurs, snapt u? Die ouwe met dat grijze haar, Reardon heet ie volgens mij, dat is de goeie, altijd alleen maar op zoek naar de waarheid en naar manieren om me te helpen. Goed. En die magere, Barkley, die komt hier naar binnen en begint meteen te schreeuwen. Ze wisselen elkaar af, *good cop, bad cop*, alsof ik dat spelletje niet ken. Dit is echt niet mijn eerste keer, vriend.'

'Maar dit is wel de eerste keer dat u van moord wordt beschuldigd, nietwaar?'

'Rustig aan, Superman. Ik ben nog nergens van beschuldigd.'

'Oké, ik neem aan dat u wilt dat ik u verdedig als u wél van moord wordt beschuldigd.'

'Jee zeg, waarom zou ik u anders laten komen, meneer Rudd? Ik weet niet zeker of ik nu een advocaat nodig heb, maar zo voelt het verdomme wel!'

'Oké. Hebt u een baan?'

'Af en toe. Hoeveel rekent u voor een moordzaak?'

'Hangt af van hoeveel iemand kan betalen. Voor een zaak als deze wil ik duizend dollar vooraf ontvangen, alleen om ons door de voorlopige-tenlasteleggingsfase te krijgen. Zodra we echt een proces moeten voeren, dan wordt het pas een hoog bedrag. En als we het niet eens kunnen worden, moet u ergens anders naartoe.'

'Waar naartoe?'

'Het pro-Deokantoor. Zij behandelen vrijwel alle moordzaken.'

'Logisch. Maar wat u hier niet laat meewegen, meneer Rudd, is alle publiciteit. Maar weinig zaken zijn zo belangrijk als deze: knappe meid, belangrijke familie, en dan die baby. Als ze echt een kind heeft gekregen, waar is ie dan, hè? De media zullen erbovenop zitten. U moet dus begrijpen dat deze zaak de voorpagina's zal halen, dat doet het nu al zo ongeveer. Ik heb u op tv gezien. Ik weet hoe heerlijk u het vindt om voor de camera's te blaffen en te grommen en te paraderen. Deze zaak wordt een goudmijn voor mijn advocaat. Denkt u ook niet, meneer Rudd?'

Hij slaat de spijker op de kop, maar dat kan ik natuurlijk niet toegeven. Ik zeg: 'Ik werk niet voor niets, meneer Swanger, hoeveel publiciteit een zaak ook oplevert. Ik heb te veel andere cliënten.'

'Natuurlijk hebt u dat, een belangrijke advocaat als u. Ik heb ook geen groentje gevraagd om mijn nek te redden. Ze hebben het over de doodstraf, man, en dat menen ze. Ik krijg dat geld wel bij elkaar, hoe dan ook. De vraag is: wilt u mijn zaak aannemen?'

Normaal gesproken heeft de verdachte op dit moment tijdens het eerste gesprek de beschuldiging allang ontkend. Het valt me op dat Swanger dit niet heeft gedaan, hij heeft nog met geen woord gerept over zijn schuld of onschuld. Sterker nog, het lijkt wel alsof een voorlopige tenlastelegging hem blij zou maken, met daarna een belangrijk proces.

Ik zeg: 'Ja, ik wil u wel verdedigen, ervan uitgaande dat we het eens worden over het honorarium en ervan uitgaande dat ze u echt iets ten laste leggen. Volgens mij is het nog lang niet zover. Ondertussen moet u uw mond houden tegenover de politie, tegenover iedere agent. Begrepen?'

'Begrepen, man. Kunt u ervoor zorgen dat ze me met rust laten, ophouden met me lastigvallen?'

'Ik zal zien wat ik kan doen.'

We geven elkaar weer een hand en ik verlaat het vertrek.

Rechercheur Reardon heeft zich niet verroerd. Hij heeft naar ons gesprek gekeken en er waarschijnlijk ook naar geluisterd, hoewel dat illegaal zou zijn.

Naast hem staat, in burgerkleding, Roy Kemp, de vader van het vermiste meisje. Hij kijkt me met een hatelijke blik aan, alsof de minuten die ik zojuist met hun eerste en nogal zwakke verdachte heb doorgebracht bewijzen dat ik bij de verdwijning van zijn dochter betrokken ben.

Ik heb medelijden met deze man en zijn familie, maar op dit moment zou hij het liefst een kogel door mijn achterhoofd jagen.

Voor het bureau staan nog meer verslaggevers. Als ze me zien, beginnen ze te springen en te duwen.

Ik duw ze opzij en als ze hun belachelijke vragen op me afvuren zeg ik: 'Geen commentaar, geen commentaar, geen commentaar.' Eentje schreeuwt zelfs: 'Meneer Rudd, heeft uw cliënt Jiliana Kemp ontvoerd?'

Het liefst zou ik naar deze mafkees toe lopen en hem vragen of hij misschien een nóg dommere vraag kan bedenken. Maar ik duw hem opzij en stap naast Partner in de bus.

5

Om zes uur schreeuwen de nieuwslezers dat de politie een verdachte heeft in de zaak-Kemp. Ze laten beelden zien van Arch Swanger, die, belaagd door verslaggevers, probeert om niet lang na mij Central te verlaten. Volgens bronnen, anoniem natuurlijk maar ongetwijfeld komt het ergens van het politiebureau, is hij verhoord door de politie en zal hij binnenkort worden gearresteerd en beschuldigd van ontvoering en moord. Hij is schuldig, want hij heeft Sebastian Rudd ingehuurd om hem te verdedigen! Ze laten mij zien, terwijl ik met een kwade blik naar de camera's kijk.

Eindelijk kan de City opgelucht ademhalen: de politie heeft de moordenaar gevonden. Om de enorme druk op hen te verlichten, om het proces met een vergiftigde publieke mening te beginnen en om de indruk van schuld te wekken, manipuleren ze de pers, zoals altijd. Hier en daar een lek, en de camera's komen eraan om het gezicht te filmen dat iedereen zo wanhopig graag wilde zien. De 'journalisten' volgen hen gretig, en Arch Swanger is zo goed als veroordeeld.

Waarom is er eigenlijk nog een proces nodig? Als de politie de verdachte niet veroordeeld kan krijgen met bewijzen, schakelen ze de media in om dat voor elkaar te krijgen met wantrouwen.

6

Ik breng heel veel tijd door in een gebouw dat officieel en liefkozend de Oude Rechtbank heet. Het is een groots oud pand, gebouwd rondom de eeuwwisseling, met enorme gotische zuilen en hoge plafonds, brede marmeren gangen met aan weerszijden bustes en portretten van overleden rechters, spiraalvormige trappen en vier verdiepingen met rechtszalen en kantoren. Meestal wemelt het er van de mensen: advocaten die aan het werk zijn, partijen die op zoek zijn naar de juiste rechtszaal, families van verdachten die angstig ronddolen, kandidaat-juryleden die met hun oproep in de hand rondlopen en politieagenten die wachten tot ze moeten getuigen. Er zijn vijfduizend advocaten in deze stad, en af en toe lijkt het wel alsof we allemaal tegelijk in de Oude Rechtbank zijn.

Als ik op een ochtend na een hoorzitting door het gebouw loop, gaat een man die me vaag bekend voorkomt naast me lopen en vraagt: 'Hallo, Rudd, heb je even?'

Zijn uiterlijk, zijn toon en zijn onbeschoftheid zinnen me niet. Waarom geen menéér Rudd? Ik loop door, en hij dus ook. 'Kennen we elkaar?' vraag ik.

'Dat maakt niet uit. We moeten iets bespreken.'

Ik kijk opzij: slecht pak, kastanjebruin overhemd, lelijke stropdas en op zijn gezicht een paar kleine littekens veroorzaakt door vuisten en bierflesjes. 'Is dat zo,' zeg ik, zo onbeleefd mogelijk.

'Over Link.'

Mijn hersens zeggen me dat ik door moet lopen, maar mijn voeten houden gewoon op met bewegen. Mijn maag maakt een lange, misselijkmakende salto en mijn hart slaat op hol. Ik kijk de schurk aan en zeg: 'Zo zo, en waar zit Link tegenwoordig?'

Sinds zijn dramatische ontsnapping uit de dodencellen zijn er twee maanden verstreken, en in die tijd heb ik taal noch teken van hem vernomen. Niet dat ik dat had verwacht, maar toch ben ik niet erg verbaasd. Bang misschien, maar niet geschokt. We lopen naar het einde van de gang voor een beetje privacy. De vent zegt dat hij Fango heet, en er is tien procent kans dat Fango inderdaad de naam is die op zijn geboorteakte staat.

In een hoek, met mijn rug naar de muur zodat ik alle passanten kan zien, praten we heel zacht met elkaar; onze lippen bewegen amper.

Fango zegt: 'Link maakt een zware tijd door, weet je. Geld is een probleem, een groot probleem, omdat de politie iedereen in de gaten houdt die ook maar een beetje met die zaak te maken heeft: zijn zoon, zijn familie, mij, iedereen. Als ik vandaag een ticket naar Miami zou kopen, zou de politie het weten. Verstikkend, begrijp je?'

Niet echt, maar ik knik.

Hij zegt: 'Maar goed, Link vindt dat je hem geld verschuldigd bent. Hij heeft je een heleboel betaald en er niets voor teruggekregen. Je hebt hem gewoon genaaid, weet je, en nu wil Link zijn geld terug.'

Ik lach alsof ik nog nooit zoiets grappigs heb gehoord. En het is ook lachwekkend: een cliënt die verliest wil na afloop van zijn proces zijn geld terug.

Maar Fango is hier niet voor in de stemming.

'Dat is grappig,' zeg ik. 'En hoeveel wil hij terug?'

'Alles. Honderdduizend. Contant.'

'Ik begrijp het. Dus heb ik al dat werk eigenlijk voor niets gedaan, klopt dat, Fango?'

'Link zou zeggen dat al je werk klote was. Hij is er niets mee opge- schoten. Hij had je ingehuurd omdat je een bekende advocaat bent die ervoor had moeten zorgen dat zijn veroordeling werd herroepen. Dat is natuurlijk niet gebeurd, sterker nog, hij werd schuldig verklaard. Hij vindt dat je slecht werk hebt verricht, vandaar die terugbetaling.'

'Link is veroordeeld omdat hij een rechter heeft vermoord. Vreemd genoeg worden de andere rechters als zoiets gebeurt, wat trouwens zel- den voorkomt, woedend. Dat heb ik Link allemaal uitgelegd voordat hij me inhuurde. Ik heb het zelfs opgeschreven. Ik heb hem verteld dat het ontzettend moeilijk zou zijn om zijn zaak te winnen, omdat de staat overweldigend veel bewijzen had. Natuurlijk heeft hij me contant betaald, maar ik heb het in mijn administratie vermeld en ongeveer een derde deel aan de belastingdienst afgedragen. De rest heb ik lang geleden al uitgegeven, dus is er niets meer over voor Link. Sorry.'

Partner komt naar ons toe en ik knik.

Fango ziet mijn assistent, herkent hem en zegt: 'Jij hebt één pitbull, Rudd, maar Link heeft er nog altijd een paar meer. Je hebt dertig dagen om dat geld bij elkaar te krijgen. Dan kom ik terug.' Hij draait zich om, duwt Partner expres opzij en loopt weg.

Mijn assistent zou zijn nek kunnen breken, maar ik maak hem met een gebaar duidelijk dat hij het maar moet laten zitten. Het heeft geen zin om in de Oude Rechtbank met iemand op de vuist te gaan, hoewel ik dat hier al een paar keer heb zien gebeuren.

Meestal waren het kwade advocaten die elkaar in de haren vlogen.

7

Niet lang nadat Tadeo beroemd was geworden doordat hij een scheidsrechter doodde, kreeg ik aanbiedingen van artsen die beweerden getuige-deskundige te zijn en aangaven dat ze wilden meewerken aan
de zaak. Het waren er vier, allemaal met een medische titel en een indrukwekkend cv, allen met ervaring in juryprocessen. Ze hadden over
de zaak gelezen, de videobeelden gezien en, in verschillende mate, allemaal dezelfde mening verkondigd, namelijk dat Tadeo ontoerekeningsvatbaar was toen hij Sean King in de ring aanviel: hij begreep het
verschil niet tussen goed en kwaad, noch wist hij wat hij deed.

'Ontoerekeningsvatbaarheid' is een juridische term, geen medische.

Ik heb ze alle vier gesproken, liet wat onderzoek verrichten, heb bij
andere advocaten geïnformeerd die hen hadden gebruikt en liet mijn
keus vallen op dokter Taslman uit San Francisco. Voor twintigduizend
dollar plus onkosten is hij bereid ten gunste van Tadeo te getuigen en
de jury over te halen. Hoewel hij de verdachte nog nooit heeft ontmoet,
is hij ervan overtuigd dat hij de waarheid kent, en de waarheid kan
kostbaar zijn, vooral als die afkomstig is van getuige-deskundigen. Ons
systeem zit boordevol 'experts' die amper iets doen in de zin van les-
geven, research doen of schrijven. Nee, ze reizen het hele land door als
ingehuurde specialisten die voor veel geld een getuigenis afleggen. Het
maakt niet uit waar het over gaat – een paar feiten, een geheimzinnige
zaak, een onverklaarbaar resultaat, eigenlijk alles dus – of je vindt een
hele lading doctors die bereid zijn te getuigen met allerlei wilde theorieën. Ze adverteren, ze solliciteren, ze jagen op zaken, ze hangen rond
op conferenties waar advocaten bij elkaar komen om iets te drinken en
aantekeningen te vergelijken. Ze scheppen op over 'hun vonnissen' en
reppen zelden over hun verloren zaken.

Een enkele keer worden ze ontmaskerd tijdens een scherp kruisverhoor, maar ze kunnen zaken blijven doen omdat ze vaak zo nuttig zijn.
In een strafproces hoeft een getuige-deskundige maar één jurylid te

overtuigen zodat de jury geen unaniem vonnis kan uitspreken en er een geding zonder conclusie ontstaat. Als hij dat tijdens de beroepszaak weer voor elkaar krijgt, gooit de staat meestal de handdoek in de ring.

Ik ontmoet Tadeo in een bezoekerskamer in het huis van bewaring, onze gebruikelijke ontmoetingsplek, en bespreek Taslmans mogelijke rol bij zijn verdediging. De getuige-deskundige zal verklaren dat hij, Tadeo, een black-out had, gek werd en zich niet kan herinneren wat er is gebeurd. Tadeo ziet deze nieuwe theorie wel zitten. Ja, nu hij eraan denkt, was hij echt ontoerekeningsvatbaar. Ik meld Taslmans tarief en Tadeo zegt dat hij platzak is. Toen ik mijn tarief noemde, was hij zelfs nog meer platzak. Ik hoef natuurlijk niet te zeggen dat ik Tadeo Zapate alleen verdedig omdat ik van hem houd. Daarom, en vanwege de publiciteit.

Dit is de O.J. Simpson-honorariumtheorie: ik betaal je geen cent, je moet me dankbaar zijn dat je überhaupt hier bént, ga geld verdienen met je boek.

Met de door de twee Harry's voorbereide documenten dien ik de juiste motie in met de aankondiging dat we ons op ontoerekeningsvatbaarheid zullen beroepen.

De hoofdofficier van justitie, Max Mancini, begint zoals altijd te joelen. Max heeft de volledige leiding over de zaak-Zapate, voornamelijk vanwege het overweldigende bewijs, maar ook vanwege de publiciteit. Hij biedt nog steeds vijftien jaar aan voor doodslag. Ik houd vast aan tien jaar, hoewel ik betwijfel of mijn cliënt dat wel wil. Terwijl de weken verstrijken en Tadeo urenlang gratis juridisch advies van zijn medegevangenen krijgt, is hij er zelfs nog meer van overtuigd geraakt dat ik op de een of andere manier aan de juiste touwtjes zal kunnen trekken om hem uit de cel te halen. Hij wil dat we proberen hem vrij te krijgen op basis van een vormfout waar al zijn celgenoten alles van weten.

Dokter Taslman komt naar de stad en we lunchen samen. Hij is een gepensioneerde psychiater die nooit les wilde geven of naar patiënten wilde luisteren. Ontoerekeningsvatbaarheid heeft hem altijd gefascineerd: de crime passionnel, de onweerstaanbare impuls, het moment waarop de geest zo vol zit met emotie en haat dat deze het lichaam opdracht geeft gewelddadig te worden en wel op een manier die daarvoor ondenkbaar was. Hij geeft er de voorkeur aan als enige het woord te voeren, op die manier wil hij mij ervan overtuigen dat hij briljant is. Terwijl ik naar zijn bullshit zit te luisteren, probeer ik in te schatten hoe een jury op hem zal reageren. Hij is aardig, intens, slim en een goede prater. Bovendien komt hij uit Californië, drieduizend kilometer hiervandaan. Iedere advocaat weet dat hoe groter de afstand is die een deskundige heeft afgelegd, hoe geloofwaardiger de jury hem vindt.

Ik geef hem een cheque voor de helft van zijn tarief. De andere helft krijgt hij in de rechtbank.

Hij heeft Tadeo twee uur lang beoordeeld en – verrassing, verrassing – weet nu zeker dat de knul een black-out heeft gehad, doordraaide en zich niet kan herinneren dat hij de scheidsrechter verrot heeft geslagen.

Dus hebben we nu een verdediging, hoe zwak ook. Ik ben niet erg optimistisch, omdat de staat er ook twee of drie deskundigen bij zal halen, stuk voor stuk even geloofwaardig als Taslman, en ook zij zullen ons overweldigen met hun briljante geest. Tadeo zal getuigen en dat geweldig doen, misschien slaagt hij er zelfs in een paar tranen tevoorschijn te toveren, en daarna zal hij tijdens het kruisverhoor door Mancini worden vermorzeld.

Maar de video liegt niet. Ik ben er nog steeds van overtuigd dat de juryleden de beelden steeds weer zullen bekijken en dan de waarheid zullen zien. Zwijgend zullen ze de spot drijven met Taslman en Tadeo uitlachen, en terugkomen met een veroordeling. Schuldig betekent twintig tot dertig jaar. Op de dag van het proces zal ik de officier van justitie misschien kunnen overhalen dit te verminderen tot twaalf of vijftien jaar.

Hoe kan ik een koppige tweeëntwintigjarige overhalen om schuld te bekennen in ruil voor vijftien jaar? Door hem bang te maken met dertig jaar? Dat betwijfel ik. De geweldige Tadeo Zapate heeft zich nooit gemakkelijk bang laten maken.

8

Vandaag is Starchers achtste verjaardag. Het aangevallen en mishandelde gerechtelijk bevel waarin staat hoeveel tijd ik met mijn zoon mag doorbrengen, zegt dat ik twee uur krijg, op al zijn verjaardagen.

Volgens zijn moeder is twee uur te veel; zij vindt één uur meer dan genoeg en helemaal geen tijd zou haar voorkeur hebben. Haar doel is me helemaal uit zijn leven te bannen, maar dat laat ik niet gebeuren. Ik ben misschien een slechte vader, maar ik doe mijn best. En misschien komt er ooit een dag waarop de jongen naar mij toe wil om weg te zijn van zijn ruziënde moeders.

Dus zit ik in een McDonald's te wachten tot mijn twee uur beginnen. Eindelijk komt Judith eraan met haar Jaguar, haar advocatenauto. Ze stapt uit, samen met Starcher, sleept hem mee naar binnen en als ze me ziet, kijkt ze kwaad alsof ze liever ergens anders zou zijn, en draagt hem aan me over. 'Ik ben om vijf uur terug,' sist ze.

'Het is al kwart over vier,' zeg ik, maar ze doet net alsof ze me niet heeft gehoord en loopt geïrriteerd weg.

Starcher gaat tegenover me zitten.

Ik glimlach en vraag: 'Hoe gaat ie, knul?'

'Oké,' mompelt hij, bijna bang om iets tegen zijn vader te zeggen.

Ik kan me voorstellen dat ze hem tijdens de rit hiernaartoe heeft opgezadeld met allerlei strenge instructies. 'Raak dat eten niet aan. Waag het niet dat spul daar op te drinken. Ga niet in die speeltuin spelen. Was je handen. Beantwoord geen vragen als "hij" je ondervraagt over Ava en mij of over iets anders wat met ons huis te maken heeft. Vermaak je niet.'

Meestal heeft hij een paar minuten nodig om deze instructieregen van zich af te schudden en zich in mijn aanwezigheid te ontspannen.

'Gefeliciteerd met je verjaardag,' zeg ik.

'Bedankt.'

'Mama vertelde me dat je zaterdag een groot feest geeft. Met heel veel kinderen en taart en dat soort dingen. Klinkt geweldig.'

'Misschien wel,' zegt hij.

Ik ben natuurlijk niet uitgenodigd voor dat feest. Dat is bij hem thuis, de plek waar hij tot nu toe de helft van zijn leven heeft gewoond met Judith en Ava. Een plaats die ik nog nooit heb gezien.

'Heb je honger?'

Hij kijkt om zich heen. Het is een McDonald's, een paradijs voor kinderen, waar alles zorgvuldig is ontworpen met het doel mensen te laten verlangen naar het eten dat er op de muren veel lekkerder uitziet dan op de tafels. Hij kijkt naar een grote poster met een nieuw ijsje dat de McGlacier heet en er heerlijk uitziet.

Ik zeg: 'Ik denk dat ik die maar eens ga proeven. Jij?'

'Mama zegt dat ik hier maar beter niets kan eten, dat het allemaal slecht voor me is.'

Dit is mijn tijd, niet Judiths tijd.

Ik glimlach en leun naar hem toe, alsof we nu samenzweerders zijn. 'Maar mama is hier niet, wel? Ik zal het haar niet vertellen. Alleen wij jongens, oké?'

Hij grijnst en zegt: 'Oké.'

Ik haal een doos met cadeaupapier eromheen onder de tafel vandaan en zet hem op tafel. 'Dit is voor jou, knul. Gefeliciteerd. Maak maar open.'

Hij duikt erbovenop en ik loop naar de toonbank.

Als ik terugkom met het ijs, zit hij naar een klein backgammonbord te kijken. Toen ik jong was, leerde mijn opa me dammen, toen backgammon en daarna schaken. Ik was gefascineerd door alle soorten bordspellen. Als kind kreeg ik elke verjaardag en elke kerst zo'n spel. Toen ik tien was, had ik er een heleboel in mijn kamer, een uitgebreide collectie waar ik heel voorzichtig mee was. Ik verloor zelden een spel. Mijn favoriet werd backgammon en ik zeurde mijn opa, mijn moeder, mijn vrienden, iedereen eigenlijk, eindeloos aan het hoofd om te spelen. Toen ik twaalf was, bereikte ik de derde plaats in een door de stad georganiseerd toernooi voor kinderen. Toen ik achttien was, behaalde ik goede resultaten tijdens toernooien voor volwassenen. Op de universiteit speelde ik voor geld tot de andere studenten niet langer met me wilden gokken.

Ik hoop dat ik iets hiervan op mijn zoon kan overdragen. Het is nu al duidelijk dat hij vrijwel zeker op mij zal lijken en precies zoals ik zal praten en lopen. Hij is heel slim, hoewel ik moet toegeven dat hij dat voor een groot deel ook aan zijn moeder te danken heeft. Judith en Ava houden hem weg van videospelletjes en na het proces-Renfro ben ik daar heel blij om.

'Wat is dat?' vraagt hij. Hij schuift zijn McGlacier naar zich toe en kijkt naar het bord.

'Dat heet backgammon, een bordspel dat al eeuwen bestaat. Ik ga het je leren.'

'Lijkt moeilijk,' zegt hij en hij neemt een grote hap.

'Dat valt wel mee. Ik speelde het al toen ik acht was. Je leert het wel.'

'Goed,' zegt hij, klaar voor de uitdaging. Ik zet de stenen neer en begin met de basisregels.

9

Partner zet onze bus op een drukke parkeerplaats en loopt het winkelcentrum in. Hij zal naar een restaurant met twee verdiepingen gaan dat grenst aan een vleugel van het winkelcentrum, naar boven lopen en in een kleine open bar een plekje bij het raam zoeken. Daar zal hij de bus in de gaten houden om te kijken wie dat nog meer doet.

Om vier uur klopt Arch Swanger op de schuifdeur. Ik doe hem open. Welkom in mijn kantoor.

Hij gaat in een comfortabele fauteuil zitten en kijkt om zich heen. Hij glimlacht naar het leer, de televisie, de stereo, de bank, de koelkast. 'Best cool,' zegt hij. 'Is dit echt uw kantoor?'

'Ja, echt.'

'Ik dacht dat een hoge piet zoals u wel een chic kantoor zou hebben in een van die hoge gebouwen in het centrum.'

'Dat heb ik ooit wel gehad, maar daar is een brandbom in gegooid. Nu ben ik liever een bewegend doelwit.'

Hij kijkt me even aan alsof hij twijfelt of ik het meen. Zijn malle blauwe bril is vervangen door een zwarte leesbril waarmee hij er inderdaad iets intelligenter uitziet. Hij draagt een zwarte fluwelen platte pet die authentiek lijkt. Alles bij elkaar ziet het er goed uit, een effectieve vermomming. Van drie meter afstand zou je niet weten dat het dezelfde man is.

Hij vraagt: 'Echt waar, is er een brandbom in uw kantoor gegooid?'

'Ja, vijf jaar geleden. Vraag me niet wie het heeft gedaan, want dat weet ik niet. Het was een drugsdealer of een undercoverpolitieagent. Persoonlijk denk ik dat het iemand van Narcotica was, want de politie toonde weinig belangstelling tot ze de brand kwamen onderzoeken.'

'Weet u, dat vind ik nu zo prettig aan u, meneer Rudd. Mag ik Sebastian zeggen?'

'Ik geef de voorkeur aan meneer Rudd, tot u me inhuurt. Daarna mag u me Sebastian noemen.'

'Oké, meneer Rudd, ik vind het geweldig dat de politie u niet mag en u hen niet.'

'Ik ken heel veel agenten van het korps en we kunnen het uitstekend met elkaar vinden,' zeg ik, en dat is maar een heel klein beetje overdreven, want ik mag Nate Spurio en een paar anderen wel. 'Laten we het over zaken hebben. Ik heb even gesproken met de rechercheur, onze vriend Landy Reardon, en de politie heeft niet veel bewijzen in handen. Ze weten vrijwel zeker dat u hun man bent, alleen kunnen ze dat nog niet bewijzen.'

Dit zou het perfecte moment zijn om te ontkennen dat hij schuldig is. Zoiets eenvoudigs en absoluut niet origineels als 'Ze hebben de verkeerde op het oog' zou goed zijn.

Maar nee, hij zegt: 'Ik heb wel vaker een advocaat gehad, al een paar, de meeste waren me toegewezen door de rechtbank, en ik heb nooit het gevoel gehad dat ik ze kon vertrouwen, snapt u? Maar dat gevoel heb ik wel bij u, meneer Rudd.'

'Terug naar de deal. Voor tienduizend dollar vertegenwoordig ik u gedurende de fase van de voorlopige tenlastelegging. Nadat u in staat van beschuldiging bent gesteld en in afwachting van het proces, zal mijn vertegenwoordiging ten einde zijn. Op dat moment zullen we onze toekomst samen opnieuw bespreken.'

'Ik heb geen tienduizend dollar en ik vind dat ook veel te veel voor de fase van de voorlopige tenlastelegging. Ik weet hoe het systeem werkt.'

Hij heeft niet helemaal ongelijk. Tienduizend voor de eerste strubbelingen is een beetje veel, maar ik begin altijd aan de hoge kant. 'Ik ga niet onderhandelen. Ik ben een drukbezette advocaat met heel veel cliënten.'

Uit de zak van zijn overhemd haalt hij een opgevouwen cheque. 'Hier hebt u vijfduizend, van de bankrekening van mijn moeder. Meer kunnen we niet betalen.'

Ik vouw de cheque open: plaatselijke bank, vijfduizend dollar, ondertekend door Louise Powell.

Hij zegt: 'Powell was haar derde man, dood. Mijn ouders zijn gescheiden toen ik nog klein was. Heb mijn lieve oude vader al heel lang niet gezien.'

Vijfduizend dollar houdt me in het spel en is geen slechte beloning voor de eerste twee rondes. Ik vouw de cheque weer op, stop hem in het zakje van mijn overhemd en pak een contract voor juridische dienstverlening.

Mijn mobiele telefoon ligt op de kleine tafel voor me en begint te trillen. Partner belt me.

'Neem me niet kwalijk, ik moet dit gesprek aannemen.'

'Het is uw kantoor.'

Partner zegt: 'Twee politieagenten in een witte Jeep twintig meter verderop. Zijn net gestopt en kijken naar de bus.'

'Bedankt. Hou me op de hoogte.'

Tegen Swanger zeg ik: 'Je vrienden hebben je gevonden. Ze weten dat je hier bent en ze kennen mijn bus. Maar er is natuurlijk niets mis met een advocaat die een ontmoeting heeft met zijn cliënt.'

Hij schudt zijn hoofd en zegt: 'Ze volgen me overal. U moet me helpen.'

Langzaam neem ik het contract met hem door. Als alles duidelijk is, ondertekenen we het allebei.

Voor de goede orde zeg ik: 'Ik ga nu meteen naar de bank. Als de cheque niet is gedekt, is dit contract ongeldig. Begrepen?'

'Denkt u dat ik een ongedekte cheque zou uitschrijven?'

Ik glimlach en zeg: 'Je moeder heeft hem uitgeschreven. Ik neem geen risico's.'

'Ze drinkt te veel, maar ze is geen bedriegster.'

'Het spijt me, Arch. Dat bedoelde ik ook niet. Het is alleen zo dat ik regelmatig ongedekte cheques krijg.'

Hij zwaait met zijn handen en zegt: 'Geen probleem.'

Dan zitten we een minuut of zo naar het tafelblad te staren.

Ten slotte vraag ik: 'Is er iets waar je graag over wilt praten, nu je een advocaat hebt?'

'Zit er bier in dat schattige koelkastje?'

Ik steek mijn hand uit, open de deur en haal er een blikje bier uit.

Hij maakt hem open en neemt een grote slok. Hij geniet ervan en zegt lachend: 'Volgens mij is dit het duurste biertje dat ik ooit heb gehad.'

'Dat is één manier om ernaar te kijken. Vergeet niet dat geen enkele andere advocaat je in zijn kantoor een biertje zou serveren.'

'Dat is waar. U bent de eerste.' Nog een slok. 'Goed, Sebastian, nu is het Sebastian immers, nu ik je honorarium heb betaald en we een contract hebben ondertekend.'

'Sebastian is prima.'

'Oké, Sebastian, wat krijg ik behalve dit biertje nog meer voor vijf-duizend dollar?'

'Om te beginnen juridisch advies. En bescherming, die agenten zul-len niet meer de neiging hebben je naar het bureau te slepen en je lastig te vallen met een van hun beruchte tien uur durende verhoorsessies. Ze zullen je met rust laten en alles volgens het boekje doen. Ik heb con-tact met rechercheur Reardon en ik zal proberen hem ervan te over-tuigen dat ze niet genoeg bewijzen hebben om door te gaan met deze zaak. Als ze wel bewijzen vinden, zal ik dat wel te horen krijgen.'

Hij pakt het blikje, drinkt hem leeg en veegt met een mouw zijn mond droog. Een dorstige corpsbal had dit blikje niet sneller kunnen legen.

Dit is alweer een perfect moment voor hem om iets te zeggen als: 'Er is geen bewijs.' Maar hij boert en vraagt: 'En als ik word gearresteerd?'

'Dan ga ik naar het huis van bewaring om te proberen je vrij te krij-gen, wat niet zal lukken. Als je in deze stad wordt beschuldigd van moord betekent dat geen borg. Ik zal een heleboel moties indienen en veel lawaai maken. Ik heb een paar vrienden bij de krant en zal laten uitlekken dat de politie amper bewijzen in handen heeft. En ik zal be-ginnen met het intimideren van de officier van justitie.'

'Dat is niet veel voor vijfduizend dollar. Krijg ik nog een biertje?'

Ik aarzel heel even en besluit dat twee de max is, in elk geval in mijn kantoor. Ik geef hem nog een blikje en zeg: 'Dan geef ik je het geld meteen terug, Arch, als je niet tevreden bent over onze afspraak. Zoals ik al zei, ben ik een drukbezette advocaat met heel veel cliënten. Vijf-duizend dollar zal mijn leven niet veranderen.'

Hij opent het blikje en neemt een gewone slok.

Ik vraag: 'Wil je de cheque terug?'

'Nee.'

'Hou dan op met zeuren over het bedrag.'

Hij kijkt me aan en voor het eerst zie ik de kille, lege blik van een moordenaar, iets wat ik eerder heb gezien.

Hij zegt: 'Ze gaan me vermoorden, Sebastian. Die politieagenten kunnen niets bewijzen, ze kunnen niemand anders vinden en staan onder enorme druk. Ze zijn bang voor me, omdat ze met jou te maken krijgen als ze me arresteren, en omdat ze geen bewijzen hebben, wil-len ze geen proces. Stel je eens voor dat ik onschuldig word verklaard. Kortom, ze willen me gewoon uitschakelen en besparen zodoende ie-dereen de moeite. Dat weet ik, omdat ze me dat hebben verteld. Niet rechercheur Reardon. Niet die hoge pieten in Central. Maar de agenten op straat, dezelfde jongens die me constant volgen, vierentwintig uur per dag. Ze houden zelfs de woonwagen in de gaten als ik lig te slapen. Ze kwellen me, pesten me, bedreigen me. En ik weet dat ze me gaan vermoorden, Sebastian. Je weet zelf hoe verrot dit korps echt is.' Hij zwijgt en neemt weer een slok.

'Dat betwijfel ik,' zeg ik. 'Natuurlijk zitten er wel een paar rotte appels tussen, maar ik heb nooit meegemaakt dat ze een moordverdachte hebben gedood alleen omdat ze niet genoeg bewijzen tegen hem hadden.'

'Ik kende een vent die ze hebben vermoord, een drugsdealer. Ze lieten het eruitzien als een mislukte aflevering.'

'Ik ga hier niet over in discussie.'

'Dit is het probleem, Sebastian. Als ze me doodschieten, vinden ze het lichaam van dat meisje nooit.'

Mijn maag verkrampt, maar ik vertrek geen spier. Alle verdachten ontkennen dat ze schuldig zijn. Het komt nooit voor dat ze schuld bekennen, zeker niet in zo'n vroeg stadium. Ik heb een verdachte in een strafzaak nooit gevraagd of hij schuldig was; dat is tijdverspilling en ze liegen toch. Ik vraag behoedzaam: 'Dus jij weet waar haar lichaam is?'

'Laat ik duidelijk zijn, Sebastian. Jij bent nu mijn advocaat en ik kan je alles vertellen, nietwaar? Ook al had ik tien meisjes vermoord en had ik hun lichaam verborgen. Als ik je dat zou vertellen, zou je geen woord mogen zeggen, klopt dat?'

'Dat klopt.'

'Nooit?'

'Er is slechts één uitzondering op die regel: als je me iets in vertrouwen vertelt en ik denk dat dit andere mensen in gevaar zal brengen, dan mag ik dat tegen de autoriteiten zeggen. Maar verder mag ik het nooit aan iemand doorvertellen.'

Hij glimlacht tevreden en neemt nog een slok. 'Rustig maar, ik heb geen tien meisjes vermoord. En ik zeg ook niet dat ik Jiliana Kemp heb gedood, maar ik weet wel waar ze is begraven.'

'Weet je ook wie haar wel heeft vermoord?'

Hij zwijgt even, zegt ja en zwijgt dan weer. Het is me duidelijk dat hij geen namen zal noemen. Ik haal een biertje voor mezelf uit de koelkast. We zitten een paar minuten in stilte te drinken. Hij houdt me in de gaten, alsof hij weet dat mijn hart als een razende tekeergaat.

Ten slotte zeg ik: 'Oké, je hoeft me geen details te vertellen, maar denk je dat het belangrijk is voor iemand, voor mij bijvoorbeeld, om te weten waar ze is?'

'Ja, maar ik moet erover nadenken. Misschien vertel ik het je morgen, maar misschien ook niet.'

Ik denk meteen aan de familie Kemp en aan hun onvoorstelbare nachtmerrie. Op dit moment haat ik deze vent en zou ik hem het liefst achter slot en grendel stoppen, of erger. Die vent zit gewoon bier te zuipen in mijn bus alsof er niets aan de hand is, terwijl die familie lijdt. 'Wanneer is ze vermoord?' vraag ik.

'Weet ik niet zeker. Echt niet, dat zweer ik. Maar ze heeft geen kind gekregen toen ze gevangenzat, als je dat soms wilt weten. Er is op de zwarte markt geen baby verkocht.'

'Je weet heel veel, hè?'

'Ik weet te veel en daarvoor word ik binnenkort vermoord. Ik moet misschien wel verdwijnen, weet je?'

'Vluchten is een duidelijk teken van schuld. Dat zal tijdens het proces tegen je worden gebruikt. Dat zou ik je daarom niet aanraden.'

'Je wilt dus dat ik hier blijf en me laat doodschieten?'

'De politie vermoordt geen verdachten, oké, Arch? Geloof me maar.'

Hij knijpt in zijn blikje en legt hem op de tafel. 'Op dit moment heb ik niets meer te zeggen, Sebastian. Tot ziens.'

'Je hebt mijn nummer.'

Hij opent de schuifdeur en stapt naar buiten. Partner ziet dat hij om zich heen kijkt, de politieagenten zoekt, het kleine winkelcentrum in loopt en verdwijnt.

Mijn assistent en ik rijden linea recta naar de bank. De cheque is niet gedekt. Een uur lang probeer ik Arch te bereiken en ten slotte krijg ik hem te pakken.

Hij verontschuldigt zich en belooft dat de cheque morgen gedekt zal zijn. Iets zegt me dat het stom van me zou zijn om hem te geloven.

10

Het is 4.33 uur als mijn telefoon gaat. Ik pak hem maar herken het nummer niet. Dat betekent altijd problemen. 'Hallo,' zeg ik.

'Hi, Sebastian, met mij, Arch. Heb je even?'

Natuurlijk, Arch. Gek genoeg heb ik het midden in de nacht niet heel druk. Ik haal diep adem en zeg: 'Natuurlijk heb ik wel even, Arch. Maar het is halfvijf uur 's nachts, dus kan het maar beter iets belangrijks zijn.'

'Ik ben de stad uit, oké, officieel op de vlucht. Ik heb ze afgeschud en ben door hun net geglipt, en ik kom niet terug, dus krijgen ze me nooit te pakken.'

'Grote fout, Arch. Je kunt maar beter een nieuwe advocaat zoeken.'

'Jij bent mijn advocaat, Sebastian.'

'Die cheque is ongedekt, Arch. Weet je nog wat ik zei?'

'Je hebt hem nog steeds, verzilver hem vandaag maar. Ik zweer je dat ie dan gedekt is.' Hij praat snel en kortaf, en hij klinkt alsof hij hard heeft gelopen. 'Luister, Sebastian, ik wil dat jij weet waar dat meisje is, oké? Alleen maar voor het geval mij iets overkomt. Er zijn anderen bij betrokken en ik zou zomaar de klos kunnen zijn, begrijp je wat ik bedoel?'

'Niet echt.'

'Ik kan het niet allemaal uitleggen, Sebastian. Het is ingewikkeld. Er zitten mensen achter me aan, zowel agenten als een paar jongens bij wie die agenten padvinders lijken.'

'Jammer dan, Arch. Ik kan je niet helpen.'

'Heb je dat billboard weleens gezien langs de snelweg, ongeveer een uur rijden ten zuiden van hier, een groot geel bord in een maisakker, waarop staat: VASECTOMIEHERSTELOPERATIES. Heb je dat bord weleens gezien, Sebastian?'

'Volgens mij niet.' Mijn redelijkheid en mijn instinct zeggen me dat ik dit gesprek onmiddellijk moet beëindigen. Gewoon ophangen, stomkop! En praat nooit meer met die vent. Maar fysiek verstijf ik en kan het niet.

Zijn stem klinkt nu levendig, alsof hij hier ontzettend van geniet. 'Hersteloperaties door dokter Woo. Overeenkomsten met alle verzekeraars. U kunt vierentwintig uur per dag bellen. Gratis telefoonnummer. Daar ligt ze begraven, Sebastian, onder dat billboard, naast een maisakker. Mijn vader heeft twee jaar voor mijn geboorte een vasectomie laten doen, niemand weet wat er misging en mijn moeder was verbijsterd. Misschien had ze een minnaar. Dus wie is mijn echte papa, hè? Ik vrees dat we dat nooit zullen weten. Maar goed, ik ben altijd gefascineerd geweest door vasectomieën. Een knipje hier en een knipje daar, vervolgens rijd je naar huis en kun je de rest van je leven je gang gaan. Zo'n eenvoudige procedure met zulke dramatische resultaten. Heb jij het al laten doen, Sebastian?'

'Nee.'

'Dacht ik al. Je bent een echte dekhengst.'

'Dus je hebt haar begraven, zeg je dat nou, Arch?'

'Ik zeg helemaal niets, Sebastian. Tot ziens en bedankt dat je dit geheim wilt houden. Je hoort nog van me.'

11

Ik sla een deken om me heen en ga buiten op het kleine terras zitten. Het is koud en donker, en de straten ver onder me zijn stil en verlaten.

Op dit soort momenten vraag ik me af waarom ik strafrechtadvocaat ben geworden. Waarom heb ik ervoor gekozen om te proberen mensen te beschermen die, de meesten dan, afschuwelijke dingen hebben gedaan? Ik kan dat rechtvaardigen met de gebruikelijke argumenten, maar soms ben ik zelf niet helemaal overtuigd. Ik denk aan de studie bouwkunde, mijn tweede keus. Maar ja, ik ken een paar architecten en die hebben hun eigen problemen.

Eerste scenario: Swanger vertelt de waarheid. Ben ik in dat geval op ethische en beroepsmatige gronden verplicht mijn mond te houden? Daaraan gekoppeld is de vraag: ben ik echt zijn advocaat? Nee en ja. We hebben een contract ondertekend, maar hij heeft dat contract verbroken door met een ongedekte cheque te betalen. Geen contract betekent geen vertegenwoordiging, maar dat is te makkelijk. Ik heb hem twee keer ontmoet en beide keren beschouwde hij me als zijn advocaat. Beide keren was het een duidelijke advocaat-cliëntontmoeting: hij vroeg om advies en ik gaf hem dat. Hij heeft dat grotendeels opgevolgd en me in vertrouwen genomen, en toen hij me over het lichaam vertelde, dacht hij zeker dat hij met zijn advocaat praatte.

Tweede scenario: laten we zeggen dat ik zijn advocaat ben, dat ik hem nooit meer terugzie en dat ik besluit de politie te vertellen wat hij me heeft opgebiecht. Dat zou een ernstige overtreding zijn van mijn beroepsgeheim, misschien wel zwaar genoeg om me te schorsen. Maar wie zou me aanklagen? Als hij op de vlucht is, of dood, hoeveel problemen kan hij me dan bezorgen?

Derde scenario: een heleboel. Als het lichaam ligt waar hij zegt dat het ligt, en ik vertel dat aan de politie, dan wordt Swanger opgejaagd, gevonden, berecht en veroordeeld, en krijgt hij de doodstraf. Daar zou hij mij dan de schuld van geven, en daar heeft hij een punt. Dat zou het einde van mijn carrière betekenen.

Vierde scenario: ik kan het de politie niet vertellen, nooit. Zij weten niet wat ik weet en ik ga het hun niet zeggen. Ik denk aan de familie Kemp en aan hun nachtmerrie, maar ik kan een vertrouwelijke relatie op geen enkele manier schenden. Met een beetje geluk zal de familie nooit weten dat ik het weet.

Vijfde scenario: Swanger liegt. Hij leek het me te graag te willen vertellen. Hij speelt een spelletje en betrekt me bij een afschuwelijk plan dat alleen maar verkeerd kan eindigen. Hij wist dat de cheque ongedekt was. Zijn arme moeder heeft in haar hele leven nog nooit vijfduizend dollar bij elkaar gezien, en hij ook niet.

Zesde scenario: Swanger liegt niet. Ik kan de informatie lekken aan Nate Spurio, mijn mol diep in het korps. Het lichaam wordt gevonden. Swanger wordt opgepakt en berecht en ik kom niet eens in de buurt van de rechtbank. Als hij dat meisje heeft vermoord, dan wil ik dat hij wordt opgesloten.

Ik bedenk nog een paar andere scenario's en alles wordt alleen maar onsamenhangender, niet duidelijker. Om halfzes zet ik koffie. Terwijl die aan het pruttelen is, leg ik alle vijftien ballen bij elkaar en begin met een zachte breakstoot. Mijn buurman heeft geklaagd over het geluid van tegen elkaar ketsende ballen op onmogelijke tijdstippen, dus werk ik aan mijn finesse. Ik begin te spelen, stoot de 8-ball in een hoekpocket, schenk een kop sterke koffie in en doe opnieuw een potje. Weer een breakstoot, waarna ik de 4-ball een paar centimeter van de pocket speel.

Drieëndertig op rij. Niet slecht.

Vasectomiehersteloperaties?

12

De politie houdt me in de gaten, maar halfhartig. Partner zegt dat ze me ongeveer de helft van de tijd volgen en dat ze fanatieker werden nadat Swanger me in de bus had opgezocht, maar dat is al meer dan een week geleden.

Partner zet me af bij Ken's Kars, een goedkoop tweedehandsautobe-drijf in het hispanic gedeelte van de stad. Ik heb wat werk voor Ken gedaan, waardoor ik hem uit het huis van bewaring kon houden, en hij en ik weten allebei dat onze samenwerking nog niet voorgoed voorbij is. Hij is gek op schimmige deals, hoe schimmiger hoe beter, en het is slechts een kwestie van tijd voordat een SWAT-team aan zijn deur komt met een nieuw arrestatiebevel.

Voor twintig dollar contant, per dag, is Ken bereid me een redelijke auto uit zijn zielige voorraad te 'verhuren', zonder vragen te stellen. Dat doe ik een enkele keer als ik denk dat ik word geschaduwd. Mijn zwarte Ford-bestelbus is vrij opvallend. De gedeukte Subaru die Ken voor mij heeft uitgekozen, zal nooit de aandacht trekken. Ik blijf een paar minuten met hem kletsen, we pesten elkaar een beetje en dan vertrek ik.

Ik rijd zigzaggend een paar rondjes door een vervallen deel van de stad, met één oog op de spiegel. Uiteindelijk vind ik een doorsteek naar de snelweg en als ik zeker weet dat niemand me volgt, rijd ik naar het zuiden. Ruim tachtig kilometer voorbij de stadsgrens rijd ik langs het bord van dokter Woo aan de overkant. Precies zoals Swanger al zei, is het een groot billboard aan de rand van een maisakker. Naast het woord VASECTOMIEHERSTELOPERATIES is het grote, maffe gezicht te zien van dokter Woo, die neerkijkt op het verkeer dat naar het noorden rijdt. Ik keer bij de eerstvolgende afslag, rijd zes kilometer terug naar het bord en parkeer er vlakbij. Het verkeer dreunt voorbij en mijn klei-ne Subaru wordt bijna opgetild door de windvlaag die de grote vracht-wagens veroorzaken. Naast de vluchtstrook is een greppel vol onkruid en afval, en erachter staat een omheining van gaas overwoekerd door druivenranken. Tussen de omheining en de maisakker loopt een gravel parallelweg. De boer die deze akker bezit, heeft een smalle rechthoek uitgehakt en verhuurd aan het reclamebedrijf, en in het midden daarvan staan vier grote metalen palen die het billboard ondersteunen. Eromheen onkruid, meer afval en een paar maisstengels, en erboven grijnst dokter Woo naar het verkeer en leurt met zijn vaardigheden.

Hij is wel de laatste man aan wie ik mijn testikels zou toevertrouwen.

Hoewel ik er geen ervaring mee heb, neem ik aan dat je onder dekking van de duisternis langs de parallelweg kunt sluipen om vervolgens een mooi graf te graven, er een lichaam naartoe te dragen, de kuil weer vol te gooien en er wat aarde en afval overheen te verspreiden zodat niemand het ziet. En vervolgens laat je een paar maanden verstrijken terwijl de seizoenen elkaar opvolgen en de aarde inklinkt.

Waarom zou je een plek uitzoeken die zo dicht bij een snelweg ligt waar twintigduizend auto's per dag overheen rijden? Ik heb geen idee, maar ik herinner mezelf eraan dat ik probeer de gedachten te begrijpen van een ongelofelijk getikte vent. Je in alle openheid verbergen werkt altijd, neem ik aan. En ik weet zeker dat deze plek om drie uur 's nachts behoorlijk verlaten is.

Ik kijk naar het onkruid onder het bord en denk aan de familie Kemp. En ik vervloek de dag waarop ik Arch Swanger heb leren kennen.

13

Twee dagen later sta ik te wachten in een gang in de Oude Rechtbank als ik een sms krijg van rechercheur Reardon. Hij zegt dat we moeten praten, en snel ook. Het is urgent.

Een uur later zet Partner me af bij Central en loop ik snel naar Reardons kleine en bedompte kantoor. Geen groet, geen handdruk, geen enkele vorm van begroeting, maar ja, dat verwacht ik ook niet.

Hij gromt: 'Heb je even?'

'Ik ben toch gekomen,' zeg ik.

'Ga zitten.' Er is maar één zitplaats, een leren bank vol stof en dossiers. Ik kijk ernaar en zeg: 'Hoeft niet. Ik blijf wel staan.'

'Moet je zelf weten. Weet je waar Swanger is?'

'Nee, geen idee. Dacht dat jullie hem in de gaten hielden.'

'Was ook zo, maar hij is weg. We hebben hem al zeker een week niet gezien. Verdwenen.' Hij laat zich in zijn houten draaistoel vallen en legt even later zijn voeten op zijn bureau. 'Ben je nog steeds zijn advocaat?'

'Nee. Toen hij me in dienst nam, betaalde hij met een ongedekte cheque. Ons contract is ongeldig.'

Een grijns, een niet-gemeende glimlach. 'Nou, daar denkt hij anders over. Dit kwam iets na middernacht binnen, op mijn kantoortelefoon.' Hij steekt zijn hand uit en drukt op twee knopjes op zijn antieke antwoordapparaat. Na de piep zegt Arch: 'Deze boodschap is voor rechercheur Landy Reardon. Dit is Arch Swanger. Ik ben weg en kom niet meer terug. Jullie hebben me nu al maanden gevolgd en ik ben het zat. Mijn arme moeder wordt helemaal gek van jullie constante surveillance en agressieve tactieken; laat haar alsjeblieft met rust! Zij is echt onschuldig, en ik ook. Je weet verdomd goed dat ik dat meisje niet kende, dat ik er niets mee te maken heb. Ik zou dit graag willen uitleggen aan iemand die bereid is te luisteren, maar als ik terugkom arresteren jullie me gewoon en smijten me in het huis van bewaring. Ik heb goede informatie, Reardon, en ik wil graag met iemand praten. Ik weet waar ze nu is. Wat vind je daarvan?'

Het blijft lang stil.

Ik kijk naar Reardon en hij zegt: 'Even wachten.'

Arch hoest een paar keer en als hij weer begint te praten, trilt zijn stem, alsof hij emotioneel is: 'Er zijn maar drie mensen die weten waar ze is begraven, Reardon. Maar drie: ik, de vent die haar heeft vermoord en mijn advocaat, Sebastian Rudd. Ik heb het Rudd verteld, omdat hij mijn advocaat is en het niemand mag vertellen. Is dat niet maf, Reardon? Waarom zou een advocaat zulke belangrijke geheimen voor zich mogen houden? Ik mag Rudd, begrijp me niet verkeerd. Verdomme, ik heb hem ingehuurd! En als jullie geluk hebben en me vinden, neem Rudd dan mee om me vrij te krijgen.' Weer is het stil en dan: 'Moet nu ophangen, Reardon. Later.'

Ik loop naar de leren bank en ga op een paar dossiers zitten.

Reardon schakelt het antwoordapparaat uit en leunt op zijn ellebogen naar voren. 'Dit gesprek kwam van een munttelefoon en we konden het niet traceren. We hebben geen idee waar hij is.'

Ik haal diep adem en probeer mijn gedachten te ontwarren. Er is geen enkele strategische of logische reden voor Swanger om de politie te vertellen dat ik weet waar het lichaam begraven is. Punt uit! En het feit dat hij niet kon wachten het mij te vertellen om het daarna aan de politie te verklappen, maakt dat ik hem nu zelfs nog meer wantrouw. Hij is een bedrieger, misschien zelfs een seriemoordenaar, een psychopaat die geniet van het spelen van spelletjes en van liegen. Maar wat hij ook is, en wat zijn motieven ook zijn, hij heeft me van een hoge rots gegooid en ik val in een diepe afgrond.

Opeens gaat de deur open en Roy Kemp komt binnen, de ondercommissaris van politie en de vader van het vermiste meisje. Hij doet de deur achter zich dicht en zet een stap naar me toe. Hij is een stoere vent, een ex-marinier met een hoekige kaaklijn en grijze stekels. Zijn ogen staan bezorgd en zijn rood, het bewijs van de tol die dit jaar heeft geëist. Zijn ogen stralen ook haat uit, waar ik kippenvel van krijg.

De kraag van mijn overhemd is opeens drijfnat.

Reardon staat op en laat zijn knokkels kraken alsof hij van plan is zijn vuisten te gebruiken, wat hij waarschijnlijk ook zal doen.

Het is dodelijk om zwakte te tonen aan een agent, een officier van justitie of een rechter, zelfs aan een jury. Maar op dit moment lukt het me niet om zelfs maar een heel klein beetje zelfvertrouwen uit te stralen, laat staan mijn gebruikelijke arrogantie.

Kemp komt meteen ter zake met: 'Waar is ze, Rudd?'

Ik sta langzaam op, hef beide handen en zeg: 'Ik moet hier over nadenken, oké. Dit overvalt me volkomen. Jullie hebben de tijd gehad
deze hinderlaag te plannen. Geef me wat tijd, oké?'

Kemp zegt: 'Ik geef geen donder om je beroepsgeheim en ethiek en al
die andere onzin, Rudd. Je hebt geen idee wat wij doormaken. We leven
al elf maanden en achttien dagen in een gruwelijke hel. Mijn vrouw kan
niet uit bed komen, mijn gezin valt uit elkaar, we zijn wanhopig, Rudd.'

Roy Kemp is niet alleen angstaanjagend, maar ook vooral een man
met intens verdriet, een vader die door zijn ergste nachtmerrie slaap-
wandelt. Hij heeft behoefte aan een lichaam, een begrafenis, een permanent graf waarbij hij en zijn vrouw op het gras kunnen knielen en
gepast kunnen rouwen. De horror en de onzekerheid moeten overweldigend zijn.

Hij blokkeert het smalle pad naar de deur en ik vraag me af of hij echt
fysiek zal worden.

Ik zeg: 'Luister, commissaris, u neemt aan dat alles wat Arch Swanger
zegt de waarheid is en dat zou weleens een verkeerde aanname kunnen
zijn.'

'Weet je waar mijn dochter is?'

'Ik weet wat Arch Swanger heeft gezegd, maar ik weet niet of hij de
waarheid heeft verteld. Eerlijk gezegd betwijfel ik dat.'

'Vertel het ons dan toch maar. Dan gaan we kijken.'

'Zo eenvoudig is het niet. Ik mag niet herhalen wat hij me in vertrouwen heeft verteld, dat weet u.'

Kemp sluit zijn ogen.

Ik kijk naar beneden en zie dat hij zijn vuisten heeft gebald en ze
langzaam weer ontspant. Ik kijk naar Reardon, die naar mij staart. Ik
kijk weer naar Kemp, die zijn rode ogen bijna gesloten heeft. Hij knikt,
alsof hij zegt: oké, Rudd, dan doen we het op jouw manier. Maar we
krijgen je wel te pakken.

Eerlijk gezegd sta ik helemaal aan hun kant. Ik zou heel graag alles
vertellen, om te zorgen dat het meisje op de juiste manier kan worden
begraven, om Swanger op te sporen en tevreden aan te zien dat een
jury hem schuldig verklaart aan moord. Maar dat is helaas geen optie.
Ik zet een klein stapje in de richting van de deur en zeg: 'Ik wil nu graag
vertrekken.'

Kemp verroert zich niet en op de een of andere manier slaag ik erin langs hem heen te glippen zonder een vechtpartij uit te lokken. Als ik de deurkruk vastpak, voel ik bijna een mes in mijn rug, maar ik overleef het en stap de gang in. Nooit eerder heb ik Central haastiger verlaten.

14

Het is de derde vrijdag van de maand en dus tijd voor mijn afspraak met Judith voor onze verplichte twee drankjes. We willen het allebei niet, maar we zijn geen van beiden bereid dat te erkennen en het te cancelen. Dat zou betekenen dat we een zwakte toegeven, iets wat we gewoon niet kunnen doen, niet aan elkaar tenminste. We maken onszelf wijs dat we deze communicatielijn open moeten houden, omdat we samen een zoon hebben. Arm kind.

Dit is onze eerste afspraak sinds ze me naar de rechtbank heeft gesleept in haar zielige poging het bezoekrecht helemaal te schrappen. Dus nu die kleine onenigheid nog steeds in de lucht hangt, zal de spanning helemaal te snijden zijn. Eerlijk gezegd hoopte ik dat ze zou afzeggen. Ik kan nu heel gemakkelijk worden verleid om iemand uit te foeteren.

Ik ben op tijd in de bar en ga op onze vaste plek zitten.

Zij komt zoals altijd op tijd, maar met een vriendelijke blik op haar gezicht. Judith is geen aardige vrouw en ze glimlacht niet vaak. De meeste advocaten voeren gevechten, maar die werken niet in een kantoor met negen andere vrouwen die er stuk voor stuk om bekendstaan dat ze procespartijen bij de ballen grijpen op zoek naar een gevecht. Haar kantoor is een snelkookpan, en ik verwacht dat haar privéleven ook niet erg prettig verloopt. Hoe ouder Starcher wordt, hoe meer hij praat over het geschreeuw van Judith en Ava. Ik probeer de jongen natuurlijk zo veel mogelijk informatie te ontfutselen.

'Hoe was je week?' vraag ik.

'Zoals altijd. Zo te zien ben jij aardig op dreef. Je foto stond alweer in de krant.'

De ober neemt onze bestelling op, altijd hetzelfde: chardonnay voor haar, whiskey met citroen voor mij. Elke aangename gedachte waarmee ze de bar binnenkwam, is nu verdwenen.

'Een beetje prematuur,' zeg ik. 'Ik vertegenwoordig die man niet meer. Hij kon het honorarium niet betalen.'

'Jee, denk eens aan alle publiciteit die je misloopt.'

'Die vind ik wel ergens anders.'

'Daar twijfel ik niet aan.'

'Ik ben niet in de stemming om beledigingen uit te wisselen. Ik krijg Starcher morgen voor mijn zesendertig uur. Heb je daar problemen mee?'

'Wat zijn je plannen?'

'Dus nu moet ik mijn plannen indienen zodat jij ze kunt goedkeuren. Wanneer heeft de rechtbank dit bevolen?'

'Gewoon nieuwsgierigheid, dat is alles. Je hebt wat alcohol nodig.'

We staren een paar minuten naar het tafelblad, in afwachting van onze drankjes. Als die worden gebracht, pakken we snel ons glas.

Na de derde slok zeg ik: 'Mijn moeder is in de stad. We nemen Starcher mee naar het winkelcentrum voor het gebruikelijke ritueel waarbij de ouder zonder voogdij een paar uur koffiedrinkt, terwijl het kind in de draaimolen zit en in de speeltuin rondrent. Daarna gaan we een foute pizza en een fout ijsje eten bij een restaurantje en dan kijken we naar een paar clowns die koprollen maken en ballonnen uitdelen. Daarna rijden we naar de rivier en maken een wandeling langs de boten in de haven. Wat wil je nog meer weten?'

'Ben je van plan hem morgennacht te houden?'

'Ik krijg zesendertig uur, één keer per maand. Dat betekent vanaf morgen negen uur 's ochtends tot zondagavond negen uur. Reken maar uit. Zo moeilijk is dat niet.'

De ober komt langs om te vragen of we nog iets wensen.

Ik bestel nog een rondje, ook al zijn onze glazen nog niet eens half-leeg. Het afgelopen jaar keek ik bijna verlangend uit naar dit korte samenzijn met Judith. We zijn allebei advocaat en af en toe konden we onderwerpen vinden die ons allebei interesseerden. Ik heb ooit van haar gehouden, ook al weet ik niet zeker of zij wel ooit van mij hield. We hebben een kind samen. Ik had de fantasie dat we misschien vrienden konden worden, iets waar ik behoefte aan heb omdat ik zo weinig vrienden heb. Maar op dit moment zou ik haar het liefst helemaal niet zien.

We zitten zwijgend te drinken, twee peinzende ex-minnaars die elkaar nu het liefst zouden willen wurgen.

Ze verbreekt de gespannen stilte met: 'Wat voor iemand is Arch Swanger?'

We praten een paar minuten over hem, en dan over de ontvoering en de nachtmerrie die de familie Kemp doormaakt. Een advocaat die zij kent heeft de arrestatie voor rijden onder invloed voor Jiliana's laatste vriendje behandeld, wat volgens haar misschien van belang kan zijn.

We hebben onze glazen binnen een halfuur leeg, een record, en we nemen afscheid zonder zelfs de vereiste kus op de wang.

15

Het is elke maand weer een uitdaging om een activiteit te verzinnen waarmee Starcher zich vermaakt. Hij heeft me al verteld dat hij geen lol meer heeft in het winkelcentrum, de dierentuin, de brandweerkazerne, de midgetgolfbaan en het kindertheater. Wat hij eigenlijk wil doen is naar meer kooigevechten kijken, maar dat gaat niet meer gebeuren. Dus koop ik een boot voor hem.

We hebben met mijn moeder afgesproken bij de Landing, een gekunsteld botenhuis in het midden van het stadspark. Zij en ik drinken koffie, terwijl Starcher slurpend zijn warme chocolademelk opdrinkt. Mijn moeder maakt zich zorgen over zijn opvoeding. Het kind heeft geen tafelmanieren en zegt nooit 'meneer', 'mevrouw', 'alstublieft' of 'dank u wel'. Ik heb hem achter de broek gezeten en ben er nog niets mee opgeschoten.

De boot is een raceboot met een motor die jammert als een kettingzaag met geluiddemper en is op afstand bestuurbaar. De vijver is een grote uitgegraven cirkel met een spuitende fontein in het midden. Het is een magneet voor allerlei soorten en maten modelboten, en voor alle leeftijden.

Starcher en ik zijn een halfuur aan het rommelen met de knoppen op de afstandsbediening voordat we alles snappen. Als hij het doorheeft, laat ik hem alleen en ga ik naast mijn moeder zitten op een bankje onder een boom.

Het is een mooie dag, fris en met een prachtige blauwe hemel. Het is druk in het park, gezinnen met een ijsje in de hand, jonge moeders met enorme kinderwagens, paartjes die in de bladeren liggen te rollen. En geen gebrek aan gescheiden vaders die van hun bezoekrecht gebruikmaken.

Mijn moeder en ik praten over van alles en nog wat, en kijken naar haar enige kleinzoon die in de verte bezig is. Ze woont twee uur bij ons vandaan en is niet op de hoogte van ons plaatselijke nieuws. Ze heeft niets gehoord over de zaak-Swanger en ik begin er ook niet over. Ze heeft overal een mening over en mijn carrière kan haar goedkeuring niet wegdragen. Haar eerste echtgenoot, mijn vader, was een advocaat die goed verdiende met onroerend goed. Hij is overleden toen ik tien was. Haar tweede echtgenoot verdiende een vermogen met rubberen kogels en stierf op zijn tweeënzestigste. Ze is bang om de gok met een derde echtgenoot te wagen.

Ik haal nog een kartonnen beker koffie voor ons en daarna pakken we ons gesprek weer op. Starcher zwaait naar me en als ik bij hem kom, geeft hij mij de afstandsbediening en zegt dat hij moet plassen. Het toilet is niet ver, aan de overkant van de vijver in een gebouw met winkeltjes en kantoren. Als ik hem vraag of ik met hem mee moet lopen, kijkt hij me vuil aan. Hij is immers al acht en krijgt steeds meer zelfvertrouwen. Ik kijk hem na als hij naar het gebouw loopt en het herentoilet binnenstapt. Ik zet de boot stil en wacht.

Opeens is er commotie achter me, luide boze stemmen, daarna twee schoten. Mensen beginnen te gillen. Ongeveer vijftig meter verderop rent een zwarte tiener door het park, hij springt over een bankje en draaft tussen een paar jonge boompjes door het bos in, alsof hij voor zijn leven moet rennen. Kennelijk is dat ook zo. Niet ver achter hem rent een andere zwarte man, kwader en met een pistool. Hij schiet weer en mensen laten zich op de grond vallen. Iedereen om me heen, mensen die zojuist nog van deze dag genoten, bukken zich, kruipen over de grond, pakken kinderen of rennen voor hun leven. Het lijkt wel een scène op tv; het is iets wat we allemaal al weleens gezien hebben en het duurt een paar seconden voordat we ons realiseren dat dit geen fictie is. Dat is een echt pistool!

Ik denk aan Starcher, maar hij is aan de andere kant van de vijver in het herentoilet, vrij ver bij het schieten vandaan. Als ik in elkaar duik en wild om me heen kijk, botst er een man tegen me op, hij gromt 'Sorry' en rent door.

Als zowel de prooi als de jager in het bos is verdwenen, wacht ik even, ik durf nog niet in beweging te komen. Dan nog twee schoten, in de verte. Als de tweede man de eerste heeft gevonden, hebben we het in elk geval niet hoeven zien. We blijven liggen, we wachten en komen dan pas in beweging. Mijn hart gaat tekeer als ik opsta en net als ieder ander naar het dichte bos kijk. Als het gevaar geweken lijkt, haal ik diep adem. Mensen kijken elkaar aan, opgelucht maar nog steeds verbijsterd. Hebben we zonet echt gezien wat we zagen? Twee politie-agenten op een fiets racen de hoek om en verdwijnen in het bos. In de verte horen we een sirene.

Ik kijk naar mijn moeder die zit te telefoneren alsof ze niets heeft gemerkt. Ik kijk naar het herentoilet; Starcher is nog steeds binnen. Ik loop die kant op maar blijf even staan om de afstandsbediening naast mijn moeder op de bank te leggen. Verschillende mannen en jongens zijn inmiddels het herentoilet in en uit gegaan.

'Wat was dat?' vraagt ze.

'Het leven in de grote stad,' zeg ik en ik loop weg.

Starcher is niet in het toiletgebouw. Ik ga snel weer naar buiten en kijk om me heen. Ik haal mijn moeder op, vertel dat hij is verdwenen en zeg dat ze naar het damestoilet moet gaan om hem te proberen te vinden. Een paar lange minuten doorzoeken we de omgeving, terwijl we met de seconde ongeruster worden. Hij is geen kind dat er zomaar vandoor gaat. Nee, Starcher zou nadat hij heeft geplast meteen terug-gaan naar de vijver om weer met zijn boot te spelen. Mijn hart gaat tekeer en ik zweet.

De twee agenten op de fiets komen het bos uit, zonder een verdachte, en rijden onze kant op. Ik houd ze aan en vertel dat mijn zoon is ver-dwenen; ze geven meteen een boodschap door via de radio. Ik ben zo in paniek dat ik ook andere mensen aanhoud en ze vraag te helpen.

Er komen nog twee agenten aan op de fiets. Het gebied rondom de Landing is nu in paniek; iedereen weet dat er een kind is verdwenen. De politie probeert het hele park af te sluiten, om iedereen tegen te houden die het park wil verlaten, maar er zijn tientallen in- en uitgan-gen. Er komen patrouillewagens aan. Het doordringende gejammer van sirenes maakt de paniek alleen maar groter.

Ik zie een man in een rode trui die ik het herentoilet in heb zien gaan. Hij zegt dat hij daar inderdaad is geweest en dat hij een kind voor een urinoir heeft zien staan. Alles leek in orde en nee, hij heeft het kind niet zien weggaan. Ik begin over de voetpaden te rennen die door het park lopen, vraag iedereen die ik tegenkom of ze een jongen van acht hebben gezien die verdwaald leek. Hij droeg een spijkerbroek en een bruine trui. Niemand heeft hem gezien.

Terwijl de seconden verstrijken, probeer ik mezelf te kalmeren: hij heeft gewoon de verkeerde weg genomen, hij is niet ontvoerd. Tever-geefs, ik ben volkomen in paniek.

239

Dit is zo'n afschuwelijk verhaal waar je over leest, maar waarvan je denkt dat het jou niet kan overkomen.

16

Na een halfuur staat mijn moeder op instorten. Een ambulancebroeder zit naast haar op een parkbankje en zorgt voor haar. De politie vraagt of ik ook bij haar wil blijven, maar ik kan niet stil blijven zitten. Overal zijn politieagenten. God zegene ze.

Een jongeman in een donker pak stelt zichzelf voor als Lynn Colfax. Hij is rechercheur van de afdeling Vermiste Kinderen van de politie. Hoe ziek moet een samenleving wel niet zijn als ze een hele afdeling van het politiekorps aan vermiste kinderen wijden?

Hij en ik nemen de laatste minuten door. Ik sta op precies dezelfde plek als toen Starcher naar het toiletgebouw ging, nog geen dertig meter hiervandaan. Ik hield hem in de gaten tot hij naar binnen was gegaan, maar daarna werd ik afgeleid door het geluid van de schoten. Stap voor stap, gedachte voor gedachte, nemen we alles door.

Het herentoilet heeft slechts één deur en geen ramen. Ik kan me niet voorstellen, en rechercheur Colfax ook niet, dat iemand een jongen van acht ongezien zou kunnen grijpen en meenemen. Maar de meeste mensen die op dat moment in de buurt van de Landing rondhingen, doken toen de schoten werden afgevuurd achter een bank of struik of ze lieten zich plat op de grond vallen. Andere getuigen bevestigen dit. Volgens onze schatting heeft deze afleiding vijftien, misschien twintig seconden geduurd. Tijd genoeg, neem ik aan.

Na een uur kan ik niet anders dan toegeven dat Starcher niet gewoon is weggelopen. Hij is ontvoerd.

17

De beste manier om dit aan Judith te vertellen, is het haar laten zien. Als onze zoon iets ergs overkomt, zal ze me dat nooit vergeven. Dan zal ze altijd blijven volhouden dat zijn verdwijning mijn fout was en is, omdat ik zo'n slechte ouder ben en in alle opzichten volkomen ongeschikt. Geweldig, Judith. Jij wint: het is mijn schuld.

Misschien helpt het haar als ze de plaats delict ziet, vooral met al die politieagenten erbij.

Ik kijk een hele tijd naar mijn mobiele telefoon en bel haar dan op.

Ze neemt op met: 'Wat is er?'

Ik slik moeizaam en probeer rustig te klinken. 'Judith, Starcher wordt vermist. Ik ben bij de Landing in het stadspark, met zijn oma en met de politie. Hij is ongeveer een uur geleden verdwenen. Je moet hier nu naartoe komen.'

Ze gilt: 'Wát?'

'Je hebt me wel gehoord. Starcher is verdwenen. Ik denk dat hij is ontvoerd.'

Weer gilt ze: 'Wát? Hóé? Lette je wel op hem?'

'Ja, toevallig wel. Laten we later maar ruziemaken. Kom hier nu maar gewoon naartoe.'

Eenentwintig minuten later zie ik haar over de stoep rennen, duidelijk een vrouw die doodsbang is. Als ze bij de Landing aankomt en alle agenten ziet, en mij, en dan de gele politietape rondom het toiletgebouw, blijft ze staan, slaat haar hand voor haar mond en stort in.

Lynn Colfax en ik lopen naar haar toe en proberen haar te kalmeren.

Ze knarsetandt en vraagt vervolgens: 'Wat is er gebeurd?' en ze wrijft over haar ogen als we alles nog een keer vertellen, en nog een keer. Ze zegt niets tegen me, alsof ik geen deel uitmaak van deze tragedie. Ze weigert zelfs naar me te kijken. Ze ondervraagt Colfax tot alle vragen zijn gesteld. Ze neemt de volledige leiding van de familie op zich, vertelt de rechercheur zelfs dat zij de ouder is die het ouderlijk gezag heeft en dat alle communicatie via haar moet verlopen; ik word alleen maar gezien als een nalatige oppas.

Judith heeft een foto van Starcher op haar mobiele telefoon.

Colfax e-mailt deze naar zijn kantoor. Hij zegt dat er meteen posters zullen worden opgehangen. Er zijn al *alerts* en waarschuwingen uitgegaan. Iedere politieagent in de City kijkt uit naar Starcher.

18

Uiteindelijk verlaten we de Landing, hoewel dat ontzettend moeilijk is. Het liefst bleef ik hier de hele middag en nacht, net zo lang tot mijn zoontje weer terugkomt en vraagt: 'Waar is mijn boot?' Dit is de laatste plaats waar hij zijn vader heeft gezien. Als hij alleen maar verdwaald is, vindt hij de weg misschien wel terug. We kunnen het niet geloven, we zijn verdoofd en verbijsterd, en zeggen tegen onszelf dat dit niet echt gebeurt.

Lynn Colfax zegt dat hij dit eerder heeft meegemaakt en dat we nu maar beter naar Central kunnen gaan, naar zijn kantoor, om te bespreken wat we nu gaan doen. Het is een ontvoering, een verdwijning of een kidnapping, en die drie mogelijkheden brengen hun eigen problemen met zich mee.

Ik breng mijn moeder naar mijn appartement, waar ze wordt opgevangen door Partner. Hij zal een paar uur voor haar zorgen. Zij verwijt zichzelf dat ze niet beter heeft opgelet en moppert omdat die trut van een Judith net deed alsof ze er niet was. 'Waarom ben je ooit met die vrouw getrouwd?' vraagt ze.

Dat was geen vrije keus. Meen je dit nu, mam? Kunnen we dit misschien later bespreken?

Colfax heeft een opgeruimd bureau en een rustige, troostende uitstraling. Daar hebben we niets aan, Judith en ik – Ava, de derde ouder, is de stad uit. Hij begint met ons een verhaal te vertellen over een ontvoering, een van de weinige met een goede afloop. De meeste eindigen echter niet zo, dat weet ik, ik heb de verslagen gelezen. Met elk uur dat verstrijkt, wordt de kans op een goede afloop kleiner.

Hij vraagt of we iemand kennen die een verdachte zou kunnen zijn. Een familielid, een buurman of -vrouw, een pervers persoon verderop in de straat, wie dan ook. We schudden ons hoofd, nee.

Ik heb al aan Link Scanlon gedacht, maar ben niet bereid hem hier nu al bij te betrekken. Een kidnapping past niet bij zijn stijl. Het enige wat hij van me wil, is honderdduizend dollar in contanten, een terugbetaling, en ik kan gewoon niet geloven dat hij mijn zoon zou ontvoeren en losgeld zou eisen. Link zou nog eerder deze week mijn rechterbeen breken en volgende week mijn linker.

Colfax zegt dat het zinvol is om meteen een beloning uit te loven voor informatie. Hij zegt dat vijftigduizend dollar een goed begin is. Judith, de single ouder zegt: 'Dat kan ik wel regelen.' Ik betwijfel of ze een cheque voor dat bedrag kan uitschrijven. Maar ga lekker je gang, meid.

'Ik betaal de helft,' zeg ik.

Om een onverdraaglijke situatie nog erger te maken, komen Judiths ouders ook. Ze worden naar het kantoor gebracht, houden hun dochter vast en dan beginnen ze alle drie langdurig te huilen. Ik sta tegen een muur geleund, zo ver mogelijk bij hen vandaan. Ze doen net alsof ze me niet zien. Starcher woont de helft van de tijd bij deze grootouders, waardoor ze erg aan hem gehecht zijn. Ik probeer begrip op te brengen voor hun verdriet, maar ik heb al zo lang de pest aan deze lui dat ik niet eens in hun buurt kan zijn! Zodra ze gekalmeerd zijn, vragen ze wat er is gebeurd en dat vertel ik ze. Colfax helpt me af en toe met een paar feiten. Tegen de tijd dat we alles hebben verteld, zijn ze ervan overtuigd dat het allemaal mijn schuld is.

Geweldig, zo komen we ergens.

Ik hoef hier niet te blijven. Ik verontschuldig me, verlaat het gebouw en ga terug naar de Landing. De politie is er nog steeds; ze hangen rond in de buurt van het boothuis en houden de mensen weg van het herentoilet. Ik spreek ze aan en bedank ze; ze zijn heel meelevend. Partner voegt zich bij me, zegt dat mijn moeder twee martini's heeft gedronken en nu een beetje verdoofd is. Hij en ik splitsen ons op en lopen alle voetpaden van het park af. De zon gaat onder, de schaduwen worden langer. Partner brengt me een zaklamp, en tot heel laat in de avond blijven we zoeken.

Om acht uur die avond bel ik Judith om te zien hoe het met haar gaat. Ze is thuis, met haar ouders, en zit bij de telefoon te wachten. Ik bied aan om langs te komen om haar gezelschap te houden, maar ze zegt : 'Nee, dankjewel.' Ze heeft al vrienden op bezoek en dat zijn niet echt mijn soort mensen. Ik weet wel zeker dat ze daar gelijk in heeft.

Ik dwaal nog uren door het park, richt mijn zaklamp op elke brug, duiker, boom en stapel stenen. Dit is de afschuwelijkste dag van mijn leven en om middernacht, als de dag ten einde is, ga ik op een bankje zitten en begin eindelijk te huilen.

19

Mede dankzij een paar glazen whiskey en een pil lig ik drie uur op de bank te slapen, tot ik badend in het zweet wakker word. Ik ben nu klaarwakker, maar de nachtmerrie gaat door. Om de tijd te doden neem ik een douche en ga ik kijken hoe het met mijn moeder gaat. Ze heeft een paar pillen geslikt en lijkt wel in coma te liggen.

Als de zon opkomt, gaan Partner en ik terug naar het park. We kunnen eigenlijk nergens anders naartoe. Wat zou ik dan moeten doen? Bij de telefoon zitten wachten? Die zit in mijn zak en zoemt om 7.03 uur.

Lynn Colfax vraagt hoe het met me gaat. Ik vertel hem dat ik in het park ben, nog steeds aan het zoeken. Hij zegt dat hij een paar tips heeft gekregen, maar niets nuttigs. Gewoon een paar gekken die de beloning willen opstrijken. Hij vraagt of ik de zondagochtendkrant al heb gezien. Ja, dat heb ik. Voorpagina.

Partner haalt koffie en een paar muffins die we opeten aan een picknicktafel bij een vijver waarop 's winters wordt geschaatst. Hij vraagt: 'Heb je al aan Link gedacht?'

'Jawel, maar volgens mij is hij het niet.'

'Waarom niet?'

'Niet zijn stijl.'

'Daar kon je weleens gelijk in hebben.'

We vervallen weer in de stilte die onze relatie kenmerkt, een stilte die ik altijd fijn heb gevonden, maar nu heb ik behoefte aan iemand tegen wie ik kan praten. Als we klaar zijn met eten, splitsen we ons weer op. Ik volg dezelfde voetpaden en bospaadjes, kijk onder dezelfde bruggen en wandel langs dezelfde beken. Halverwege de ochtend bel ik Judiths mobiele nummer.

Haar moeder neemt op: Judith ligt te rusten en nee, ze hebben nog niets gehoord.

Ik ga terug naar de Landing, waar de politie de tape heeft weggehaald en alles weer normaal lijkt te zijn. Het wemelt er weer van de mensen, en zij zijn zich kennelijk niet bewust van de horror van de vorige dag. Ik kijk naar een paar jongens die hun boten over de vijver laten varen. Ik sta waar ik gisteren stond, de laatste keer dat ik Starcher heb gezien. Een doffe pijn trekt door mijn lichaam en ik ben gedwongen weg te lopen.

In mijn tempo zal Starcher het enige kind zijn dat ik ooit zal krijgen. Hij was een ongelukje, een ongewenst kind, geboren tijdens een felle ruzie tussen zijn ouders, maar ondanks dat is hij een geweldige jongen geworden. Ik ben geen goede vader geweest, maar dat komt deels doordat ik ben buitengesloten uit zijn leven. Ik had nooit verwacht dat ik een ander mens zo erg kon missen. Maar ja, welke ouder kan zich voorstellen dat zijn kind wordt ontvoerd?

Ik dwaal uren door het park en schrik me rot als mijn telefoon gaat, maar het is alleen maar een kennis die wil helpen. Aan het einde van de dag zit ik op een parkbankje naast een joggingpad.

Als vanuit het niets duikt rechercheur Landy Reardon op en gaat naast me zitten. Onder de standaard zwarte regenjas draagt hij een pak.

'Wat doe jij hier?' vraag ik geschrokken.

'Ik ben slechts de boodschapper, Rudd. Meer niet. Ik ben er niet eens echt bij betrokken. Maar je zoon maakt het goed.'

Ik haal diep adem en leun naar voren, met mijn ellebogen op mijn knieën, volkomen in de war. Ik grom: 'Wat?'

Hij staart strak voor zich uit, alsof ik er niet ben. 'Je kind is oké. Wat ze willen is een ruil.'

'Een ruil?'

'Inderdaad. Jij vertelt het mij, ik vertel het hun. Jij vertelt me waar het meisje begraven ligt, en zodra zij haar hebben gevonden krijg jij je kind terug.'

Ik weet niet wat ik moet denken of zeggen. Godzijdank dat mijn kind veilig is, maar hij is veilig omdat de politie hem heeft gekidnapt en nu gevangenhoudt als lokaas! Ik zeg tegen mezelf dat ik kwaad zou moeten zijn, woedend, explosief, maar ik ben alleen maar opgelucht. Starcher is oké!

'Zij? Hun? Je hebt het over een paar collega's van je, klopt dat?'

'Min of meer. Luister, Rudd, je moet begrijpen dat Roy Kemp helemaal in de kreukels ligt. Ze hebben hem een maand of zo met verlof gestuurd, maar dat weet niemand. Hij is helemaal ingestort en handelt nu in zijn eentje.'

247

'Maar hij heeft heel veel vrienden, nietwaar?'

'O ja. Kemp wordt bijzonder gerespecteerd. Hij werkt al dertig jaar bij het korps, weet je, en heeft heel veel contacten en heel veel invloed.'

'De mensen die dit hebben gedaan, kennen me dus. Ik kan het bijna niet geloven! En ze hebben jou gestuurd om te onderhandelen!'

'Ik weet niet waar de jongen is, echt niet. En ik vind het helemaal niet prettig dat ik me in deze situatie bevind.'

'Ik ook niet. Ik neem aan dat het me niet zou moeten verbazen. Sterker nog, ik had moeten weten dat politieagenten er geen probleem mee hebben een kind te ontvoeren.'

'Rustig aan, Rudd. Je hebt een grote bek, weet je dat. Deal of geen deal?'

'Ik moet jou dus vertellen wat Arch Swanger mij over dat meisje heeft verteld? Waar ze is begraven? En stel dat Swanger de waarheid heeft verteld en jullie vinden het lichaam, dan wordt hij gearresteerd voor moord en is mijn carrière als advocaat ten einde. Dan gaat mijn zoon veilig terug naar zijn moeder en kan ik veel meer tijd met hem doorbrengen. Sterker nog, dan word ik fulltimevader.'

'Je zit aardig in de goede richting.'

'En als ik nee zeg, wat gebeurt er dan met mijn kind? Moet ik soms geloven dat een ondercommissaris van politie en zijn schurkenbende een kind uit wraak echt iets zullen aandoen?'

'Ik denk dat je een besluit moet nemen, Rudd.'

Deel 5
Snelle ontwikkelingen

1

Ik probeer niet in paniek te raken. Ik zeg tegen mezelf dat mijn zoon in veiligheid is, en dat geloof ik. Maar de situatie is zo bizar dat ik niet in staat ben rationeel te denken. Partner en ik gaan naar een koffietent en nemen plaats in een hoekje. Ik som alle mogelijke scenario's op en hij luistert.

Ik heb geen keus. Het enige wat nu belangrijk is, is de veiligheid en terugkomst van mijn zoon; vergeleken daarbij valt alles in het niet. Ik overleef het wel als ik het geheim onthul en mijn vergunning om als advocaat te werken kwijtraak. Verdomme, misschien begin ik wel ergens anders een bloeiende praktijk en dan ga ik zeker niet in zee met lui als Arch Swanger! Dit zou best eens dé manier kunnen zijn om mijn beroep vaarwel te zeggen, mijn enige prachtige kans om afscheid te nemen van het recht om op zoek te gaan naar echt geluk.

Ik wil die jongen weer in mijn armen kunnen nemen.

Partner en ik overleggen of ik Judith moet bellen om haar te vertellen wat er speelt. Ik besluit dat niet te doen, nu niet in elk geval. Ze zal alles alleen maar gestrester en gecompliceerder maken. En, veel belangrijker, ze zou iemand anders kunnen vertellen dat het hier om Kemp en consorten gaat. Reardon heeft me gewaarschuwd dat ik mijn mond moet houden.

Maar ik bel Judith wel, alleen om te kijken hoe het met haar gaat.

Ava neemt op en zegt dat Judith in bed ligt, met kalmeringsmiddelen, en dat het niet goed met haar gaat. Dat de FBI net is vertrokken. Dat er een heleboel verslaggevers in de straat staan. Dat alles gewoon afschuwelijk is.

Alsof ik dat niet weet.

Zondagavond om zeven uur bel ik Reardon en zeg dat we een deal hebben.

Het kost een uur om een gerechtelijk bevel te regelen, maar kennelijk heeft de politie een vriendelijke rechter stand-by staan.

Om halfnegen verlaten Partner en ik de City, met een onherkenbare auto voor en achter ons, wat niet ongebruikelijk is.

Tegen de tijd dat we bij het billboard van dokter Woo zijn, wemelt het er al van de politieagenten. Schijnwerpers, twee graafmachines, minstens vierentwintig mannen met scheppen en stokken, en een hondenbrigade met hun honden in benches. Ik heb ze alles verteld wat ik weet en ze onderzoeken het terrein naast de rijen maisplanten. Agenten van de staatspolitie bewaken de vluchtstrook van de snelweg en zorgen ervoor dat nieuwsgierige automobilisten doorrijden.

Partner parkeert de bus waar ze zeggen dat hij hem moet parkeren, een meter of dertig van het bord en alle actie. We blijven in de bus zitten, we wachten en hopen, terwijl de eerste hectische ogenblikken voorbijgaan en het lange wachten begint.

Systematisch prikken ze in elke vierkante centimeter aarde. Ze maken een rechthoek, kammen die helemaal uit, en maken dan een nieuwe. De graafmachines worden niet gebruikt. De honden blijven rustig.

Aan de andere kant van het bord, in het donker, staan een paar onherkenbare zwarte auto's. Ik weet zeker dat ondercommissaris Kemp in een ervan zit te wachten. Ik heb de pest aan hem en ik zou hem persoonlijk een kogel tussen de ogen willen schieten, maar op dit moment is hij de enige die me mijn zoon kan teruggeven.

En dan herinner ik me wat hij heeft doorgemaakt: de horror, de angst, het wachten, en ten slotte de berusting toen hij en zijn vrouw zich realiseerden dat Jiliana nooit meer thuis zou komen. Nu zit hij daar te bidden dat zijn mannen een paar botten zullen vinden, iets wat hij kan begraven. Meer kan hij niet verwachten – een skelet. Mijn verwachtingen zijn veel hoger en zeker realistischer.

Tegen middernacht vervloek ik Arch Swanger.

2

Ze werken de hele nacht door, en Partner en ik doen om beurten een dutje. We verrekken van de honger en willen wanhopig graag een kop koffie, maar we mogen nog niet weg.

Om 5.20 uur belt Reardon op mijn mobiele telefoon en zegt: 'Het is vals alarm, Rudd, hier ligt niets.'

'Ik heb je alles verteld wat ik weet, echt waar.'

'Ik geloof je.'

'Dank je.'

'Je mag nu weg. Ga terug naar de snelweg en rij in zuidelijke richting naar de afslag Four Corners. Ik bel je over twintig minuten weer.'

Als we wegrijden, pakken de mannen hun spullen in. De honden zitten nog steeds in hun benches, ze slapen. Arch Swanger zit waarschijnlijk te kijken, en te lachen. We rijden in zuidelijke richting.

Twintig minuten later belt Reardon weer. Hij vraagt: 'Ken je dat truckerscafé bij Four Corners?'

'Volgens mij wel.'

'Parkeer bij de benzinepomp, maar ga niet tanken. Loop naar binnen, het restaurant is aan je rechterhand, en helemaal achterin, voorbij de toonbank, is een rij tafeltjes. Daar zit je zoon, een ijsje te eten.'

'Begrepen.' Ik wil heel graag iets stoms zeggen, zoiets als 'Bedankt', alsof ik iemand dankbaar moet zijn omdat hij mijn kind heeft gekidnapt, hem niets heeft aangedaan en hem dan teruggeeft. Maar in werkelijkheid word ik overweldigd door een gevoel van opluchting, vreugde, dankbaarheid, verwachting en een vreemde overtuiging dat deze ontvoering misschien op een prettige manier zal eindigen. Dat gebeurt anders nooit.

Een minuut later zoemt mijn telefoon weer.

Het is Reardon en hij zegt: 'Luister, Rudd, je hebt niets te winnen door je vast te bijten in deze zaak, een heleboel vragen te stellen, naar de pers te rennen en voor de camera's te verschijnen – je weet wel, je gebruikelijke scenario. Wij zorgen wel voor de pers en laten uitlekken dat jij, na een anoniem telefoontje, een dramatische redding hebt uitgevoerd. We zullen doorgaan met ons onderzoek, maar dat zal niets opleveren. Begrijpen we elkaar, Rudd?'

'Ja, ik snap je.' Op dit moment ga ik overal mee akkoord.

'Het verhaal is dat iemand je kind heeft ontvoerd, het helemaal had gehad met die knul omdat hij waarschijnlijk heel veel op jou lijkt, en besloot hem bij een truckerscafé achter te laten. Heb je me gehoord, Rudd?'

'Ja hoor,' zeg ik en ik bijt op mijn tong om te voorkomen dat ik alle smerige woorden die ik ken eruit flap.

Het terrein van het truckerscafé is felverlicht en staat vol keurige rijen geparkeerde vrachtwagens. We stoppen bij de benzinepompen en ik loop snel naar binnen. Partner blijft in de bus om te zien of iemand ons in de gaten houdt.

Het restaurant zit bomvol chauffeurs die aan hun ontbijt zitten. De geur van ranzig vet hangt in de lucht. Aan de toonbank zitten dikke chauffeurs pannenkoeken en worstjes weg te werken. Ik loop een hoek om, zie de zitjes, loop er één, twee, drie voorbij, en in het vierde zitje, helemaal in zijn eentje, zit de kleine Starcher Whitly met een grijns op zijn gezicht achter een grote kom chocolade-ijs.

Ik kus hem op zijn hoofd, strijk door zijn haar en ga tegenover hem zitten. 'Ben je in orde?' vraag ik.

Hij haalt zijn schouders op en zegt: 'Tuurlijk, denk het wel.'

'Heeft iemand je pijn gedaan?'

Hij schudt zijn hoofd, nee.

'Vertel het me maar, Starcher. Heeft iemand je iets gedaan?'

'Nee hoor, ze waren heel aardig.'

'En wie zijn "ze"? Wie is er bij je geweest sinds je het park zaterdag hebt verlaten?'

'Nancy en Joe.'

Een serveerster blijft bij ons zitje staan.

Ik bestel koffie en roerei. Ik vraag haar: 'Wie heeft dit kind hiernaartoe gebracht?'

Ze kijkt om zich heen en zegt: 'Dat weet ik niet. Zonet was hier nog een vrouw, ze zei dat het kind een kom ijs wilde. Ze zal wel vertrokken zijn of zo. Ik neem aan dat u voor het ijs betaalt?'

'Met alle plezier. Hebben jullie bewakingscamera's?'

Ze knikt naar het raam. 'Buiten, maar binnen niet. Is er iets aan de hand?'

'Nee. Bedankt.'

Zodra ze weg is, vraag ik aan Starcher: 'Wie heeft je hiernaartoe gebracht?'

'Nancy.' Hij neemt een hap ijs.

'Luister, Starcher, ik wil dat je die lepel even neerlegt en mij vertelt wat er gebeurde toen je in het park het herentoilet binnenkwam. Je was met je boot aan het spelen, moest plassen en liep naar de wc. Vertel me wat er daarna is gebeurd.'

Langzaam steekt hij de lepel in het ijs en laat hem daar. 'Nou, opeens werd ik vastgepakt door die grote man. Ik dacht dat het een politie-agent was, omdat hij een uniform droeg.'

'Had hij een pistool?'

'Volgens mij niet. Hij zette me in een vrachtwagen die vlak achter het toiletgebouw stond. Er zat een andere man achter het stuur en ze reden heel snel weg. Ze zeiden dat ze me naar het ziekenhuis brachten, omdat er iets ergs was gebeurd met mijn oma. Ze zeiden dat jij in het ziekenhuis zou zijn. Dus we reden een hele tijd en kwamen buiten de City. We reden door het platteland en daar lieten ze me achter bij Nancy en Joe. De mannen gingen weg, en Nancy zei dat mijn oma wel weer beter zou worden en dat je mij snel zou komen halen.'

'Oké. Dat was zaterdagochtend. Wat heb je de rest van die zaterdag en gisteren de hele dag gedaan?'

'Nou, we hebben tv-gekeken, naar een paar oude films en zo, en heel veel backgammon gespeeld.'

'Backgammon?'

'Ja. Nancy vroeg me welke spellen ik graag speelde en ik zei backgammon. Ze wisten niet wat dat was en dus ging Joe naar de winkel en kocht een backgammonbord, een goedkope. Ik heb ze geleerd hoe het moest en heb ze verslagen.'

'Ze waren dus aardig voor je?'

'Heel aardig. Ze zeiden steeds dat jij in het ziekenhuis was en niet weg kon.'

Uiteindelijk komt Partner binnen. Hij is opgelucht als hij Starcher ziet en geeft hem een klopje op zijn hoofd.

Ik zeg dat hij naar de manager van het truckerscafé moet gaan en moet kijken waar de bewakingscamera's hangen; vertel de manager dat de FBI de beelden wil zien.

Mijn roerei wordt gebracht en ik vraag Starcher of hij honger heeft. Dat is niet het geval. Hij heeft twee dagen lang pizza en ijs gegeten. Zoveel hij wilde.

3

Omdat ik nog nooit ben uitgenodigd in Starchers huis, besluit ik dat ik hem daar niet naartoe ga brengen. Ik heb geen zin in allemaal drama en theater.

Een halfuur voordat we bij de City zijn, bel ik Judith met het nieuws dat haar zoon veilig is. We rijden de snelweg op, en hij zit op mijn schoot.

Ze is bijna te verbijsterd om iets te zeggen, dus geef ik Starcher mijn telefoon.

Hij zegt: 'Hallo, mama.' Volgens mij stort ze volledig in.

Ik geef ze een paar minuten, dan pak ik de telefoon weer en vertel haar dat ik werd gebeld met de instructie hem op te halen bij een truckerscafé. Nee, niemand heeft hem pijn gedaan, hij heeft misschien alleen te veel suiker gehad.

De parkeerplaats voor haar kantoor is nog verlaten, het is pas half-acht, en daar wachten we in alle rust tot de storm losbreekt. De zwarte Jaguar rijdt de parkeerplaats op en remt abrupt naast de bus. Ik stap uit, samen met Starcher.

Judith komt uit haar auto en rent naar de jongen toe. Ze grijpt hem beet, schreeuwend en klauwend. Vlak achter haar staan haar ouders en Ava. Om beurten knijpen ze de jongen bijna fijn en iedereen huilt. Ik kan deze mensen niet uitstaan en dus loop ik naar Starcher toe, kroel weer door zijn haar en zeg: 'Tot later, knul.'

Hij wordt bijna doodgedrukt en kan geen antwoord geven.

Ik vraag Judith of ze even met me mee wil komen en als we alleen zijn, vraag ik: 'Kunnen we elkaar hier later vanochtend weer treffen, samen met de FBI? Er zit meer achter.'

'Vertel het me nu!' sist ze.

'Ik zal het je vertellen als ik het je wil vertellen, en dat is als de FBI meeluistert, oké?'

Ze heeft er de pest aan als ze de regie niet heeft. Ze haalt diep adem, klemt haar kaken op elkaar en zegt dan moeizaam: 'Tuurlijk.'

Ik loop weg, weiger naar haar ouders te kijken en stap in de bus.

Als we wegrijden, staar ik naar Starcher en vraag me af wanneer ik hem zal terugzien.

4

Om negen uur 's ochtends ben ik in de rechtbank voor een eerste zitting. Maar dankzij een lek bij de politie is het nieuws al bekend dat mijn zoon is gevonden en terug is bij zijn ouders. De rechter verleent me uitstel en snel verlaat ik de rechtszaal. Ik ken een handvol advocaten en een paar van hen willen met me praten en me feliciteren. Maar daar ben ik gewoon niet voor in de stemming.

Fango overvalt me in de gang, net zoals hij drie weken geleden heeft gedaan.

Ik loop door en weiger hem aan te kijken.

Hij gaat naast me lopen en zegt: 'Hé Rudd, Link wordt een beetje ongeduldig over dat geld. Ik heb hem verteld over je kind en zo en trouwens, ik moet je zijn medeleven overbrengen.'

'Zeg maar tegen Link dat hij zich druk moet maken over zijn eigen problemen,' snauw ik terwijl we snel naast elkaar blijven lopen.

'Dat doet hij ook, en een van zijn problemen ben jij toevallig, en dat geld.'

'Jammer dan,' zeg ik, en ik ga zelfs nog sneller lopen.

Hij doet moeite me bij te houden en probeert een slimme opmerking te maken, maar hij maakt een grote fout als hij zegt: 'Weet je, misschien is je zoon toch niet echt veilig.'

Ik draai me vliegensvlug om en haal uit met een diagonale rechtse die precies op zijn kin terechtkomt.

Hij loopt er gewoon in en ziet het pas als het al te laat is. Zijn hoofd klapt met zoveel kracht naar achteren dat ik ergens botten hoor kraken, en de eerste fractie van een seconde denk ik dat ik zijn nek heb gebroken.

Maar er is niets mis met zijn nek; hij heeft wel vaker klappen gehad, heel vaak zelfs, dat zie je wel aan zijn littekens.

Fango valt languit op de marmeren vloer en verroert geen vin. Hij is bewusteloos. Een perfecte knock-out die ik nooit zal kunnen herhalen.

Ik heb zin hem een paar keer tegen zijn hoofd te trappen, maar uit mijn ooghoeken zie ik opeens iets bewegen. Een andere schurk loopt naar me toe en wil zijn wapen trekken. Achter me roept iemand iets.

De tweede schurk gaat al net zo snel neer als Fango, doordat Partner hem op zijn hoofd slaat met een stalen staaf die hij altijd in zijn jaszak draagt.

Die staaf is speciaal voor dit soort gelegenheden gemaakt. In elkaar geschoven is hij ongeveer vijftien centimeter lang, maar helemaal uit-getrokken vijfenveertig centimeter, met een stalen bol op het uiteinde. Je kunt er gemakkelijk een schedel mee verbrijzelen. Ik zeg tegen Part-ner dat hij de staaf aan mij moet geven en zich uit de voeten moet maken.

Een bewaker rent naar de twee bewusteloze schurken toe. Ik laat hem mijn ID zien en zeg: 'Sebastian Rudd, advocaat. Deze twee schurken probeerden me aan te vallen.'

Er vormt zich een menigte.

Fango is de eerste die bij bewustzijn komt. Hij mompelt wat en wrijft over zijn kaak, probeert overeind te krabbelen, maar kan nog niet op zijn benen blijven staan. Eindelijk, met de hulp van de bewaker, staat hij op, nog steeds wankel, en wil weglopen. Een politieagent dwingt hem op een bank te gaan zitten, terwijl een ambulancebroeder zijn maat onderzoekt. Uiteindelijk wordt de tweede man ook wakker, met een heel grote bult op zijn achterhoofd. Ze leggen er een paar minuten wat ijs op en zetten hem dan op dezelfde bank als Fango. Ik sta dichtbij naar hen te kijken. Ze kijken terug. De ambulancebroeder geeft me wat ijs voor mijn rechterhand.

Gestompt worden is niets nieuws voor deze kerels en ze zijn niet van plan aangifte te doen. Dat zou een papierwinkel, heel veel vragen en een uitgebreid vragenvuur door de politie tot gevolg hebben. Ze wer-ken voor Link Scanlon en beantwoorden geen vragen. Op dit moment kunnen ze niet wachten om het gebouw te verlaten om weer buiten op straat te zijn, waar zíj de regels bepalen.

Ik zeg tegen de politie dat ook ik geen aangifte wil doen. Als ik ver-trek, loop ik vlak langs Fango heen en fluister: 'Zeg maar tegen Link dat wanneer ik ook maar iets hoor van jou, of van hem, ik naar de FBI stap.'

Fango snuift alsof hij me het liefst in mijn gezicht zou willen spugen.

5

Ik neem aan dat sommige dagen gewoon zijn voorbestemd om in gezelschap van de FBI door te brengen. Een paar minuten na elf uur loop
ik de lobby van Judiths kantoor binnen. De receptioniste zit glimlachend met een juridisch assistent te kletsen. Ze kijken me lachend aan
en overladen me met felicitaties. Ik realiseer het me niet meteen, maar
ze vinden me een soort held. Een advocate steekt haar hoofd om de
deur van haar kantoor en zegt: 'Gefeliciteerd!' Er hangt een bijna fees-
telijke stemming, en waarom ook niet? Starcher is gered en veilig thuis,
waar hij hoort. We waren allemaal verdoofd, in shock en vreselijk ongerust, en we wachtten tot de nachtmerrie een tragedie werd. Maar we
hebben geluk gehad.

Judith zit in een grote, goed uitgeruste vergaderzaal met twee FBI-
agenten, Beatty en Agnew. Hoewel mijn rechterhand gezwollen is en
klopt, slaag ik erin hun een hand te geven zonder te laten zien dat ik
pijn heb. Ik knik tegen Judith, zeg dat ik geen koffie wil en vraag hoe
het met Starcher gaat. Prima, alles is geweldig.

Beatty, die het woord voert, vertelt dat Judith zaterdagmiddag de FBI
heeft gebeld, maar dat zij zich nog niet officieel met het onderzoek hebben bemoeid. Agnew, die aantekeningen maakt, schrijft snel en knikt;
alles wat Beatty zegt klopt. De FBI bemoeit zich niet met ontvoeringen
tenzij de plaatselijke politie hen erbij betrekt, of wanneer er bewijzen
zijn dat het slachtoffer over de staatsgrenzen is verplaatst. Hij kletst
nog een tijdje door, genietend van zijn belangrijkheid. Ik laat hem zijn
gang gaan.

'Goed,' zegt Beatty en hij kijkt me aan, 'u wilde ons spreken?'

'Ja,' zeg ik. 'Ik weet namelijk wie Starcher heeft ontvoerd, en waarom.'

Agnews pen blijft midden in een zin steken; iedereen verstijft.

Met opgetrokken wenkbrauwen zegt Judith: 'Zeg op.'

Dus vertel ik het verhaal, het hele verhaal.

6

De blijdschap die Judith voelde na de thuiskomst van onze zoon, is halverwege mijn verhaal verdwenen. Zodra duidelijk wordt dat de ontvoering een direct gevolg was van alweer een van mijn beruchte zaken, verandert haar lichaamstaal dramatisch en denkt ze snel na. Nu heeft ze eindelijk het bewijs dat ik een gevaar vorm voor Starcher. Waarschijnlijk dient ze vanmiddag de verzoekschriften al in.

Ik vermijd oogcontact met haar, maar de heftige emoties die ze uitstraalt voeren de spanning in het vertrek behoorlijk op.

Als ik uitgepraat ben, lijkt Beatty verbijsterd. Agnew heeft een compleet schrijfblok volgeklad met zijn hanenpoten.

Beatty zegt: 'Nou, volgens mij was er dus een goede reden voor dat de politie ons er niet bij wilde betrekken.'

Agnew stemt hier grommend mee in.

Judith vraagt: 'Hoe wil je dit bewijzen?'

'Ik zei niet dat ik het kon bewijzen. Dat zal moeilijk, zo niet onmogelijk worden. Er zijn misschien beelden van Nancy op de bewakingscamera's van het truckerscafé, als ze de jongen naar binnen brengt, maar ik durf te wedden dat ze zich heeft vermomd. Ik betwijfel of Starcher de twee mannen die hem in het park hebben ontvoerd kan identificeren. Ik weet het niet. Hebben jullie suggesties?'

Judith zegt: 'Het lijkt behoorlijk vergezocht, de theorie dat de politie een kind zou ontvoeren.'

'Dus je gelooft me niet?' snauw ik.

De waarheid is dat ze me wel wil geloven. Ze wil dat mijn verhaal waar is, want dan kan ze dat als bewijs tegen mij gebruiken wanneer ze me weer naar de rechtbank sleept. Ze weigert mijn vraag te beantwoorden.

'Wat doen we nu?' vraag ik aan Beatty.

'Wauw, dat weet ik niet, hoor. We zullen even met onze baas moeten praten en afwachten wat hij ervan denkt.'

Ik zeg: 'Ik heb vanmiddag een afspraak met een rechercheur van de politie. Zij lijken zich zorgen te maken en stellen heel veel vragen, maar het leidt nergens toe. Ze sluiten deze zaak aan het eind van de week af en zullen wel blij zijn met de goede afloop.'

Beatty vraagt: 'En u wilt dat wij een onderzoek beginnen?'

Ik kijk naar Judith en zeg: 'Misschien zouden wij dit eerst samen moeten bespreken. Ik heb zin om Kemp aan te klagen. Wat vind jij?'

Ze zegt: 'Laten we eerst maar even overleggen.'

Beatty en Agnew begrijpen de hint en staan op om te vertrekken. We bedanken hen en Judith laat hen uit.

Als ze terugkomt gaat ze tegenover me zitten en zegt: 'Ik weet niet wat we moeten doen. Ik kan nu even niet helder nadenken.'

'We kunnen niet toelaten dat de politie dit doet, Judith.'

'Ik weet het, maar heb je niet al genoeg problemen met ze? Als Kemp wanhopig genoeg is om een kind te ontvoeren, is hij misschien wel overal toe in staat. Begrijp je nu waarom ik me zorgen maak als Starcher bij jou is?'

Daar kan ik niet echt iets tegen inbrengen.

'Denk je dat Swanger dat meisje heeft vermoord?' vraagt ze.

'Ja, en hij heeft er waarschijnlijk wel meer vermoord.'

'Geweldig. Nog een gek die het op jou heeft gemunt. Je bent een ramp, Sebastian, en je vormt een gevaar voor anderen. Ik hoop alleen maar dat mijn kind nu veilig is. Vandaag hebben we geluk gehad, maar morgen misschien niet.'

Er wordt op de deur geklopt en Judith zegt: 'Binnen.'

De receptioniste vertelt haar dat er een verslaggever en een cameraman voor de deur staan. Twee anderen hebben het kantoor gebeld.

'Stuur ze weg,' zegt Judith, met een blik op mij.

Wat een puinhoop heb ik veroorzaakt.

Ten slotte spreken we af om een paar uur niets te doen.

Ik zal mijn afspraak met de rechercheur afzeggen; het onderzoek stelt toch niets voor.

Als ik vertrek, zeg ik dat het me spijt, maar ze wil geen excuses horen.

Ik glip weg via een achterdeur.

7

Er zijn verslaggevers naar me op zoek, maar daar heb ik geen zin in. Anderen zouden me ook graag willen vinden: Link en zijn jongens, Roy Kemp als hij hoort dat ik met de FBI heb gepraat, misschien zelfs Arch Swanger, die me nu waarschijnlijk elk moment kan bellen met de vraag waarom ik mijn mond open heb gedaan tegen de politie.

Partner brengt me naar Ken's Kars en daar stap ik in een gedeukte Mazda met driehonderdduizend kilometer op de teller. Geen enkele advocaat, hoe arm hij ook is, zou dood gevonden willen worden in zo'n auto. Ik ken er eentje die een Maserati huurde toen hij gedwongen was zijn faillissement aan te vragen.

Ik blijf de rest van de dag in mijn appartement. Daar verstop ik me en werk aan twee zaken. Om een uur of vijf bel ik Judith en vraag hoe het met Starcher is. 'Prima,' zegt ze, 'en de verslaggevers zijn vertrokken.' Ik kijk naar de lokale omroep waar de 'dramatische redding' het belangrijkste nieuwsitem is. Ze laten een paar oude opnamen van me zien waarop ik het politiebureau binnenloop en ze doen net alsof ik mijn leven heb geriskeerd om mijn zoon te redden. Die stomkoppen slikken alle aas die de politie ze heeft gevoerd. Ook dit zal voorbijgaan.

Omdat ik de afgelopen tweeënzeventig uur maar zes uur heb geslapen, doe ik ten slotte op de bank een dutje. Even na tien uur 's avonds gaat mijn telefoon. Als ik zie wie het is, neem ik snel op.

Het is Naomi Tarrant, Starchers lerares, de knappe jonge juf over wie ik al maanden fantaseer. Ik heb haar al vijf keer uit eten gevraagd en ben vijf keer resoluut afgewezen. Maar de afwijzingen werden elke keer minder zelfverzekerd. Ik heb geen aanleg en ook geen geduld voor de gebruikelijke paarrituelen: het stalken, de toevallige ontmoetingen, de blind dates, de belachelijke cadeautjes, de ongemakkelijke telefoongesprekken, de lovende woorden van vrienden, het eindeloze sms'en. Ook heb ik het lef niet om online te gaan en tegen onbekende vrouwen over mezelf te liegen. Bovendien ben ik bang dat ik voor altijd beschadigd ben geraakt en koudwatervrees heb gekregen door de rampzalige relatie met Judith. Hoe kan een mens zo intens gemeen zijn?

Naomi wil over Starcher praten, dus doen we dat. Ik verzeker haar dat hem echt niets is aangedaan, dat hij nooit zal begrijpen wat er echt is gebeurd. Dat ik betwijfel of iemand hem dat ooit zal vertellen, omdat hij eerlijk gezegd ongeveer vijfenveertig uur lang in de watten is gelegd door twee mensen die hij als zijn vrienden is gaan beschouwen. Dat hij morgen weer naar school gaat en dan geen speciale aandacht nodig zal hebben. Dat ik ervan overtuigd ben dat zijn moeder met een lange lijst met eisen en zorgen zal komen, omdat ze nu eenmaal zo is.

'Wat een trut!' zegt Naomi. Dit is de eerste keer dat ze zich laat gaan. Het verbaast me, maar ik vind het geweldig. Een paar minuten zeggen we allemaal lelijke dingen over Judith en Ava, die we allebei een leeghoofd vinden. Ik heb me al jaren niet meer zo goed geamuseerd.

Volkomen onverwacht zegt ze: 'Laten we samen uit eten gaan.'

Ah, het leven van een held, de macht van een beroemdheid. De verslaggevers beweren dat ik mijn leven heb geriskeerd om mijn zoon te redden, en de vrouwen werpen zich voor mijn voeten.

We spreken een paar regels af. De afspraak moet een groot geheim zijn. De school verbiedt niet expliciet dat ongetrouwde leraren met ongetrouwde ouders daten, maar ze zullen er zeker niet blij mee zijn. En waarom zouden we om problemen vragen? Als Judith het zou ontdekken, zou ze waarschijnlijk een klacht indienen of een rechtszaak aanspannen of iets anders uit haar bodemloze zak vol smerige trucs halen.

We ontmoeten elkaar de volgende avond in een donkere, goedkope Tex-Mex. Haar keus, niet de mijne. Omdat niemand daar Engels spreekt, zal geen mens ons kunnen verstaan. Het kan niemand iets schelen, vooral mij niet.

Naomi is drieëndertig en bezig weer op te krabbelen na een scheiding. Geen kinderen, geen waarneembare bagage.

Eerst vertelt ze me alles over Starchers schooldag. Zoals verwacht kwam Judith hem al vroeg brengen, met een paar instructies. Alles ging goed en niemand begon over zijn kleine beproeving. Naomi en haar klassenassistent hielden hem goed in de gaten en voor zover zij konden beoordelen hebben zijn vrienden er ook niet over gepraat. Hij leek volkomen normaal en gedroeg zich alsof er niets was gebeurd. Judith haalde hem na schooltijd op en ondervroeg Naomi, maar dat was niet bepaald uitzonderlijk.

'Hoe lang ben je met haar getrouwd geweest?' vraagt ze verbijsterd.

'Officieel minder dan twee jaar, maar we hebben het alleen de eerste vijf maanden bij elkaar uitgehouden. Het was onverdraaglijk. Ik heb geprobeerd het vol te houden tot de bevalling, maar toen ontdekte ik dat ze een vriendin had. Ik ging ervandoor, Starcher werd geboren en sindsdien hebben we alleen maar gevochten. Ons huwelijk was een afschuwelijke vergissing, maar ze bleek dus zwanger.'

'Ik heb haar nog nooit zien glimlachen.'

'Ik denk dat dat ongeveer één keer per maand gebeurt.'

De margarita's worden gebracht in hoge glazen met zout, en we duiken eropaf. We praten even over haar huwelijk, maar stappen algauw over op leukere onderwerpen. Ze heeft al andere dates gehad, ze wordt vaak uit gevraagd, en ik begrijp wel waarom. Ze heeft zachte, prachtige bruine ogen die hypnotisch zijn, verleidelijk zelfs. Je zou uren in die ogen kunnen kijken terwijl je je afvraagt of ze wel echt zijn.

Ik date niet vaak, daar heb ik geen tijd voor, te veel werk en zo. De gebruikelijke smoesjes.

Ze lijkt gefascineerd door mijn werk, de niet-populaire zaken, de algemene bekendheid, een paar boeven die ik vertegenwoordig. We bestellen enchilada's en ik blijf maar kletsen. Algauw besef ik echter dat zij de enige regel van een geweldige gesprekspartner toepast: laat de ander praten. Dus houd ik me in en vraag naar haar familie, studie, eerdere banen.

Ik bestel een tweede margarita, zij is nog halverwege haar eerste, en we vertellen elkaar verhalen over ons verleden.

De schaal enchilada's wordt gebracht, maar dat merkt ze amper. Aan haar figuur te zien, heeft ze de eetlust van een vogeltje.

Ik kan me niet herinneren wanneer ik voor het laatst seks heb gehad, en hoe langer we praten, hoe meer ik geobsedeerd raak door dat onderwerp. Tegen de tijd dat ik zowel het eten als het drinken op heb, moet ik me bedwingen om niet over de tafel heen boven op haar te duiken.

Maar Naomi Tarrant is niet impulsief. Dit zal tijd kosten. Het is dinsdag en dus vraag ik haar wat ze woensdag doet. Zinloos.

'Weet je wat ik echt graag zou willen?' vraagt ze.

Wat? Ik doe alles voor je.

'Dit klinkt misschien een beetje vreemd, maar ik ben echt nieuwsgierig naar Mixed Martial Arts.'

'Kooigevechten? Echt?' Ik ben verbijsterd.

'Is het veilig?' vraagt ze en ze begint over de rel die keer dat Starcher ternauwernood aan een ramp is ontsnapt waarna Judith me weer voor de rechter had gesleept en Naomi werd opgeroepen om te getuigen.

'Als het niet uit de hand loopt, is het vrij veilig,' zeg ik.

'Laten we dan gaan.'

In werkelijkheid bestaat de helft van alle fanatici die naar die gevechten komen en om bloed schreeuwen uit vrouwen.

We maken een afspraak voor deze vrijdag. Ik vind het geweldig, want er is een nieuwe jonge vechter die ik wil zien. Zijn manager heeft contact met me opgenomen, hij heeft geld nodig.

8

Het is natuurlijk geen verrassing dat het niet goed gaat met Doug Ren-fro sinds zijn vrouw door een van de SWAT-teams is vermoord. Het civielrechtelijke proces begint pas over twee maanden en Doug ziet daar niet bepaald naar uit. Hij heeft al een proces meegemaakt en is nog niet klaar voor een volgende.

Ik heb een lunchafspraak met hem en we treffen elkaar in een verlaten delicatessenzaak. Ik schrik van hoe hij eruitziet.

Hij is ontzettend afgevallen, kilo's die hij niet kon missen. Zijn gezicht is uitgemergeld en bleek, en zijn ogen verraden het verdriet en de verwarring van een verslagen en eenzame man.

Hij knabbelt aan een frietje en zegt: 'Ik heb het huis te koop gezet. Ik kan daar niet blijven, te veel herinneringen. Ik zie haar in de keuken, ik voel haar terwijl ze naast me in bed ligt te slapen, ik hoor haar lachen aan de telefoon, ik ruik haar bodylotion. Ze is overal, Sebastian, en ze gaat niet weg. En het ergste is dat ik die laatste paar seconden steeds weer doormaak, de schoten en de kreten en het bloed. Ik geef mezelf de schuld van veel van wat er is gebeurd. Vaak verlaat ik om middernacht mijn huis, zoek een goedkoop motel en betaal zestig dollar om tot de zon opkomt naar het plafond te liggen staren.'

'Wat erg, Doug,' zeg ik. 'Het was echt jouw schuld niet.'

'Dat weet ik wel, maar ik kan niet rationeel zijn. Bovendien haat ik deze verdomde stad! Elke keer als ik een agent of brandweerman of vuilnisman zie, vervloek ik de City en de idioten die hier de baas zijn. Ik kan geen belasting meer betalen aan deze overheid. Dus ga ik weg.'

'En je familie dan?'

'Ik zie ze als ik daar behoefte aan heb. Zij hebben hun eigen leven. Ik moet nu doen wat het beste is voor mezelf en dat betekent dat ik ergens een nieuwe start moet maken.'

'Waar ga je naartoe?'

'Dat verandert elke dag, maar vandaag lijkt het Nieuw-Zeeland te worden. Zo ver weg als ik maar kan komen. Ik overweeg zelfs afstand te doen van mijn Amerikaans staatsburgerschap, zodat ik hier geen belasting meer hoef te betalen. Ik ben een verbitterde, oude man, Sebastian, en ik moet hier weg.'

'En je civiele proces dan?'

'Ik ga dat proces niet aan. Ik wil dat je zo snel mogelijk een schikking regelt. Verdomme, het gaat toch maar om hoogstens een miljoen. Dat betalen ze wel, toch?'

'Ja, dat denk ik wel. Ik heb het nog niet met hen over een schikking gehad, maar zij zullen ook geen proces willen.'

'Is er een manier om meer dan een miljoen te krijgen?'

'Misschien.'

Hij neemt langzaam een slok van zijn thee en kijkt me aan. 'Hoe dan?'

'Ik weet iets nadeligs over het politiekorps, iets walgelijks. Denk aan afpersing.'

'Klinkt goed,' zegt hij glimlachend, zijn eerste en enige van vandaag. 'Kun je snel handelen? Ik wil hier weg. Ik ben doodziek van deze stad!'

'Ik zal kijken wat ik kan doen.'

9

Het is al na middernacht en als mijn mobiele telefoon dan gaat, is het nooit een telefoongesprek dat ik wil aannemen. Om twee minuten over twaalf pak ik mijn mobieltje en zie dat Partner me belt.

'Hallo, baas,' zegt hij, met een zwakke stem. 'Ze hebben geprobeerd me te vermoorden.'

'Ben je oké?'

'Niet echt. Ik heb een paar brandwonden, maar ik overleef het wel. Ik ben in het katholieke ziekenhuis. We moeten praten.'

Ik bind een holster met een Glock 19 onder mijn linkeroksel, trek een dikke jas aan en zet een bruine gleufhoed op. Daarna ga ik snel naar de parkeerplaats beneden om mijn ouwe Mazda te pakken. Tien minuten later loop ik de Spoedeisende Hulp van het ziekenhuis binnen en ik groet Juke Sadler, een van de meest verlopen advocaten in de stad.

Juke is altijd in de ziekenhuizen van de City op jacht naar gewonde cliënten. Hij ligt als een roofdier op de loer in de gangen, op zoek naar ongeruste familieleden die te zeer in paniek zijn om helder te kunnen nadenken. Hij staat erom bekend dat hij in de restaurants van ziekenhuizen luncht en dineert, en zijn visitekaartje uitdeelt aan mensen met gebroken botten. Vorig jaar raakte hij betrokken bij een vuistgevecht met de chauffeur van een takelwagen die de familie van iemand die bij een auto-ongeluk gewond was geraakt onder druk zette. Ze werden allebei gearresteerd, maar alleen Jukes foto stond in de krant. De orde van advocaten zit hem al jaren achter de broek, maar hij weet altijd overal mee weg te komen.

'Jouw man zit verderop in de gang,' zegt hij en hij wijst naar een van de gepensioneerde vrijwilligers in een roze jasje. Ze hebben hem zelfs een keer betrapt toen hij zo'n jasje droeg en net deed alsof hij een gastheer was. Ze hebben hem ook eens betrapt toen hij een witte boord en een zwart jasje droeg en net deed alsof hij een priester was. Juke is een geweteloze slijmbal, maar ik bewonder hem. Hij opereert in de duistere, troebele wateren van het recht, waardoor we veel gemeen hebben.

Partner zit in een ziekenhuishemd op een onderzoekstafel, met zijn rechterhand in het verband.

Ik kijk naar hem en zeg: 'Oké, vertel.'

Hij kwam uit een kiprestaurant dat de hele nacht open is, met een snack voor hemzelf en zijn moeder. Hij stapte in de bus, zette hem in de achteruit en toen werd het ding verdomme opgeblazen. Een bom, mogelijk een benzinebom, waarschijnlijk aan de benzinetank vastgemaakt en op afstand tot ontploffing gebracht door iemand die in een auto in de buurt zat. Partner slaagde erin eruit te kruipen en herinnert zich dat zijn jasje, toen hij op de stoep viel, in brand stond. Hij kroop weg en zag dat de bus in een grote vuurzee veranderde. Algauw waren er allemaal politieagenten en brandweerlieden, en was iedereen in paniek. Partner kon zijn telefoon niet vinden. Een broeder sneed zijn jasje open en hij werd in een ambulance getild. Toen ze hem naar de Spoedeisende Hulp reden, gaf iemand hem zijn telefoon.

'Sorry, baas,' zegt hij.

'Niet echt jouw fout. Je weet, de bus is goed verzekerd, juist voor dit soort situaties. We kopen wel een nieuwe.'

'Daar heb ik over nagedacht,' zegt hij, met een grimas.

'Is dat zo?'

'Ja, baas. Misschien moeten we iets nemen wat er minder verdacht uitziet, iets wat minder gemakkelijk te vinden en te volgen is. Snap je? Weet je, laatst reed ik over de snelweg en toen werd ik ingehaald door een witte bestelbus van een bloemenbezorgdienst. Standaard witte kleur, ongeveer even groot als die van ons en toen dacht ik: zoiets moeten we hebben! Niemand let ooit op een witte bus met letters en cijfers op de zijkant. Dat is echt zo! We moeten één worden met het andere verkeer, niet opvallen.'

'En wat schilderen we op de zijkant van onze nieuwe bus?'

'Dat weet ik niet, iets fictiefs. Petes Pakketten. Freds Bloemen. Mikes Metselaars. Maakt niet uit, gewoon iets wat niet opvalt.'

'Ik weet niet zeker of mijn cliënten prijs zouden stellen op een onopvallende witte bus met een valse naam erop. Ze zien alles.'

Hij lacht. De laatste cliënt die in mijn bus stapte was Arch Swanger, een mogelijke seriemoordenaar.

Opeens komt er een jonge dokter aan die zonder iets te zeggen tussen ons in komt staan. Hij onderzoekt het verband en vraagt ten slotte aan Partner hoe hij zich voelt.

'Ik wil naar huis,' zegt hij. 'Ik wil hier vannacht niet blijven.'

Dat vindt de dokter prima. Hij geeft Partner een heleboel verband en een paar pijnstillers mee, en verdwijnt. Een verpleegkundige regelt de ontslagbrief en andere documenten.

Partner trekt zijn niet-verbrande lange broek, sokken en schoenen aan, en loopt naar buiten met een goedkope deken om zijn bovenlichaam geslagen. We verlaten het ziekenhuis en rijden naar het kiprestaurant.

Het is bijna twee uur 's nachts, maar er staat nog steeds een politiewagen vlak bij de plaats delict. Onze bus wordt omringd door politietape en is nu niet meer dan een smeulend, zwart frame.

'Wacht hier,' zeg ik tegen Partner en ik stap uit.

Tegen de tijd dat ik tien meter heb gelopen en bij de gele tape blijf staan, komt een agent me tegemoet. 'Dat is ver genoeg, vriend,' zegt hij. 'Dit is een plaats delict.'

'Wat is er gebeurd?' vraag ik.

'Kan ik niet zeggen. Wordt onderzocht. Ga hier weg.'

'Ik raak toch niets aan?'

'Ik zei dat je weg moest gaan, oké?'

Ik haal een visitekaartje uit het borstzakje van mijn overhemd en geef dat aan hem. 'Ik ben de eigenaar van die bus, oké? Het was een benzinebom die aan de tank was bevestigd. Poging tot moord. Vraag de rechercheur alstublieft me later vanochtend te bellen.'

Hij kijkt naar mijn kaartje maar kan geen antwoord bedenken.

Ik loop terug naar de auto en blijf een paar minuten zwijgend zitten. 'Wil je wat kip?' vraag ik ten slotte.

'Nee. Heb nu niet veel trek.'

'Ik heb wel zin in een kop koffie. Jij?'

'Zeker.'

Ik stap weer uit en loop het restaurant binnen. Er zijn geen klanten, het is er verlaten en de voor de hand liggende vraag is: waarom moet een kiprestaurant vierentwintig uur per dag open zijn? Maar dat doet er nu niet toe.

Een zwart meisje met staal in beide neusvleugels hangt bij de kassa.

'Twee koffie alsjeblieft,' zeg ik. 'Geen melk.'

Daar baalt ze van, maar ze loopt weg. 'Twee veertig,' zegt ze en ze pakt een koffiepot die waarschijnlijk al uren niet is aangeraakt. Als ze de twee koppen op de toonbank zet, zeg ik: 'Die bus daar is van mij.'

'Nou, dan hebt u volgens mij een nieuwe bus nodig,' zegt ze met een brutale glimlach.

Bijdehand, zeg.

'Lijkt er wel op. Heb je iets gezien van de explosie?'

'Nee, ik heb niks gezien, maar ik hoorde het wel.'

'En ik durf te wedden dat jij of een van je collega's naar buiten is gerend met een mobiele telefoon en alles op video hebt opgenomen?'

Ze knikt arrogant. Ja.

'Heb je die beelden aan de politie gegeven?'

Een grijns. 'Nee, ik doe niets om de politie te helpen.'

'Ik geef je honderd dollar als je me die video mailt en dan zal ik niemand iets vertellen.'

Ze haalt haar telefoon uit de zak van haar jeans en zegt: 'Geef me je adres en het geld.'

We ronden de deal af. Voordat ik naar buiten loop vraag ik: 'Hangen er bewakingscamera's buiten?'

'Nee. Heeft de politie ook al gevraagd. Daar is die vent van wie deze tent is te gierig voor.'

In de auto kijken Partner en ik naar mijn mobiele telefoon en naar de video. We zien niets meer dan de vuurzee die hij al had beschreven. Ten minste twee brandweerauto's reageerden op het telefoontje en het duurde even voordat ze de brand hadden geblust. De video duurt veertien minuten en hoewel het heel onderhoudend is, omdat het mijn bus is, zien we niets nuttigs.

Als het scherm zwart wordt, vraagt Partner: 'Oké, wie heeft dit gedaan?'

Ik zeg: 'Ik weet zeker dat het Link was. Maandag hebben we twee van zijn handlangers te pakken genomen. Oog om oog. Het is nu menens.'

'Denk je dat Link nog in het land is?'

'Dat betwijfel ik. Dat zou te riskant zijn. Maar ik durf te wedden dat hij dichtbij is, in Mexico of het Caribisch gebied. Net buiten bereik, maar gemakkelijk om naartoe en vandaan te reizen.'

Ik start de auto en we rijden weg. Ik ben onder de indruk van hoeveel Partner vannacht heeft gezegd. De opwinding door de bomaanslag heeft zijn tong losgemaakt. Ik zie dat hij pijn heeft, maar dat zou hij nooit toegeven.

'Heb je een plan?' vraagt hij.

'Ja. Ik wil dat je Miguel Zapate gaat opzoeken, Tadeo's broer. Nu Tadeo's veelbelovende MMA-carrière van de baan is, weet ik zeker dat Miguel al zijn tijd besteedt aan drugshandel. Ik wil dat je Miguel vertelt dat ik bescherming nodig heb, dat ik zijn broertje die beschuldigd wordt van moord gratis vertegenwoordig, helemaal *pro bono* omdat ik van die knul hou en hij mij niet kan betalen, en dat ik onder druk word gezet door een paar schurken die voor Link Scanlon werken. Fango is er daar een van, hoewel ik zijn echte naam niet ken.'

'Ze noemen hem Tubby. Tubby Fango, maar zijn echte naam is Danny.'

'Indrukwekkend. Wie is die andere, die vent die jij een klap met die stof van je hebt gegeven?'

'Wordt Razor genoemd, Razor Robilio, echte naam is Arthur.'

'Tubby en Razor,' zeg ik en ik schud mijn hoofd. 'Wanneer heb je dit uitgezocht?'

'Na onze onenigheid maandag besloot ik een beetje te snuffelen. Was niet echt moeilijk.'

'Goed gedaan. Geef Miguel die namen dan maar door en vertel hem dat hij contact moet opnemen met deze jongens en ze duidelijk moet maken dat ze hiermee moeten kappen. Miguel en zijn mannen handelen in coke, een markt waar Link dertig jaar geleden de controle over had. Het is onwaarschijnlijk dat Tubby en Razor Miguel ooit zijn tegengekomen, maar je kunt nooit weten. Er zijn altijd vreemde connecties in de goot. Zorg er alsjeblieft voor dat Miguel weet dat ik niet wil dat iemand gewond raakt; alleen een beetje intimidatie, begrepen?'

'Begrepen, baas.'

We zijn in de zwarte wijk. De straten zijn donker en verlaten, maar als ik nu uit de auto zou stappen en mijn blanke gezicht zou laten zien, zou ik zeker onaangename types aantrekken. Die fout heb ik één keer gemaakt, maar gelukkig was Partner toen bij me. Ik stop voor zijn huis en zeg: 'Ik neem aan dat miss Luella op je wacht.'

Hij knikt en zegt: 'Ik heb haar gebeld, gezegd dat het alleen maar een sneetje was. Het komt wel goed met haar.'

'Wil je dat ik mee naar binnen ga?'

'Nee baas, het is al bijna drie uur. Ga maar slapen.'

'Bel me als je iets nodig hebt.'

'Afgesproken, baas. Gaan we morgen op zoek naar een nieuwe bus?'

'Nog niet. Ik moet dit eerst opnemen met de politie en mijn verzeke-ringsmaatschappij.'

'Ik heb wel vervoer nodig. Vind je het goed als ik al even op internet ga kijken?'

'Ga je gang. En pas op jezelf.'

'Afgesproken, baas.'

10

Omdat ik er op dit moment niet aan moet dénken om zelfs maar bij haar in de buurt te zijn en zij mij ongetwijfeld ook liever niet ziet, spreken Judith en ik af de zaak telefonisch te bespreken. We beginnen vrij vriendelijk met de laatste update over onze zoon. Het gaat goed met hem, geen nadelige gevolgen en hij heeft geen echte behoefte om over het weekend te praten. Nadat we dat hebben afgehandeld, kunnen we to the point komen.

Judith heeft besloten dat ze geen FBI-onderzoek wil laten instellen naar Roy Kemp en de kidnapping. Daar heeft ze haar redenen voor en die zijn valide. Het leven is goed. Starcher is oké. Als Kemp en zijn vrienden wanhopig genoeg zijn om een kind te ontvoeren in ruil voor informatie, wie weet waar ze nog meer toe in staat zijn. Laten we ze maar met rust laten. Bovendien lijkt het onmogelijk om te bewijzen dat Kemp hierbij betrokken was. Denken we nu echt dat de FBI achter een hooggeplaatste politieman aan gaat? Daarnaast staat haar procesagenda helemaal vol. Ze kan die afleiding niet gebruiken. Waarom zouden we onze toch al stressvolle levens nog meer compliceren?

Judith is een vechter, een stoere meid die nergens voor terugdeinst. Ze is ook een slimme tacticus die het risico van onbedoelde gevolgen vermijdt. Als we aansturen op een onderzoek naar Kemp kunnen we met geen mogelijkheid inschatten wat er daarna zal gebeuren. En omdat we te maken hebben met een harde man die op dit moment niet helder kan nadenken, is het verstandig om ervan uit te gaan dat hij weleens wraak zou kunnen nemen.

Het verbaast haar dat ik er niet tegenin ga. We zijn het eens, iets wat zelden voorkomt in onze relatie.

11

Onze burgemeester is al aan zijn derde termijn bezig en heeft de indrukwekkende naam L. Woodrow Sullivan iii. Voor het publiek is hij gewoon Woody, een glimlachende, vriendelijke man die alles zal beloven in ruil voor een stem. Maar privé is hij een agressieve, zure lul die te veel drinkt en het helemaal heeft gehad met zijn baan. Hij kan er echter niet van weglopen, want hij kan nergens naartoe. Hij wil volgend jaar herkozen worden en het ziet ernaar uit dat hij geen vrienden heeft. Op dit moment heeft hij vijftien procent van de stemmen, zo weinig dat een politicus met een beetje trots de handdoek in de ring zou gooien omdat hij in ongenade is gevallen. Woody heeft zich echter al vaker teruggevochten. Nu zou hij alles liever doen dan deze bespreking voeren.

De derde man in het vertrek is de advocaat van de stad, Moss Korgan, een jaargenoot van me tijdens mijn rechtenstudie. Toen hadden we al de pest aan elkaar, en dat is niet veranderd. Hij was redacteur van het studentenkrantje en stevende af op een glanzende carrière in de bedrijfsjuridische advocatuur, maar toen die implodeerde moest hij op zoek naar minder werk.

Woody & Moss. Klinkt als een winkel voor jachtbenodigdheden.

We komen bij elkaar in het kantoor van de burgemeester, een prachtig vertrek op de bovenste verdieping van het stadhuis, met hoge ramen en uitzicht naar alle kanten. We gaan in een hoek aan een kleine vergadertafel zitten en een secretaresse schenkt koffie in uit een oude zilveren kan. Moeizaam voeren we het verplichte gesprek over koetjes en kalfjes, en dwingen onszelf te glimlachen en ontspannen te lijken.

Tijdens de voorbereidingen van het civiele proces heb ik laten weten dat ik van plan ben deze beide mannen via een dagvaarding in de getuigenbank te laten plaatsnemen. Dit feit hangt als een donkere wolk boven de tafel en maakt het bijna onmogelijk professioneel en beleefd te zijn.

Bruusk zegt Woody: 'We zijn hier om over een schikking te praten, nietwaar?'

'Ja,' zeg ik en ik haal een paar papieren uit mijn aktetas. 'Ik heb een voorstel, een vrij uitgebreid voorstel. Mijn cliënt, Doug Renfro, wil alle claims graag schikken en dan doorgaan met zijn leven, of wat daarvan over is.'

'Ik luister,' zegt Woody onbeleefd.

'Dank u. Eén: de acht politieagenten die Kitty Renfro hebben vermoord moeten worden ontslagen. Ze zijn met verlof gestuurd sinds de moord, en...'

Woody valt me in de rede. 'Zei u "moord"?'

'Ze zijn nog nergens voor veroordeeld,' zegt Moss.

'We zijn niet in een rechtszaal, oké, en als ik het woord "moord" wil gebruiken, dan doe ik dat. Eerlijk gezegd is er geen ander woord in de Engelse taal dat treffend genoeg beschrijft wat die SWAT-jongens van jullie hebben gedaan, het was moord. Het is beschamend dat deze schurken nog altijd niet zijn ontslagen en nog steeds hun volledige salaris uitbetaald krijgen; ze moeten weg. Dat is nummer één. Nummer twee: de commissaris moet ook weg. Hij is een incompetente klojo die die baan nooit had mogen krijgen. Hij geeft leiding aan een corrupt korps. Hij is een idioot, en als u me niet gelooft, moet u het maar eens aan uw kiezers vragen. Volgens de laatste peiling wil ten minste tachtig procent van de inwoners van deze stad dat hij wordt ontslagen.'

Ze knikken ernstig maar durven me niet aan te kijken. Alles wat ik heb gezegd, is ook al verschenen op de voorpagina van de *Chronicle*. De gemeenteraad heeft met drie tegen één stemmen een motie van wantrouwen aangenomen tegen de commissaris.

Maar de burgemeester wil hem niet ontslaan. De redenen daarvoor zijn eenvoudig en ingewikkeld. Als de acht warrior cops en hun baas vóór het civiele proces worden ontslagen, is de kans groot dat ze getuige à decharge worden tegen de City. Het is het beste als ze één front kunnen blijven vormen in hun verdediging tijdens het Renfro-proces.

Ik ga door. 'Als de zaak voorbij is, kunt u ze eindelijk ontslaan, klopt dat?'

Moss zegt: 'Moet ik je eraan herinneren dat onze aansprakelijkheid hoogstens een miljoen dollar kan opleveren?'

'Nee, dat hoef je niet. Daar ben ik me ten volle van bewust. We accepteren die miljoen als schikking, en jullie ontslaan die acht agenten en de commissaris.'

'Afgesproken!' schreeuwt Woody bijna en hij slaat met zijn vlakke

278

hand op het tafelblad. 'Deal! Wat wilt u nog meer?'

De City zit nu vast aan het luizige bedrag van een miljoen dollar, maar ze zijn doodsbang voor een nieuw proces. Tijdens het eerste proces heb ik in dramatische details de grove ambtsmisdrijven van ons politiekorps blootgelegd, en de *Chronicle* heeft deze een week lang op de voorpagina gepubliceerd. De burgemeester, de hoofdcommissaris van politie, de advocaat van de stad en de wethouders waren in alle staten; het laatste wat ze willen is een nieuw groot proces waarbij ik de City met de grond gelijkmaak.

'O, maar ik wil nog veel meer, burgemeester,' zeg ik.

Ze kijken me aan met een lege blik die langzaam maar zeker verandert in een angstige blik.

'Ik weet zeker dat u nog weet dat mijn zoontje afgelopen zaterdag is ontvoerd. Heel angstaanjagend, maar het is goed afgelopen en zo. Wat u echter niet weet, is dat hij werd ontvoerd door leden van uw politiekorps.'

Woody's stoerejongensfaçade verdwijnt als zijn gezicht in elkaar zakt en bleek wordt.

Moss, een ex-marinier, is trots op zijn rechte houding, maar op dit moment kan hij niet voorkomen dat hij zijn schouders laat zakken. Hij ademt uit als de burgemeester op een nagel begint te bijten. Ze kijken elkaar heel even aan, met dezelfde doodsbange blik.

Met een beetje dramatiek leg ik een document op de tafel, net buiten hun bereik. Ik zeg: 'Dit is een door mij ondertekende beëdigde verklaring van tien pagina's, waarin ik de kidnapping beschrijf, een kidnapping onder regie van de ondercommissaris van politie Roy Kemp, in een poging mij te dwingen bekend te maken waar het lichaam van zijn vermiste dochter is begraven. Arch Swanger is nooit mijn cliënt geweest, in tegenstelling tot wat u hebt gelezen en wat u denkt, maar hij heeft me verteld waar het lichaam zogenaamd begraven was. Toen ik weigerde deze informatie aan de politie door te geven, werd mijn zoon ontvoerd. Ik gaf toe en vertelde rechercheur Reardon wat ik wist, waarna er afgelopen zondagnacht een grootschalige graafactie werd uitgevoerd. Ze vonden niets, het lichaam lag er niet. Toen heeft Kemp mijn zoon vrijgelaten. Nu wil hij dat ik het laat rusten, maar dat gaat dus niet gebeuren. Ik werk samen met de FBI. U denkt dat u al een probleem hebt met de zaak-Renfro, dus wacht maar tot de City ontdekt hoe verrot uw politiekorps echt is.'

'Kun je dit bewijzen?' vraagt Moss met een droge keel.

Ik tik op mijn beëdigde verklaring en zeg: 'Hier staat het allemaal in. Er zijn beelden van bewakingscamera's van het truckerscafé waar ik mijn zoon heb gevonden. Hij heeft een van zijn ontvoerders kunnen identificeren, een agent. De FBI is fanatiek op zoek en trekt alle aanwijzingen na.'

Dat is niet helemaal waar natuurlijk, maar hoe zouden zij dat moeten weten? Zoals in elke oorlog is de waarheid het eerste slachtoffer. Ik haal nog een document uit mijn aktetas en leg dat naast mijn beëdigde verklaring. 'En dit is een concept van de beschuldiging die ik wil indienen tegen de City voor de kidnapping. Zoals u weet is Kemp met verlof, maar hij staat nog steeds op de loonlijst en is nog steeds een werknemer. Ik sleep hem, het korps en de City voor de rechter voor een misdrijf dat in het hele land voorpaginanieuws zal zijn.'

'Je wilt dat Kemp ook wordt ontslagen?' vraagt Moss.

'Het maakt me niet uit of Kemp blijft of vertrekt. Hij is een aardige vent en een goede politieman, maar hij is ook een wanhopige vader die door een hel gaat. Ik kan het hem wel vergeven.'

'Ontzettend aardig van u,' mompelt Woody.

'Wat heeft dit met die schikking te maken?' vraagt Moss.

'Alles. Ik vergeet dat proces, ga door met mijn leven en hou mijn zoon beter in de gaten. En ik wil nog een miljoen dollar voor Renfro.'

De burgemeester wrijft met zijn knokkels in zijn ogen en Moss zakt zelfs nog meer in elkaar. Ze zijn volkomen overrompeld en weten een lange minuut niet wat ze moeten zeggen. Uiteindelijk mompelt Woody nogal zielig: 'Godver!'

'Dit is afpersing,' zegt Moss.

'Dat is het zeker, maar afpersing staat een paar treden lager op de ranglijst. Bovenaan staat moord, gevolgd door kidnapping. U wilt vast niet horen wie ik denk die het zwaarste misdrijf heeft gepleegd.'

De burgemeester slaagt erin zijn rug te rechten en vraagt: 'En hoe zouden wij nog een miljoen dollar moeten vinden en die aan u en meneer Renfro moeten uitbetalen zonder dat iemand dat aan de pers gaat lekken?'

'Ach, u hebt wel vaker geld rondgepompt, burgemeester. Daar bent u al een paar keer op betrapt, met vervelende schandalen tot gevolg, maar u kent het spel.'

'Ik had niets verkeerds gedaan.'

'Ik ben geen journalist, dus laat maar zitten. Uw begroting dit jaar bedraagt zeshonderd miljoen. U hebt een budget voor slechte tijden, een budget voor uitgaven naar eigen inzicht, een budget voor steekpenningen, reserves voor van alles en nog wat. U bedenkt vast wel iets. U kunt dit misschien het beste regelen tijdens een besloten zitting van de gemeenteraad, waarbij u een resolutie aanneemt voor een vertrouwelijke schikking met Renfro en het geld dan overmaakt naar een buitenlandse bankrekening.'

Woody lacht, maar niet omdat hij dit grappig vindt. 'U denkt dus dat de gemeenteraad dit stil zal houden?'

'Dat is uw probleem, niet het mijne. Mijn werk is een billijke schikking regelen voor mijn cliënt. Twee miljoen is niet billijk, maar we accepteren het.'

Moss staat op, hij lijkt duizelig. Hij loopt naar een raam en kijkt nietsziend voor zich uit. Hij recht zijn rug en loopt dan door het vertrek.

Woody lijkt te begrijpen dat er donkere wolken boven zijn hoofd hangen en vraagt: 'Oké, Rudd, hoeveel tijd geef je ons?'

'Niet veel.'

Moss zegt: 'We hebben wat tijd nodig om dit te onderzoeken, Sebastian. Je walst hier naar binnen, vertelt een bizar verhaal en verwacht dat we alles meteen geloven. Dit is niet eenvoudig.'

'Klopt, maar een onderzoek zal alleen maar lekken veroorzaken. En wat schiet je daarmee op? Wil je Kemp bellen en hem vragen of hij mijn zoon heeft ontvoerd? Jeetje, ik vraag me af wat hij zal zeggen. Je kunt maanden naar de waarheid blijven zoeken, maar die vind je toch niet. Bovendien ben ik niet in de stemming om te wachten.' Ik schuif de beëdigde verklaring en de aanvraag voor het proces over de tafel naar Woody toe. Ik sta op en pak mijn aktetas. 'Dit zijn de voorwaarden. Vandaag is het vrijdag. Jullie hebben het weekend. Ik kom maandagochtend om tien uur terug om de zaak af te handelen. Als jullie het afwijzen, ga ik meteen door naar de *Chronicle* met die papieren. Denk eens aan het verhaal, de schade, aan de krantenkoppen.'

Woody wordt weer bleek en zegt zielig: 'Ik ben maandag in Washington.'

'Dan zegt u dat maar af. Zeg maar dat u griep hebt. Maandagochtend om tien uur, heren,' zeg ik en ik doe de deur open.

12

Naomi is niet erg onder de indruk van mijn gehuurde Mazda. Terwijl we door het centrum naar de sporthal rijden, vertel ik haar wat er met mijn andere auto is gebeurd.

Ze schrikt ervan dat er in de City slechteriken rondlopen die bereid zijn een bom aan mijn bus vast te maken om mij te intimideren en Partner te doden. Ze wil weten hoe snel ik denk dat de politie deze mannen zal oppakken en voor de rechter zal slepen. Ze begrijpt er niets van als ik uitleg dat 1) de politie ze niet echt wil oppakken omdat ik ben wie ik ben en 2) dat de politie ze niet kan oppakken omdat deze mannen geen sporen hebben achtergelaten.

Ze vraagt of ze wel veilig is in mijn gezelschap. Als ik haar vertel dat ik een pistool onder mijn linkeroksel draag, haalt ze diep adem en staart naar buiten. 'Natuurlijk zijn we veilig,' zeg ik.

In een poging helemaal eerlijk te zijn, vertel ik haar over mijn laatste kantoor en de brandbom. Nee, dat misdrijf heeft de politie ook niet opgelost, omdat ze er waarschijnlijk zelf iets mee te maken hadden. Zij of een stel drugsdealers.

'Geen wonder dat je een probleem hebt met vrouwen,' is haar conclusie. En ze heeft gelijk. De meeste vrouwen worden snel bang en zoeken een minder gevaarlijke man. Maar Naomi heeft glanzende ogen en lijkt te genieten van het feit dat er gevaar dreigt. En ja, naar die kooigevechten gaan was haar idee.

Ik heb wat kunnen regelen en we krijgen een plaatsje vooraan, op de derde rij. Ik koop twee grote glazen bier en we kijken naar het publiek. Anders dan in het theater en de bioscoop, of tijdens een opera of in een concertgebouw, of zelfs in een sporthal voor een basketbalwedstrijd, komen de fans hiernaartoe in een opgefokte stemming, velen zijn al halfdronken. Het is weer lekker druk, drie- of vierduizend man, en ik vind het geweldig dat deze sport zo snel populair is geworden.

Ik denk ook aan Tadeo, een getalenteerde jongen die nu in het huis van bewaring zit terwijl hij vanavond eigenlijk de hoofdattractie had moeten zijn. Zijn proces begint binnenkort en hij denkt nog steeds dat ik wonderen zal verrichten, zodat hij als vrij man de rechtszaal zal kunnen verlaten. Ik vertel Naomi heel gedetailleerd wat er op die avond nog niet eens zo lang geleden is gebeurd, toen Tadeo de scheidsrechter aanviel en iedereen met iedereen begon te vechten. Starcher vond het cool en wil hier weer naartoe voor nog meer lol. Dat vindt ze een slecht idee.

Een trainer herkent me en blijft even staan kletsen. Zijn vechter is een jongen van achtenzestig kilo die aan het tweede gevecht meedoet en zijn laatste zes gevechten heeft gewonnen. Ondertussen kan hij zijn ogen niet van Naomi afhouden. Doordat ze een mooie verschijning is en zich goed kleedt, trekt ze de aandacht. De trainer denkt dat zijn vechter een goede toekomst tegemoet gaat en ze hebben financiële steun nodig. Omdat ik word beschouwd als een belangrijke advocaat met heel veel geld, in elk geval in dit wereldje, ben ik iemand die een carrière kan maken of breken. Ik zeg dat we daar misschien later over kunnen praten. Ik wil die jongen eerst weleens een paar wedstrijden zien vechten, dan spreken we elkaar weer. De trainer vraagt naar Tadeo en schudt met een trieste blik zijn hoofd. Wat zonde!

Zodra alle stoelen bezet zijn, wordt het licht gedimd en raakt het publiek nog opgefokter. De eerste twee vechters gaan de kooi in en worden voorgesteld.

'Ken je deze jongens?' vraagt Naomi opgewonden.

'Ja, gewoon een stelletje vechtersbazen, niet veel talent. Straatvechters eigenlijk.'

De bel gaat, het gevecht begint en mijn knappe lerares gaat op het puntje van haar stoel zitten en begint te schreeuwen.

13

Om middernacht zitten we in een pizzeria, verscholen in een klein hoekje, heel dicht bij elkaar. We hebben elkaar aangeraakt en elkaars hand vastgehouden, en er schijnt sprake te zijn van een wederzijdse aantrekkingskracht. Ik hoop in elk geval dat die wederzijds is.

Ze knabbelt aan een plakje peperoni en ratelt maar door over het hoofdgevecht, een bloedfestijn tussen zwaargewichten dat eindigde met een gemene wurggreep. De verliezer bleef heel lang op de mat liggen. Uiteindelijk begint ze over de kidnapping en vraagt hoeveel ik weet. Ik vertel dat de FBI ermee bezig is en ik niets mag zeggen.

Werd er losgeld geëist? Dat kan ik niet zeggen. Is er een verdachte? Voor zover ik weet niet. Wat deed hij in dat truckerscafé? IJs eten. Ik zou haar graag meer willen vertellen, maar het is te vroeg; misschien later, als alles geregeld is.

In de auto onderweg naar haar huis zegt ze: 'Een relatie kon weleens lastig worden zolang je een pistool draagt.'

'Oké. Ik hoef 'm niet per se bij me te dragen. Maar hij zal altijd binnen handbereik moeten zijn.'

'Ik weet niet of ik dat wel prettig vind.'

Er wordt niets meer gezegd tot ik voor haar flatgebouw stop.

'Ik heb me uitstekend vermaakt,' zegt ze.

'Ik ook.' Ik loop met haar mee naar de deur van de portiek en vraag: 'Wanneer zie ik je weer?'

Ze geeft een tikje op mijn wang en zegt: 'Morgenavond, om zeven uur. Hier. Er is een film die ik wil zien.'

14

Partner haalt me op in een andere huurwagen, een glanzende nieuwe U-Haul-bestelbus met aan beide zijkanten in felgroene en oranje letters de tekst: $19,95 PER DAG, ONBEPERKT AANTAL KILOMETERS.

Ik blijf er zeker een minuut lang naar kijken voordat ik instap. 'Leuk,' zeg ik.

'Ik dacht wel dat je het leuk zou vinden,' zegt hij grijnzend. Zijn verband zit verborgen onder zijn kleren, waardoor zijn wonden onzichtbaar zijn. Hij is te stoer om toe te geven dat hij beurs is of pijn heeft.

'We moeten hier maar aan wennen,' zeg ik. 'De verzekeringsmaatschappij loopt niet echt hard. Bovendien kost het een maand om een nieuwe bus aan te passen.'

We rijden door het centrum, gewoon een paar jongens met een bus vol meubels. Hij stopt voor het stadhuis op een plek waar je niet mag parkeren. Een U-Haul-bus met zulke felle kleuren zal ongetwijfeld een heleboel verkeersagenten aantrekken.

'Ik heb Miguel gesproken,' zegt hij.

'En hoe ging het?' vraag ik, met mijn hand op de deurkruk.

'Oké. Ik heb alles gewoon uitgelegd. Ik zei dat je door een paar stoere jongens onder druk wordt gezet en wat bescherming nodig hebt. Hij zei dat hij dat wel kan regelen, dat dit wel het minste was wat hij en de jongens voor je kunnen doen, dat soort dingen. Ik heb expliciet gezegd dat er geen gewonden mogen vallen, alleen een vriendelijk praatje zodat Tubby en Razor de boodschap begrijpen.'

'Wat denk je?'

'Neem aan dat het wel effect zal hebben. Links bende is vrij klein tegenwoordig, logisch natuurlijk. De meeste gorilla's van hem zijn verdwenen. Ik betwijfel of zijn jongens problemen willen hebben met een drugsbende.'

'We zullen zien. Ben over een halfuur terug,' zeg ik en ik stap uit.

Woody heeft zijn reis naar Washington geannuleerd en zit samen met Moss in zijn kantoor te wachten. Zo te zien hebben ze allebei een vervelend weekend achter de rug. Het is maandag en het is mijn bedoeling de rest van hun week ook te verpesten.

We geven elkaar geen hand, we maken geen geforceerde vriendelijke opmerkingen en er wordt zelfs geen koffie aangeboden.

Ik drijf de spanning op met: 'Oké heren, hebben we een deal? Ja of nee? Ik wil nu een antwoord en als dat het verkeerde antwoord is, ga ik meteen nadat ik dit gebouw heb verlaten naar de *Chronicle*. Verdoliak, jullie favoriete verslaggever, zit al aan zijn bureau te wachten.'

Woody kijkt naar de grond en zegt: 'Deal.'

Moss schuift een document naar me toe en zegt: 'Dit is een vertrouwelijke schikkingsovereenkomst. De verzekeringsmaatschappij betaalt het eerste miljoen nu en de City betaalt dit fiscale jaar een half miljoen en het volgende ook. We hebben een reservefonds voor juridische zaken dat we kunnen gebruiken, maar we moeten de betalingen verdelen over dit en volgend jaar. Meer kunnen we niet doen.'

'Dat is oké,' zeg ik. 'En wanneer krijgen de commissaris en die SWAT-jongens de zak?'

'Morgenochtend,' zegt Moss. 'En dat staat niet in deze overeenkomst.'

'Dan zal ik dit niet ondertekenen voordat ze zijn ontslagen. Waarom wachten? Waarom is het zo moeilijk om deze mannen te ontslaan? Verdomme, de hele stad wil dat ze op straat worden gezet!'

'Wij ook,' zegt de burgemeester. 'Geloof me, we willen ze buiten beeld hebben. Je moet ons vertrouwen, Rudd.'

Ik rol met mijn ogen bij het woord 'vertrouwen'. Ik pak de overeenkomst van de tafel en lees haar langzaam door. Er gaat een telefoon op het indrukwekkende bureau van de burgemeester, maar hij negeert het. Als ik klaar ben met lezen, laat ik het document op de tafel vallen en zeg: 'Geen enkele verontschuldiging. De echtgenote van mijn cliënt is vermoord, er is op hem geschoten en dan moet hij als verdachte een strafproces meemaken. Hij denkt dat hij misschien de gevangenis in moet, gaat door een hel en dan geen enkele verontschuldiging. Geen deal.'

Woody springt op en roept verbitterd: 'Shit!' Moss wrijft over zijn ogen alsof hij op het punt staat in huilen uit te barsten. Er verstrijken seconden, dan een hele minuut, terwijl er niets wordt gezegd.

Ten slotte kijk ik de burgemeester aan en vraag: 'Waarom kunt u zich niet vermannen en doen wat juist is? Waarom kunt u niet een van uw persconferenties organiseren, zoals u zo graag doet voor elke andere kleine crisis, en dan begint u met een verontschuldiging gericht aan de familie Renfro? Vertel dat er een schikking wordt getroffen in de civielrechtelijke zaak. Leg uit dat het nu, na een grondig onderzoek, duidelijk is dat het SWAT-team alle procedure- en veiligheidsvoorschriften heeft genegeerd en dat de acht politieagenten op staande voet worden ontslagen. En dat hun baas ook de laan uit wordt gestuurd.'

'Ik heb jou echt niet nodig om me te vertellen hoe ik mijn werk moet doen,' zegt Woody, maar dat is een zielige reactie.

'Misschien wel,' zeg ik. Ik heb de neiging opnieuw naar hem uit te vallen, maar ik wil het geld.

'Oké, oké,' zegt Moss. 'We zullen de tekst herzien en ook een paar woorden aan de familie richten.'

'Bedankt,' zeg ik. 'Ik kom morgen terug, na de persconferentie.'

15

Ik heb een lunchafspraak met Doug Renfro in een eethuisje vlak bij zijn huis. Ik vertel hem wat de schikking inhoudt, en hij is dolblij dat het twee miljoen is geworden. In ons contract staat dat ik vijfentwintig procent krijg, maar dat verlaag ik tot slechts tien procent. Dat verbaast hem en eerst wil hij ertegenin gaan. Ik zou hem alles wel willen geven, maar ik heb ook bepaalde kosten gemaakt. Na aftrek van het aandeel van de twee Harry's houd ik netto ongeveer honderdtwintigduizend over. Dat is weinig voor de tijd die ik aan de zaak heb besteed, maar nog altijd een prima honorarium.

Hij neemt een slok koffie en opeens beginnen zijn handen te trillen en springen de tranen hem in de ogen. Hij zet zijn kopje neer en knijpt in de brug van zijn neus. 'Ik wil alleen Kitty maar,' zegt hij met trillende lippen.

'Het spijt me, Doug,' zeg ik. Wat kan ik anders zeggen?

'Waarom hebben ze het gedaan? Waarom? Het was zo zinloos. De deuren intrappen, om zich heen schieten als een stelletje gekken, het verkeerde huis. Waarom, Sebastian?'

Ik schud mijn hoofd, ik heb geen idee.

'Ik ga hier weg, dat kan ik je nu meteen wel vertellen. Weg! Ik haat deze stad en de idioten die hier de baas zijn! En ik moet je vertellen, Sebastian, nu die acht politieagenten werkloos zijn en kwaad en op zoek naar problemen voel ik me niet veilig. Jij zou je ook niet veilig moeten voelen, weet je dat wel?'

'Dat weet ik, Doug. Geloof me, daar denk ik de hele tijd aan. Maar ik heb ze wel vaker kwaad gemaakt. Ze zijn nooit echt gek op me geweest.'

'Je bent een verdomd fijne advocaat, Sebastian. Eerst twijfelde ik nog. De manier waarop je je opdrong toen ik nog in het ziekenhuis lag. Ik dacht steeds: wie is deze vent? Er waren nog andere advocaten die de zaak wilden hebben, weet je? Een paar echte mafketels die in het zie-

288

kenhuis rondhingen. Maar ik heb ze de deur gewezen. Blij toe. Je was geweldig tijdens het proces, Sebastian. Fantastisch.'

'Oké, oké. Bedankt, Doug, maar zo is het wel genoeg.'

'Vijftien procent, oké? Ik wil dat je vijftien procent neemt. Alsjeblieft.'

'Als je erop staat.'

'Dat doe ik. Ik heb mijn huis gisteren verkocht, met een leuke winst. De overdracht is over twee weken. Ik denk dat ik naar Spanje ga.'

'Vorige week was het Nieuw-Zeeland.'

'Ach, de wereld is groot. Misschien ga ik overal en nergens naartoe, misschien woon ik wel een jaar in een trein of zo. Alles zien. Ik wilde alleen dat Kitty bij me kon zijn. Die vrouw was gek op reizen.'

'We krijgen het geld binnenkort al. Over een paar dagen zie je me weer en dan verdeel ik het.'

16

Ik zit in mijn appartement naar de persconferentie te kijken. Kennelijk heeft burgemeester Woody in de afgelopen uren zitten rekenen en is hij tot de conclusie gekomen dat kruiperigheid hem meer stemmen zal opleveren dan tegenwerking. Hij staat achter een spreekgestoelte en voor het eerst in de recente geschiedenis staat er niemand achter hem. Niemand! Hij is helemaal alleen: geen wethouder die zich aanstelt voor de camera's, geen lange rij geüniformeerde agenten en geen grimmig kijkende advocaten die fronsen alsof ze darmkrampen hebben.

Hij vertelt het groepje verslaggevers dat de City een schikking heeft getroffen met Doug Renfro. Er volgt geen civielrechtelijk proces, de nachtmerrie is voorbij. De afspraken zijn natuurlijk vertrouwelijk. Zijn welgemeende excuses aan de familie voor wat er is gebeurd. Er zijn fouten gemaakt, dat is duidelijk (hoewel niet door hem), en hij heeft besloten deze tragedie af te ronden. De commissaris van politie is op staande voet ontslagen; hij was uiteindelijk verantwoordelijk voor de daden van zijn agenten. Alle acht leden van het SWAT-team zijn ook ontslagen; hun acties kunnen niet worden getolereerd. Procedures zullen worden herzien. Enzovoort. Hij verpakt het prachtig in nog een verontschuldiging, en kijkt en klinkt af en toe alsof hij wel kan huilen. Geen slechte acteerprestatie voor Woody; dit kan hem zelfs een paar stemmen opleveren. Maar iedere gek kan hem doorzien.

Dapper gedaan, Woody.

En nu, alsof mijn leven al niet gecompliceerd genoeg is, lopen er acht ex-agenten vrij rond op straat die mijn naam op hun lippen hebben en op zoek zijn naar een manier om wraak te nemen.

Het geld is al snel beschikbaar, en dat verdelen Doug en ik volgens afspraak. De laatste keer dat ik hem zag, stapte hij in een taxi op weg naar het vliegveld. Hij zei dat hij nog steeds niet weet waar hij naartoe gaat, maar dat zoekt hij wel uit als hij op de luchthaven is. Hij zei dat hij misschien naar het bord met vertrekkende vluchten gaat staan kijken en een pijltje gooit.

Ik ben een heel klein beetje jaloers.

17

Tadeo staat erop dat ik hem minstens één keer per week in het huis van bewaring opzoek, wat ik niet echt erg vind. We praten meestal over zijn aanstaande proces en over hoe hij het daar moet uithouden. Er is geen sportzaal of andere plaats om te trainen – in de gevangenis waar hij na zijn veroordeling naartoe gaat is die er wel, maar daar praten we niet over – en hij is gefrustreerd omdat hij in vorm wil blijven. Hij doet duizend sit-ups en push-ups per dag en ik vind dat hij er fit uitziet. Het eten is afschuwelijk en hij zegt dat hij afvalt, wat natuurlijk leidt tot een gesprek over zijn gewenste vechtgewicht zodra hij een vrij man is. Hoe langer hij gevangenzit en hoe meer gratis juridisch advies zijn mede-gevangenen hem geven, hoe meer waandenkbeelden hij krijgt. Hij is ervan overtuigd dat hij een jury met zijn charmes kan overtuigen, dat hij alles kan schuiven op een kortstondige aanval van ontoerekenings-vatbaarheid en dan wordt vrijgesproken. Ik vertel hem, voor de zoveel-ste keer, dat het moeilijk zal zijn het proces te winnen omdat de jury de video ten minste vijf keer zal zien.

Hij is ook gaan twijfelen aan mijn geloof in hem, en hij zegt twee keer dat hij er een andere advocaat bij wil halen. Dat gaat niet gebeuren, omdat hij een andere advocaat een hoog honorarium moet betalen, maar het blijft irritant. Hij gedraagt zich net zoals een heleboel ver-dachten, vooral straatcriminelen. Hij vertrouwt het systeem niet, en hij vertrouwt mij ook niet, omdat ik blank ben en dus deel uitmaak van de macht. Hij is overtuigd van zijn onschuld en weet zeker dat hij onte-recht is opgesloten. Hij denkt dat hij als hij daar de kans voor krijgt een jury kan verleiden. En ik, als zijn advocaat, hoef in de rechtszaal alleen maar een paar trucjes uit te halen en dan zal hij, net als op de televisie, weer een vrij man zijn. Ik ga niet met hem in discussie maar blijf wel proberen hem een realistische kijk op de zaak te geven.

Na een halfuur neem ik afscheid en ik ben opgelucht dat ik niet lan-ger met hem in één ruimte hoef te zitten. Onderweg naar de uitgang duikt rechercheur Reardon als vanuit het niets op en botst bijna tegen me aan. 'Hallo Rudd, precies de man die ik zoek.'

Ik heb hem hier nooit eerder gezien. Deze ontmoeting is geen toeval. 'O? Wat is er?'

'Heb je even?' vraagt hij en hij wijst naar een hoek ver bij de andere advocaten en cipiers vandaan.

'Tuurlijk.' Ik heb niet echt zin om met Reardon te praten, maar hij is hier niet voor niets. Ik weet zeker dat hij me duidelijk wil maken dat onze geschorste ondercommissaris van politie, Roy Kemp, het nog altijd heel belangrijk vindt dat wij die kidnapping onder ons houden.

Als we alleen zijn, zegt hij: 'Hé Rudd, ik hoorde dat je vorige week in de rechtbank slaags bent geraakt met een paar jongens van Link Scanlon. Getuigen zeggen dat je ze met een staaf bewusteloos hebt geslagen. Jammer dat je ze niet hebt doodgeschoten. Wilde dat ik het had gezien. Kan bijna niet geloven dat je het lef had om de strijd aan te gaan met een stel keiharde jongens.'

'Wat wil je?'

'Ik neem aan dat Link je heeft laten weten dat hij iets wil, geld waarschijnlijk. We weten waar hij zit, we kunnen hem daar alleen niet pakken. Volgens ons is hij platzak en dus stuurt hij een paar schurken op pad om jou wat geld afhandig te maken. Om de een of andere reden wil je je niet laten intimideren. Zij zetten je onder druk, jij slaat ze op klaarlichte dag bewusteloos voor de deur van een rechtszaal. Dat vind ik geweldig.'

'Waar wil je naartoe?'

'Ken je die twee kerels? Ik bedoel, hun naam?'

Iets zegt me dat ik me van de domme moet houden. 'Eentje wordt Tubby genoemd, geen achternaam. Die andere ken ik niet. Heb je tijd voor een vraag?'

'Ja hoor.'

'Jij zit bij Moordzaken. Waarom ben je eigenlijk geïnteresseerd in Link, zijn jongens en mij als ik me slechts één keer op ze uitleef?'

'Omdát ik bij Moordzaken zit.' Hij slaat een dossier open en laat me een foto van twintig bij vijfentwintig centimeter zien van twee lijken op een soort afvalberg. Ze liggen op hun buik, met hun polsen strak op de rug gebonden. Op hun nek zit opgedroogd bloed. 'We vonden deze twee lijken op de stortplaats van de stad, in een oud stuk tapijt gewikkeld. De bulldozer schoof het tapijt van een kleine helling en toen

293

rolden Tubby en Razor eruit. Tubby is Danny Fango, de man rechts. Razor, links, is Arthur Robilio.' Uit een stapel foto's haalt hij er nog eentje van hetzelfde formaat. De twee lijken zijn nu omgedraaid en liggen op hun rug, naast elkaar. De zwarte laars van een agent is te zien, naast het verminkte gezicht van de goeie ouwe Tubby. Hun keel is doorgesneden, met een brede en diepe haal.

Reardon zegt: 'Ze hebben ieder twee kogels in hun achterhoofd. Dat plus een messnee van oor tot oor. Heeft elke keer de dood tot gevolg. Tot nu toe nette moorden: geen vingerafdrukken, geen ballistische gegevens, geen forensische bewijzen. Waarschijnlijk gewoon het gevolg van een bendeoorlog, geen groot verlies voor de samenleving, snap je?'

Mijn maag verkrampt en mijn maagzuur komt omhoog. Ik krijg braakneigingen en word licht in mijn hoofd, wat betekent dat ik zomaar kan flauwvallen. Ik wend mijn blik af van de foto's, schud vol walging mijn hoofd en zeg tegen mezelf dat ik moet proberen om te doen alsof ik me absoluut geen zorgen maak. Ik haal mijn schouders op en vraag: 'Nou en, Reardon? Denk je soms dat ik deze twee kerels heb gekeeld omdat ze me in de rechtbank lastigvielen?'

'Ik weet niet wat ik op dit moment moet denken, maar ik heb deze twee padvinders in het lijkenhuis liggen en er is niemand die iets weet. Voor zover ik heb begrepen was jij de laatste die met ze heeft gevochten. Je lijkt graag in de goot te opereren. Misschien heb je daar een paar vriendjes en leidt het een tot het ander.'

'Dat geloof je zelf toch niet, Reardon. Slechte argumenten. Ga alsjeblieft iemand anders beschuldigen, want met mij verspil je je tijd. Ik vermoord niemand, ik verdedig moordenaars juist.'

'Dat is hetzelfde als je het mij vraagt. Ik blijf spitten,' zegt hij en hij loopt weg.

Ik zoek een toilet. Ik doe de deur van het hokje op slot, ga op de bril zitten en vraag me af of het misschien toch mogelijk is.

18

We rijden met de U-Haul naar een hotdogdrive-in en bestellen frisdrank bij een mooie meid op rolschaatsen. We hebben allebei geen
trek.

Nadat ze onze drankjes heeft gebracht, draait Partner het raampje
omhoog, met de hand, op de ouderwetse manier. Hij neemt een grote
slok, kijkt recht voor zich uit en zegt: 'Onmogelijk, baas. Ik ben heel
duidelijk geweest: maak ze bang, maar raak ze niet aan; niemand overkomt iets.'

'Ze lijden ook geen pijn meer,' zeg ik.

'Maar baas, je moet weten hoe het eraan toegaat in de goot. Stel dat
Miguel en zijn jongens Tubby en Razor vinden en een confrontatie uit-
lokken. Ze uiten dreigementen, maar stel nou eens dat Tubby en Razor
zich daar niets van aantrekken? Verdomme, dat doen ze zelf al dertig
jaar! Ze balen van die bemoeizucht en laten dat merken ook, dus dan
moet Miguel wel voet bij stuk houden. Ze winden zich op, ze bedreigen
elkaar en op een bepaald moment loopt de zaak uit de hand. Er is maar
één stomp nodig om een vechtpartij te beginnen en even later trekt
iemand een pistool of een mes.'

'Ik wil dat je met Miguel gaat praten.'

'Waarom? Hij zal het nooit toegeven, baas. Nooit.'

Ik neem een slok door het rietje en dwing mezelf de frisdrank door te
slikken. Alles lijkt niet te functioneren, van mijn keel tot en met mijn
ingewanden. Na een lange stilte zeg ik: 'We gaan ervan uit dat het Miguel was, maar het kan net zo goed iemand anders zijn geweest. Tubby
en Razor hebben er een carrière van gemaakt om armen te breken.
Misschien hebben ze deze keer de verkeerde te pakken genomen.'

Partner knikt en zegt weinig overtuigd: 'Zou kunnen.'

19

Om 3.37 uur word ik wakker doordat mijn mobiele telefoon gaat. Langzaam pak ik hem. Onbekend nummer – de ergste... Met heel veel tegenzin zeg ik: 'Hallo.'

Deze stem zou ik overal herkennen. 'Met Rudd?' vraagt hij.

'Nee, echt. Met wie?'

'Je oude cliënt Swanger, Arch Swanger.'

'Ik hoopte nooit meer iets van je te horen.'

'Ik mis jou ook niet, maar we moeten praten. Omdat je niet te vertrouwen bent en je er geen enkel probleem mee hebt je cliënten te naaien, neem ik aan dat je telefoon wordt afgetapt en de politie meeluistert.'

'Niet dus.'

'Je bent een leugenaar, Rudd.'

'Prima, hang maar op en bel me niet meer.'

'Zo eenvoudig is het niet. We moeten praten. Dat meisje leeft, Rudd, en wat er nu met haar gebeurt is niet best.'

'Kan me niets schelen.'

'Op de hoek van Preston en Fifteenth is een drogist. Koop scheercrème. Achter een blikje Gillette Menthol vind je een kleine zwarte prepaidtelefoon. Pak hem, maar zorg dat je niet betrapt wordt op winkeldiefstal. Bel het nummer op het scherm; dan krijg je mij. Ik wacht nog dertig minuten, dan verlaat ik de stad. Begrepen, Rudd?'

'Nee, deze keer speel ik je spelletje niet mee, Swanger.'

'Dat meisje leeft, Rudd, en jij kunt haar daar weghalen. Net zoals toen je je eigen kind redde, kun jij weer dé held zijn. Als je dat niet doet, is ze binnen een jaar dood. Alles hangt van jou af, vriend.'

'Waarom zou ik je geloven, Swanger?'

'Omdat ik de waarheid ken. Misschien vertel ik de waarheid niet altijd, maar ik weet wat er nu met dat meisje van Kemp gebeurt. Dat is niet fijn. Kom op, Rudd, doe mee. Maar wat je niet moet doen is

296

jouw mannetje bellen en die achterlijke U-Haul-bus gebruiken. Méén je dat nou? Wat voor advocaat bén je eigenlijk?'

De verbinding wordt verbroken en ik lig op mijn rug naar het plafond te staren. Als Arch op de vlucht is – en ik weet zeker dát dat zo is, want hij staat boven aan de lijst van gezochte personen en Link Scanlon staat op plaats twee – hoe kan hij dan in vredesnaam weten dat ik tegenwoordig in een gehuurde bus door de stad rijd? En hoe heeft hij een prepaidtelefoon kunnen kopen en verstoppen?

Twintig minuten later parkeer ik voor de drogist en wacht tot twee mafketels weglopen bij de voordeur. Dit is een ruig gedeelte van de stad en het is me niet duidelijk waarom dit bedrijf, een landelijke keten, deze buurt heeft uitgekozen om een drogisterij te vestigen. Ik loop naar binnen en zie niemand, alleen de winkelbediende die in een tijdschrift bladert. Ik vind de scheercrème en de telefoon, die ik snel in een zak stop. Ik betaal voor de scheercrème en als ik wegrijd, toets ik het nummer in.

Swanger neemt op met: 'Gewoon doorrijden. Ga de snelweg op, naar het noorden.'

'Waar naartoe, Swanger?'

'Naar mij. Ik wil je zien en je vragen waarom je de politie hebt verteld waar ik het meisje heb begraven.'

'Misschien wil ik daar niet over praten.'

'Echt wel.'

'Waarom heb je gelogen, Swanger?'

'Dat was gewoon een test om te zien of je te vertrouwen bent. Niet dus, en ik wil weten waarom niet.'

'En ik wil weten waarom je me niet met rust kunt laten.'

'Omdat ik een advocaat nodig heb, Rudd, zo eenvoudig is het. Wat moet ik anders doen? Met de lift naar de negenendertigste verdieping gaan en een vent in een zwart pak in vertrouwen nemen die duizend dollar per uur rekent? Of misschien een van die dure jongens die op die reclameposters smeken om faillissementen en auto-ongelukken? Ik heb een man van de straat nodig, Rudd, een echte vent die weet hoe hij deze zaak moet aanpakken. En dat ben jij.'

'Nee, dat ben ik niet.'

'Neem de afslag White Bluff en rijd drie kilometer in oostelijke richting. Daar staat een hamburgertent die de hele nacht open is en adverteert met een dubbele burger met echte Velveeta-kaas. Jammie! Ik wacht tot ik zie dat je naar binnen loopt en gaat zitten. Ik check of je alleen bent en of niemand je volgt. Als ik binnenkom, zul je me eerst niet herkennen.'

'Ik heb een wapen bij me, Swanger, met vergunning en zo, en ik weet hoe ik hem moet gebruiken. Geen grapjes, oké?'

'Niet nodig, dat zweer ik.'

'Je mag zweren wat je wilt, maar ik geloof geen woord van wat je zegt.'

'Ik ook niet.'

20

Er is te weinig ventilatie, waardoor het er naar vette hamburgers en friet stinkt. Ik koop een kop koffie en ga aan een tafeltje in het midden zitten. Twee dronken tieners zitten met hun mond vol te giechelen en te kletsen. In een hoek zit een veel te dik ouder stel zich vol te stouwen alsof dit het laatste voedsel is dat ze ooit nog zullen zien. De helft van de briljante marketingstrategie van deze tent is dat alles van middernacht tot zes uur 's ochtends maar vijftig procent kost. Dat, en de Velveeta.

Een man in een bruin UPS-uniform komt zonder om zich heen te kijken binnen. Hij koopt een fles frisdrank en wat friet, en zit even later tegenover me. Achter de grote montuurloze bril herken ik na een tijdje Swangers ogen.

'Fijn dat je kon komen,' zegt hij, amper hoorbaar.

'Heel graag gedaan,' zeg ik. 'Leuk uniform.'

'Werkt altijd. Luister, Rudd. Jiliana Kemp is heel erg levend, maar ik weet zeker dat ze wenst dat ze dood was. Een paar maanden geleden heeft ze haar baby gekregen en die hebben ze verkocht voor vijftigduizend dollar, en dat is veel. Het gemiddelde, heb ik me laten vertellen, is vijfentwintig tot vijftig, voor een kleine blanke van goede afkomst. De donkere gaan voor minder weg.'

'Wie zijn "ze"?'

'Daar komen we zo op. Op dit moment werkt ze als stripper en hoer in een seksclub, ongeveer vijftienhonderd kilometer hiervandaan. Feitelijk is ze een slavin, eigendom van een paar klootzakken die haar verslaafd hebben gemaakt aan heroïne. Daarom kan ze niet weg en doet ze alles wat haar wordt gezegd. Ik neem niet aan dat je ooit eerder met mensenhandel te maken hebt gehad?'

'Nee.'

'Vraag niet hoe ik erbij betrokken ben geraakt. Dat is een lang, triest verhaal.'

'Het kan me echt geen bal schelen, Swanger. Ik zou dat meisje graag willen helpen, maar ik bemoei me er niet mee. Je zei dat je een advocaat nodig had.'

Hij pakt een frietje, staart ernaar alsof hij controleert of er vergif op zit en stopt hem dan in zijn mond. Hij kijkt me aan vanachter zijn nepglazen en zegt ten slotte: 'Ze zal een tijdje in die clubs blijven werken en dan maken ze haar weer zwanger. Ze geven haar aan elkaar door, weet je. Zodra ze zwanger is, laten ze haar afkicken en sluiten ze haar op. De baby moet gezond zijn, weet je. Zij is een van de acht of tien meisjes die ze hebben, de meesten zijn blank, maar er zitten ook een paar bruine tussen, allemaal uit dit land.'

'Allemaal ontvoerd?'

'Natuurlijk! Je denkt toch niet dat ze zich vrijwillig hebben aangemeld, of wel soms?'

'Ik weet niet wat ik moet denken.' Ik hoop dat hij liegt, maar iets zegt me dat dit niet het geval is. Wat hij vertelt is zo walgelijk dat ik alleen mijn hoofd maar kan schudden. In gedachten zie ik Roy Kemp en zijn vrouw, die op tv smeken dat hun dochter weer veilig thuiskomt.

'Heel tragisch,' zeg ik. 'Maar ik begin mijn geduld te verliezen, Swanger. Ten eerste geloof ik je niet en ten tweede zei je dat je een advocaat nodig had.'

'Waarom heb je de politie verteld waar ze was begraven?'

'Omdat ze mijn zoon hadden ontvoerd en me daarmee dwongen te vertellen wat jij me had verteld.'

Dat vindt hij leuk, hij glimlacht. 'Echt? Heeft de politie je zoon ontvoerd?'

'Inderdaad, en toen heb ik het ze verteld. Ze gingen ernaartoe, hebben de hele nacht staan graven en toen duidelijk werd dat je had gelogen lieten ze mijn zoon vrij.'

Hij propt drie frietjes in zijn mond en kauwt erop alsof hij een heel pakje kauwgum in zijn mond heeft. 'Ik stond in het bos te kijken en heb me rot gelachen om die klojo's. En ik vervloekte jou omdat jij hun mijn geheim had verteld.'

'Je hebt een zieke geest, Swanger. Waarom ben ik hier?'

'Omdat ik geld nodig heb, Rudd. Het is niet gemakkelijk om de kost te verdienen als je op de vlucht bent. Je kunt je niet voorstellen wat ik allemaal heb moeten doen om aan geld te komen en ik ben er doodziek van. Er zit ongeveer honderdvijftigduizend dollar aan tipgeld ergens in een politiepotje. Ik denk dat ik, als ik dat meisje terug bij haar ouders kan krijgen, wel wat van dat geld zou moeten krijgen.'

Ik weet niet waarom dit me schokt, want niets van wat deze gek zegt zou me moeten verbazen. Ik haal diep adem en zeg: 'Geef me even de tijd om hier de logica van in te zien. Jij hebt dat meisje een jaar geleden ontvoerd. De goede mensen in onze stad hebben hun geld in een pot gestopt als tipgeld. Nu wil jij, de ontvoerder, dat meisje terugbrengen en voor deze geweldige menslievende daad vind jij dat jij iets van dat tipgeld zou moeten krijgen, dat tipgeld dat nu in dat potje zit om het misdrijf op te lossen dat jij hebt gepleegd. Klopt dat, Swanger?'

'Daar heb ik geen probleem mee. Het is een win-winsituatie: zij krijgen het meisje, ik de beloning.'

'Ik zou het eerder losgeld noemen.'

'Kan me niets schelen hoe je het noemt. Ik moet gewoon wat geld hebben, Rudd, en ik ga ervan uit dat een advocaat zoals jij daar wel voor kan zorgen.'

Ik sta op en zeg: 'Wat jij zou moeten hebben is een kogel, Swanger.'

'Waar ga je naartoe?'

'Naar huis. Als je me nog eens belt, haal ik de politie erbij.'

'Dat geloof ik meteen.'

We praten heel hard en de dronken tieners kijken naar ons. Ik loop weg en ben al buiten als hij me inhaalt en me bij de schouder pakt. 'Jij denkt zeker dat ik leugens zit op te hangen over dat meisje, toch Rudd?'

Snel haal ik met mijn rechterhand de Glock 19 uit de holster onder mijn linkeroksel. Ik stap achteruit en hij verstijft met zijn blik op het pistool gericht. Ik zeg: 'Ik weet niet of je liegt en dat kan me niets schelen ook. Je hebt een zieke geest, Swanger, en ik ben ervan overtuigd dat je een afschuwelijke dood zult sterven. Laat me nu met rust.'

Hij ontspant zich en glimlacht. 'Heb je ooit gehoord van een dorp dat Lamont heet, in Missouri? Nee, natuurlijk niet. Een dorp met duizend inwoners, een uur ten noorden van Columbia. Drie avonden geleden verdween daar een meisje van twintig, Heather. Het hele dorp is in paniek, iedereen is op zoek; ze kammen de bossen uit en kijken onder elke struik. Niets te vinden. Ze is in orde, waarmee ik bedoel dat ze nog leeft. Ze zit in hetzelfde pakhuis als Jiliana Kemp, in het centrum van Chicago, en wordt op dezelfde manier mishandeld. Kijk maar eens op internet, Rudd, in de krant van Columbia stond vanochtend een klein artikel. Gewoon weer een meisje, deze keer zevenhonderd kilometer verderop, maar deze jongens zijn keiharde mensenhandelaren.'

301

Ik houd het pistool nog steviger vast en bedwing de neiging het wapen op zijn hoofd te richten en er een kogel doorheen te jagen.

Deel 6
Het pleidooi

1

De juryselectie voor het proces van Tadeo Zapate begint maandag. Het zal een enorm circus worden, want de pers is opgewonden en het gonst in de rechtbank. De YouTube-video waarop Tadeo scheidsrechter Sean King verrot slaat, is al zestig miljoen keer bekeken. Onze onbevreesde helden van *Action News!* herhalen hem elke avond en elke ochtend – dezelfde video, hetzelfde gezwam, hetzelfde grimmige hoofdschudden alsof het ongelofelijk is. Het lijkt wel alsof iedereen er een mening over heeft, en vrijwel niemand staat aan de kant van mijn cliënt. Ik heb de rechtbank al drie keer gevraagd het proces ergens anders te mogen voeren, en alle verzoeken werden meteen afgewezen. Tweehonderd kandidaat-juryleden zijn opgeroepen voor maandag, en het zal fascinerend zijn om te zien hoeveel van hen beweren dat ze nog nooit iets over deze zaak hebben gehoord.

Maar vandaag, vrijdag rond middernacht, lig ik naakt onder de lakens met juf Naomi Tarrant naast me. Ze slaapt, haalt rustig en diep adem, en is helemaal van de wereld. Onze tweede sessie begon om een uur of tien, na pizza en bier, en hoewel het nog geen halfuur heeft geduurd, was het toch opwindend en ontzettend vermoeiend. We hebben allebei toegegeven dat we een tijdje uit de running zijn geweest en genieten er enorm van nu we de schade kunnen inhalen. Ik heb geen idee waar deze ontluikende relatie toe leidt, en ik ben altijd overdreven voorzichtig – ongetwijfeld als gevolg van de permanente schade die Judith heeft toegebracht – maar op dit moment ben ik gek op deze vrouw en wil ik haar zo vaak mogelijk zien, naakt of niet.

Lag ik ook maar zo lekker te slapen. Zij ligt in coma en ik lig hier klaarwakker; ik ben niet geil – dat zou normaal zijn – maar lig aan van alles te denken, alles behalve aan seks. Aan het proces van maandag, aan Swanger en zijn verhaal over het meisje-Kemp, aan de bebloede lichamen van Tubby en Razor, opgerold in een oud goedkoop tapijt en gedumpt op die stortplaats, waarschijnlijk door Miguel Zapate en zijn bende drugsdealers. Ik denk aan rechercheur Reardon en huiver als ik eraan denk dat hij en de anderen van zijn korps zouden vermoeden dat ik ook maar iets te maken heb met de moord op Links mannen. Ik vraag me af of Link heeft besloten me met rust te laten nu ik maar met mijn vingers hoef te knippen om mensen te laten vermoorden.

Zoveel gedachten, zoveel problemen. Ik heb zin om uit bed te glippen en op zoek te gaan naar wat drank, maar dan herinner ik me dat Naomi helemaal geen alcohol in haar appartement heeft. Ze is een matige drinker en een gulzige eter, en doet vier keer per week aan yoga om in vorm te blijven. Ik wil haar niet wekken, dus lig ik roerloos naar haar rug te kijken, naar de perfecte, gladde huid op haar schouderbladen die beweegt en zich welft naar het mooiste kontje dat ik ooit heb gezien. Ze is drieëndertig, onlangs gescheiden van een griezel met wie ze zeven jaar een relatie heeft gehad en kinderloos waar ze kennelijk geen problemen mee heeft. Ze praat niet veel over haar verleden, maar ik weet dat ze het heel moeilijk heeft gehad. Haar eerste liefde was haar schoolvriendje die een maand voor hun trouwdag door een dronken chauffeur is doodgereden. Ze vertelde me met tranen in de ogen dat ze nooit meer zoveel van een man zou kunnen houden.

Maar ik ben ook niet echt op zoek naar liefde.

Ik kan de gedachte aan Jiliana Kemp maar niet van me afzetten. Zij is of was een knappe meid, net als de vrouw die naast me ligt, en er is een grote kans dat ze nog leeft en een gruwelijke tijd doormaakt. Arch Swanger is een psychopaat, en waarschijnlijk ook een sociopaat, en hij zou liever liegen dan de waarheid vertellen, waar dan ook over. Maar hij loog niet over de jonge Heather Farris uit Lamont, Missouri, een twintigjarige schoolverlater die in een nachtwinkel werkte en spoorloos is verdwenen. Ze zijn nog steeds de bossen aan het uitkammen en gaan er met bloedhonden naartoe en loven beloningen uit, maar tot nu toe zonder resultaat. Hoe wist Swanger van haar? Het is mogelijk dat hij het op het vroege nieuws heeft gezien, maar dat is niet waarschijnlijk. Ik ben meteen op internet gaan kijken, vond er een artikel over en heb het daarna gevolgd in de krant van Columbia. Lamont ligt ruim zevenhonderd kilometer hiervandaan en helaas is ze gewoon weer een vermist meisje uit een dorp. Heather heeft het landelijke nieuws niet eens gehaald.

Stel dat Swanger de waarheid heeft verteld? Dat Jiliana Kemp en Heather Farris twee van een stuk of twaalf meisjes zijn die door een bende vrouwenhandelaren worden gedwongen te strippen, te neuken en kinderen te baren terwijl ze verslaafd zijn aan heroïne? Het feit dat ik dit weet, of in elk geval vermoed, geeft me het gevoel dat ik een medeplichtige ben. Ik ben Swangers advocaat niet, en dat heb ik hem heel duidelijk gemaakt. Eerlijk gezegd voelde ik een golf adrenaline toen ik mijn Glock trok en overwoog een einde aan zijn ellendige leven te maken. Er zijn absoluut geen ethische argumenten voor om ter wille van dit stuk tuig te zwijgen en zijn vertrouwen niet te schenden. En zelfs als die er wel waren, zou ik de neiging hebben die te negeren als ik daardoor een paar meisjes kon redden.

Al heel lang geleden ben ik opgehouden me iets van ethiek aan te trekken. In mijn wereld zijn je vijanden meedogenloos. Als ik te zacht ben, word ik vermorzeld.

Het is één uur 's nachts en nu ben ik zelfs nóg wakkerder. Naomi rolt op haar andere zij en zwaait een been mijn kant op. Zacht streel ik haar dij – hoe is het mogelijk dat huid zo zacht kan zijn? – en ze kreunt alsof ze deze aanraking ergens in haar diepe slaap heel fijn vindt. Ik beheers me, houd mijn hand stil en sluit mijn ogen.

Mijn laatste gedachte is Jiliana Kemp, die als een slavin in de eenentwintigste eeuw wordt vastgehouden.

2

Partner en ik brengen vrijwel de hele zaterdag door in de kelder van het advocatenkantoor van de twee Harry's, verdiept in juryvragenlijsten en dikke verslagen die zijn opgesteld door Cliff, een juryconsultant, die me tot nu toe al dertigduizend dollar in rekening heeft gebracht. Tot op heden heeft Tadeo's verdediging al bijna zeventigduizend dollar gekost, allemaal door mij opgehoest natuurlijk, en dat zal alleen maar oplopen. Hij en ik hebben met geen woord gerept over de betaling van mijn honorarium, want dat zou tijdverspilling zijn. Hij is platzak, en Miguel en de rest van de drugsbende zitten niet te springen om mij voor mijn werk te betalen. Zij vinden dat ik al geld genoeg heb verdiend aan Tadeo's korte carrière. Ik neem aan dat zij ook vinden dat het heel veel waard is dat iedereen is verlost van Tubby en Razor. We staan dus quitte.

Cliff is van mening dat het een groot probleem zal worden om Tadeo Zapate te verdedigen. Hij en zijn firma hebben hun gebruikelijke werk verricht: 1) hypothetische vragen stellen aan een poll van duizend geregistreerde kiezers in deze agglomeratie; 2) een vluchtig onderzoek instellen naar de achtergrond van alle tweehonderd kandidaat-juryleden; en 3) elk nieuwsartikel doornemen waarin melding wordt gemaakt van het incident waarbij Sean King werd mishandeld. Van de duizend ondervraagde kiezers weet een verbijsterende eenendertig procent een beetje of veel van de zaak, en de grote meerderheid daarvan wil dat hij wordt veroordeeld. Achttien procent heeft de video gezien. Bij een huis-tuin-en-keukenmisdaad, hoe sensationeel ook, is het ongebruikelijk om zelfs maar tien procent te vinden die iets van de zaak af weet.

Anders dan de meeste consultants staat Cliff bekend om zijn botheid. Daarom huur ik hem in. Zijn conclusie luidt: de kans op vrijspraak is gering. De kans op veroordeling is groot. Sluit een deal; onderhandel over strafvermindering in ruil voor een bekentenis. Maak dan dat je wegkomt.

Nadat ik zijn rapport had gelezen, belde ik hem meteen op en zei: 'Kom op, Cliff, ik betaal je een bom duiten en je beste advies is dat ik moet maken dat ik wegkom?'

Hij reageerde verdomd arrogant en zei: 'Nee, eigenlijk zou ik je aanraden weg te rennen. Je cliënt is de lul en een jury zal hem de maximumstraf geven.'

Cliff zal maandag aanwezig zijn in de rechtszaal, om te kijken en aantekeningen te maken.

Hoe gek ik ook ben op camera's en op aandacht, toch zie ik er niet bepaald naar uit.

3

Om vier uur 's middags stappen Partner en ik in mijn splinternieuwe, voor mijn behoeftes aangepaste Ford-bestelbus, compleet met alle gebruikelijke poespas die ik nodig heb voor mijn mobiele kantoor. Op voorstel van Partner heb ik me ingehouden en gekozen voor een goudkleurige lak in plaats van het verdachte zwart. Op beide zijkanten staat, in kleine hoofdletters AANNEMERSBEDRIJF SMITH, alweer zo'n leuke touch waar Partner echt op stond. Hij is ervan overtuigd dat we nu niet zullen opvallen en moeilijker te vinden zullen zijn door de politie, Link, mijn eigen cliënten en alle andere schurken, echte en toekomstige, die op de loer liggen.

Hij zet me af voor het zwembad van de universiteit en rijdt door, op zoek naar een geschikte parkeerplaats.

Ik loop naar binnen, hoor de echoënde stemmen, vind het zwembad en stuur een sms naar Moss Korgan, de advocaat van de stad.

Groepjes magere kinderen zijn bezig met een zwemwedstrijd. De tribunes zitten halfvol met luidruchtige ouders. Er is een schoolslagwedstrijd aan de gang en kleine meisjes spatten en trappelen in alle acht banen van het vijftigmeterbad.

Moss antwoordt: 'Rechterkant, derde deel, bovenste rij.'

Ik staar naar de plek en zie niemand, maar ik weet zeker dat hij zit te kijken. Ik heb mijn lange haar onder de kraag van mijn leren jasje gestopt en draag een jeans en een blauw-oranje Mets-cap. Dit is niet echt mijn terrein en ik verwacht ook niet dat iemand me herkent, maar ik neem zelden of nooit risico's. Vorige week nog zaten Partner en ik ergens een broodje te eten toen er een klojo naar me toe kwam en zei dat hij vond dat die kooivechter van me de rest van zijn leven in de gevangenis moest wegrotten. Ik bedankte hem en vroeg of hij ons met rust wilde laten. Hij schold me uit voor crimineel. Toen Partner opstond, verdween de vent.

Als ik de trap op loop, ruik ik een zware chloorlucht. Starcher gaf een keer aan dat hij wilde zwemmen, maar toen zei een van zijn moeders dat die sport te gevaarlijk was door alle chemicaliën die ze in het water stoppen. Het verbaast me dat ze de jongen niet onder een glazen stolp laten leven.

Ik zit een tijdje alleen, ver bij iedereen vandaan, en kijk naar de wedstrijd in het zwembad. De ouders schreeuwen en het lawaai wordt steeds luider tot het opeens ophoudt en voorbij is. Als de kinderen uit het water klauteren, staan hun moeders al klaar met een handdoek en goede raad. Vanaf hier lijken ze een jaar of tien.

Moss staat op vanachter een groep ouders aan de andere kant van het zwembad en loopt er langzaam omheen. Hij gaat de tribune op en neemt uiteindelijk plaats, ongeveer een meter bij me vandaan. Zijn lichaamstaal is duidelijk: hij wil hier écht niet zijn en zou liever met een seriemoordenaar praten. 'Dit kan maar beter de moeite waard zijn, Rudd,' zegt hij zonder me aan te kijken.

'Jij ook goedendag, Moss. Wie is jouw kind?' Stomme vraag; er rennen ontzettend veel kinderen rondom het zwembad.

'Die,' zegt hij met een knikje. Wat een slome, maar ja, ik vroeg er natuurlijk ook om. 'Ze is twaalf, vrije slag. Is pas over een halfuur aan de beurt. Kunnen we ter zake komen?'

'Ik heb nog een klusje voor je, zelfs nog ingewikkelder dan het vorige.'

'Dat zei je al. Ik had bijna opgehangen, Rudd, tot je over dat meisje van Kemp begon. Vertel.'

'Swanger heeft me weer opgespoord. We hebben elkaar gesproken. Hij zegt dat hij weet waar ze is, dat ze een voldragen zwangerschap heeft gehad en dat de baby is verkocht door mensenhandelaren die haar heroïne geven in ruil voor allerlei seksuele activiteiten.'

'Swanger is een leugenaar, dat weet iedereen.'

'Dat is waar, maar een paar dingen die hij vertelde kloppen.'

'En waarom vertelde hij je dit?'

'Hij zegt dat hij hulp nodig heeft en, niet verrassend, geld. Er is een kans dat hij weer contact met me zal opnemen, en als hij dat doet kan ik de politie misschien op zijn spoor zetten. Dat zou naar Jiliana Kemp kunnen leiden, of niet. Dat kunnen we niet weten, maar op dit moment heeft de politie niets anders om mee te werken.'

'Je offert je cliënt alweer op.'

'Hij is mijn cliënt niet, dat heb ik hem heel duidelijk gemaakt. Hij dénkt misschien dat ik zijn advocaat ben, maar het is tijdverspilling om te proberen te achterhalen wat Arch Swanger misschien wel of niet denkt.'

Er gaat een luide zoemer en acht jongens springen in het water. Meteen beginnen de ouders te schreeuwen, alsof de kinderen hen kunnen horen. Kun je soms iets anders schreeuwen dan 'Sneller zwemmen!' tegen een kind dat aan een wedstrijd meedoet? We kijken naar ze tot ze gekeerd zijn.

Moss zegt: 'En wat wil je van ons?'

'Ik begin maandag aan het proces met mijn kooivechter. Ik wil een betere deal: ik wil een schuldbekentenis in ruil voor vijf jaar cel in de countygevangenis. Daar heerst een minder streng regiem en er is een leuke sportzaal. Dan kan de jongen in vorm blijven, achttien maanden zitten, voorwaardelijk vrijkomen als hij een jaar of vierentwintig is en nog steeds een toekomst heeft in de ring. Anders moet hij vijftien jaar zitten en komt hij eruit als een gewiekste misdadiger met slechts één gedachte: nog meer criminaliteit.'

Moss zit al met zijn ogen te rollen. Hij ademt ongelovig uit, alsof ik iets belachelijks heb gezegd. Hij schudt zijn hoofd, hij vindt me een idioot. Ten slotte zegt hij moeizaam: 'We hebben echt geen invloed op de officier van justitie. Dat weet je.'

'Mancini is benoemd door de burgemeester en die benoeming is goedgekeurd door de gemeenteraad, net zoals die van jou. Onze tijdelijke hoofdcommissaris is benoemd door de burgemeester en die benoeming is ook goedgekeurd door de gemeenteraad. Datzelfde geldt voor Roy Kemp, die nog steeds met verlof is. Kunnen we geen enkele manier verzinnen om wat dit betreft samen te werken?'

'Mancini zal niet naar Woody luisteren; hij haat hem.'

'Iedereen haat Woody en hij haat iedereen. Op de een of andere manier heeft hij drie termijnen overleefd. Dit is de manier om Woody over te halen. Luister je wel?'

Hij heeft tot nu toe nog steeds niet naar me gekeken, maar dan draait hij zijn hoofd en kijkt me aan. Dan gaat zijn blik weer naar het zwembad en slaat hij zijn armen over elkaar, het teken dat ik verder moet gaan.

'Oké, met jouw hulp, Moss: laten we aannemen dat ik de politie naar Swanger kan leiden, laten we ook aannemen dat Swanger de politie naar Jiliana Kemp kan leiden. Ze zit trouwens ergens in het centrum van Chicago. Laten we tevens aannemen dat zij het meisje redden.

Wat gebeurt er dan? Onze geliefde burgemeester, de achtenswaardige L. Woodrow Sullivan III, houdt de eerste persconferentie. Stel je dat eens voor, Moss. Je weet hoe gek Woody is op persconferenties. Dat wordt genieten: Woody in een donker pak, een en al glimlach, een rij politieagenten achter hem, allemaal met een grimmige blik maar blij omdat het meisje terecht is. Woody maakt dat bekend alsof hij haar zelf heeft gevonden en het wonder zelf heeft verricht. Een uur later zien we de eerste beelden van de gelukkige, herenigde familie Kemp, terwijl Woody er natuurlijk voor zorgt dat hij ook in beeld is. Wat een moment!'

Moss lijkt het beeld voor zich te zien waardoor hij nu al iets gunstiger gestemd is. Eigenlijk zou hij alles weg willen wuiven en willen zeggen dat ik de pot op kan, maar het vooruitzicht is gewoon te goed. Zoals gebruikelijk kan hij niets origineels verzinnen en zegt: 'Je bent getikt, Rudd.'

Niet verrassend.

Ik houd de druk op de ketel en zeg: 'Laten we er, omdat we op zoek zijn naar de waarheid en gedurfde aannames doen, ook eens van uitgaan dat Swanger niet liegt. Als dat zo is, is Jiliana een van een heleboel meisjes die zijn ontvoerd en als slavin zijn verkocht. Het zijn bijna allemaal blanke Amerikaanse meisjes. Als die bende wordt opgerold en die vrouwenhandelaren worden opgepakt, dan wordt dat verhaal in de hele VS breed uitgemeten. Woody krijgt een belangrijke rol toebedeeld, belangrijk genoeg om in deze stad als een held te worden beschouwd.'

'Daar gaat Mancini nooit mee akkoord.'

'Dan ontsla je hem maar, op staande voet. Roep hem op het matje en dwing zijn ontslag af. Dat kan de burgemeester doen dankzij onze versie van democratie. Vervang hem door een van die kruiperige bureaucraatjes; daar zijn er een stuk of honderd van.'

'Volgens mij zijn het er vijftien,' zegt hij.

'Sorry. Maar goed, ik weet zeker dat jij en Woody er bij die vijftien assistent-officieren van justitie wel eentje kunnen vinden met een beetje ambitie, eentje die zal doen wat jullie hem of haar zeggen dat ie moet doen in ruil voor die post. Kom op, Moss, zo moeilijk is dat niet.'

Hij leunt naar voren, diep in gedachten, met zijn ellebogen op zijn knieën.

Het geluid ebt weg. Het publiek wordt stil als de ene wedstrijd afgelopen is en de volgende wordt voorbereid. Ik ben gelukkig nog nooit eer-

313

der bij een zwemwedstrijd geweest, maar zo te zien duurt deze kwelling urenlang. Ik ben blij dat Starchers moeders zo bang zijn voor chloor.

Moss heeft nog wat hulp nodig, dus dring ik nog meer aan: 'Woody heeft de macht, Moss. Hij kan dit laten gebeuren.'

'Waarom wil je een deal? Waarom kun je niet gewoon doen wat juist is en samenwerken met de recherche? Als jij Swanger gelooft, en als hij niet echt je cliënt is, dan zou je de politie hiermee moeten helpen. Verdomme, we hebben het hier over een onschuldige jonge vrouw!'

'Omdat ik zo niet werk,' zeg ik, hoewel diezelfde vraag me slapeloze nachten heeft bezorgd. 'Ik moet een cliënt vertegenwoordigen, een cliënt die schuldig is, zoals de meesten. En ik ben wanhopig op zoek naar een manier om hem te helpen. Ik krijg nooit cliënten die op een legale manier heel veel geld kunnen gaan verdienen, maar deze knul is anders. Hij zou zichzelf en zijn vrij grote familie uit hun getto kunnen bevrijden.'

'Een getto hier is beter dan waar ze oorspronkelijk vandaan komen,' ontglipt hem. Hij zou die woorden het liefst meteen weer inslikken.

Heel verstandig, maar wel uitzonderlijk, ga ik hier niet op in.

We kijken naar een groep grotere jongens die bij de startblokken de spieren losmaken en zenuwachtig stretchen.

Ik zeg: 'Er is nog iets.'

'O, een meervoudige deal. Wat een verrassing.'

'Een paar weken geleden vond de politie een paar lijken bij een vuilstortplaats. Twee schurken die voor Link Scanlon werkten. Om de een of andere reden ben ik een verdachte. Ik weet niet hoe ernstig het is, maar ik zou er liever niets mee te maken willen hebben.'

'Ik dacht dat Link jouw cliënt was.'

'Dat was hij ook, maar laten we zeggen dat hij toen hij verdween niet heel erg tevreden was over mijn werk. Hij stuurde die twee schurken op me af om me wat geld af te persen.'

'Wie heeft ze vermoord?'

'Geen idee, maar ik niet. Denk je echt dat ik dat risico zou nemen?'

'Waarschijnlijk wel.'

Ik laat een goedkoop lachje horen. 'Echt niet. Deze jongens zijn beroepscriminelen en hebben heel veel vijanden. Degene die ze heeft vermoord, stond op een lange lijst met anderen die dat heel graag wilden doen.'

'Oké, als ik het goed begrijp wil je het volgende. Ten eerste wil je dat de burgemeester Mancini dwingt een deal te sluiten met je kooivechter om zijn carrière te beschermen. Ten tweede wil je dat de burgemeester druk uitoefent op het politiekorps om verder te zoeken naar de moordenaar van die jongens van Link. En ten derde, wat was het derde ook al weer?'

'Het beste deel: Swanger.'

'O ja. En in ruil voor het feit dat de burgemeester zijn nek uitsteekt, kun jij de politie heel misschien helpen om Swanger te vinden, die heel misschien de waarheid vertelt en die ze heel misschien naar dat meisje kan loodsen. Klopt dat, Rudd?'

'Heel goed.'

'Wat een gelul.'

Ik kijk naar hem als hij over het middenpad de tribune verlaat en teruggaat naar de overkant van het zwembad. Daar loopt hij naar de vierde rij en gaat weer naast zijn vrouw zitten. Ik blijf nog een hele tijd naar hem kijken, maar hij kijkt geen enkele keer naar mij.

4

C, van Catfish Cave. Dat is een paar kilometer ten oosten van de stad in een armoedige buurt, een slaperige buitenwijk met allemaal identieke woningen die een jaar of zestig geleden zijn gebouwd met materialen die vijftig jaar meegaan. Het restaurant heeft een goedkoop buffet met vis en groenten, allemaal gepaneerd en gefrituurd, die daarvoor al maanden of misschien al jaren bevroren zijn geweest. Voor maar tien dollar kunnen de klanten urenlang onbeperkt schranzen en schrokken. Alsof ze uitgehongerd zijn, laden ze hun bord boordevol en spoelen het allemaal weg met liters thee met suiker. Om de een of andere reden wordt er ook alcohol geschonken, maar niemand komt hier voor de drank. Verstopt in een donkere, verlaten hoek staat een lege bar, en daar heb ik af en toe een ontmoeting met Nate Spurio.

Onze vorige afspraak was in B, een bagelshop. De keer daarvoor was in A, een Arby's in een of andere buitenwijk. Nates carrière is sinds een jaar of tien op een dood spoor beland. Hij kan echter niet worden ontslagen en uiteraard ook niet worden gepromoveerd. Maar als iemand hem een keer zou zien terwijl hij buiten diensttijd even iets met me zit te drinken, zou hij daarna alleen nog maar het verkeer mogen regelen voor een basisschool. Hij is te eerlijk voor het politiewerk in dit stadje.

Zijn baas is commandant Truitt, een goede vent die een vriendschappelijke relatie heeft met Roy Kemp. Als ik Kemp een boodschap wil doorgeven, begint het pad hier, met een paar drankjes.

Ik vertel het hele verhaal. Het verbaast Nate dat ik zelfs maar een heel klein beetje hoop heb dat Jiliana Kemp nog leeft. Ik verzeker hem dat ik niet weet wát ik moet geloven en dat het waarschijnlijk een vergissing is om ook maar íéts te geloven van wat Swanger zegt. Maar er valt toch niets te verliezen. Swanger weet in elk geval iets en dat is veel meer dan de rechercheurs kunnen zeggen. Hoe meer we praten en drinken, hoe meer Nate ervan overtuigd raakt dat het politiekorps en de bond zowel de burgemeester als Max Mancini kunnen overtuigen. 'Onze vorige commissaris van politie was een idioot die heeft toegelaten dat ons korps is geworden wat het nu is, maar Roy Kemp wordt nog altijd bijzonder gerespecteerd door zijn mensen. De redding van zijn dochter is een schuldbekentenis in ruil voor strafvermindering waard voor iedere verdachte die nu in het huis van bewaring zit.'

Ik waarschuw Nate herhaaldelijk dat de kans dat Kemps dochter daadwerkelijk wordt gevonden klein is. Ik weet niet eens of ik Swanger wel kan vinden of dat hij mij weer zal benaderen. De laatste keer dat we elkaar zagen, heb ik hem bijna doodgeschoten. Ik heb de prepaidtelefoon nog, maar die heb ik sinds onze laatste ontmoeting niet meer gebruikt. Als het ding het niet doet, of als Swanger niet opneemt, hebben we pech. En als ik hem ontmoet en de politie hem kan volgen, hoe groot is dan de kans dat hij ze naar die stripclub in het centrum van Chicago leidt? Behoorlijk klein, lijkt me.

Nate heeft de emotionele vermogens van een monnik, maar hij kan zijn opwinding niet verbergen. Als we de bar verlaten, zegt hij dat hij naar Truitts huis gaat. Daar zal hij onofficieel zijn verhaal doen en hij verwacht dat Truitt Roy Kemp meteen zal laten weten dat er een deal in de lucht hangt. Het is een grote gok, maar als het om je dochter gaat, wil je alles wel proberen. Ik dring er bij Nate op aan haast te maken, want het proces begint morgen.

5

Zaterdagavond gaan Partner en ik naar het huis van bewaring om voor het proces nog één keer met onze cliënt te praten. Na een discussie van een halfuur met de cipiers kan ik Tadeo eindelijk spreken.

De jongen jaagt me de stuipen op het lijf. In de tijd dat hij hier zit, heeft hij heel veel gratis advies van zijn nieuwe vrienden gekregen en zichzelf ervan overtuigd dat hij beroemd is. Dankzij de video krijgt hij heel veel post, vrijwel alleen maar van bewonderaars. Hij denkt dat hij na het proces als vrij man de rechtszaal zal verlaten, dat veel mensen van hem zullen houden en dat hij zijn briljante carrière gewoon kan voortzetten. Ik heb geprobeerd hem de realiteit onder ogen te laten zien door hem ervan te overtuigen dat de mensen die hem brieven schrijven niet dezelfde mensen zijn die in de jurybank zullen zitten. De brievenschrijvers zijn mensen die niet actief deelnemen aan de maatschappij; een paar hebben hem zelfs ten huwelijk gevraagd, terwijl de juryleden geregistreerde kiezers uit onze gemeenschap zijn, van wie maar een enkeling kooivechten een warm hart zal toedragen.

Ik vertel hem het nieuwste plan: schuld bekennen aan doodslag in ruil voor vijftien jaar. Hij begint snuivend te lachen, even arrogant als eerder. Hij vraagt me niet om advies en ik bied het ook niet aan. Hij heeft al zo vaak vijftien jaar afgewezen dat het de moeite van een discussie niet eens waard is.

Hij is wel zo verstandig geweest om mijn advies op te volgen en zich te scheren en zijn haar te knippen. Ik heb een tweedehands marineblauw pak meegenomen, met een wit overhemd en een stropdas; een outfit die zijn moeder bij de kringloopwinkel heeft gevonden. Op zijn hals onder zijn linkeroor heeft hij een verbijsterende tatoeage en die zal gedeeltelijk zichtbaar zijn boven de kraag van zijn overhemd. De meeste cliënten van me hebben één of meer tattoos, zodat ik hier vrijwel altijd mee moet dealen; het is het beste ze verborgen te houden voor de juryleden. Maar die zullen Tadeo's verbijsterende hoeveelheid tattoos sowieso zien, als ze naar de video kijken.

Kennelijk gaat iedere jongen die besluit kooivechter te worden onderweg naar de sportschool allereerst langs de tattooshop.

De kloof tussen ons bestaat al een tijdje en wordt steeds groter. Hij denkt dat hij wordt vrijgesproken, ik denk dat hij naar de gevangenis gaat. Hij beschouwt mijn twijfels aan een positieve uitkomst niet alleen als bewijs dat ik geen vertrouwen in hem heb, maar ook als twijfel aan mijn eigen vaardigheden in de rechtszaal.

Wat me echter zorgen baart, is dat hij erop staat zelf te getuigen. Hij denkt echt dat hij in de getuigenbank kan gaan zitten en de jury kan laten geloven 1) dat de zege van hem is gestolen door Sean King, 2) dat hij doordraaide, aanviel, een black-out kreeg en tijdelijk ontoerekeningsvatbaar was, en 3) dat hij nu heel veel spijt heeft. Nadat hij de jury alles heeft uitgelegd, wil hij op een dramatische, emotionele manier zijn excuses aanbieden aan de familie van King. Daarna zal alles goed komen en zal de jury snel terugkomen met het juiste vonnis.

Ik heb geprobeerd te beschrijven hoe hardhandig hij zal worden aangepakt als ik hem voor een kruisverhoor overdraag aan Max Mancini. Maar zoals gebruikelijk heeft hij geen idee wat er in het heetst van de strijd gebeurt. Verdomd, zelfs ik weet niet altijd wat er gaat gebeuren.

Tadeo laat al mijn waarschuwingen langs zich heen gaan. Hij heeft in de kooi genoeg zeges behaald om te weten hoe de wereld daarbuiten eruitziet. Geld, roem, bewondering, vrouwen, een groot huis voor zijn moeder en familie - nog even, dan is dat allemaal van hem.

6

De nacht voor aanvang van een juryproces is slapen onmogelijk. Mijn hersens zijn overactief doordat ik probeer me details, feiten en actie-punten te herinneren en op een rij te zetten. Mijn maag rommelt van opwinding en mijn zenuwen zijn gespannen. Ik weet dat het belangrijk is dat ik rust en dat ik fris en ontspannen voor de jury verschijn, maar in werkelijkheid zal ik eruitzien zoals ik er altijd uitzie: moe, gestrest en met bloeddoorlopen ogen.

Even voor de zon opkomt zit ik al aan de koffie en vraag me zo-als altijd af waarom ik dit in vredesnaam doe. Waarom kwel ik mezelf met deze onplezierige dingen? Een verre neef van me is een geweldige neurochirurg in Boston, en op dit soort ogenblikken denk ik vaak aan hem. Ik neem aan dat hij behoorlijk gespannen is als hij in iemands hersens staat te snijden, omdat er zoveel op het spel staat. Hoe gaat hij om met de fysieke gevolgen daarvan, de zenuwen, de vlinders in zijn buik, ja, zelfs de diarree en de misselijkheid? We spreken elkaar zelden, dus heb ik hem dat nooit kunnen vragen. Ik zeg tegen mezelf dat hij zijn werk doet zonder publiek en dat hij, als hij een fout maakt, die gemakkelijk kan maskeren. Ik probeer er niet aan te denken dat hij een miljoen dollar per jaar verdient.

In veel opzichten is een advocaat net een acteur op het podium. Zijn tekst staat niet altijd zwart op wit, en dat maakt zijn werk moeilijk. Hij moet reageren, hij moet snel kunnen denken en praten, hij moet we-ten wanneer hij moet aanvallen of zijn mond moet houden, wanneer hij moet leiden of moet volgen, wanneer hij woede moet uitstralen en cool moet zijn. En tijdens het hele proces moet hij de jury overtuigen, omdat alleen de uiteindelijke beslissing van de jury van belang is.

Uiteindelijk leg ik me erbij neer dat ik geen oog dicht zal doen en loop naar de pooltafel. Ik leg de ballen klaar en begin met een zachte breakstoot. Ik speel een tijdje en stoot de 8-ball in een zijpocket.

Ik heb een paar bruine pakken en kies er zorgvuldig eentje uit voor de openingsdag. Ik draag geen bruin omdat ik die kleur mooi vind, maar omdat niemand anders bruin draagt. Advocaten, maar ook bankiers, CEO's en politici denken allemaal dat een gekleed pak donkerblauw of donkergrijs moet zijn. Hun overhemd is wit of lichtblauw en hun stropdas moet een rode tint hebben. Ik draag die kleuren nooit. In plaats van zwarte schoenen draag ik vandaag cowboylaarzen van struisvogelleer; ze passen niet echt bij mijn bruine pak, maar wat geeft het? Ik leg alles klaar op mijn bed en neem een lange douche. Daarna loop ik in mijn badjas door de woonkamer en draag heel zacht een andere versie van mijn openingsverklaring voor. Ik doe nog een breakstoot, mis de eerste drie stoten en leg mijn keu neer.

7

Om negen uur is de rechtszaal tot en met de laatste stoel bezet. Op dat tijdstip moeten alle tweehonderd kandidaat-juryleden er zijn om te worden beoordeeld. En omdat er maar tweehonderd zitplaatsen zijn, ontstaat er een puinhoop doordat heel veel toeschouwers en tientallen journalisten ook naar binnen willen en een plekje opeisen.

Max Mancini loopt pontificaal heen en weer in zijn mooiste marineblauwe pak en glimmende zwarte schoenen, glimlachend tegen de griffiers en assistenten. Nu al deze mensen toekijken, is hij zelfs aardig tegen mij.

We lopen naar elkaar toe alsof we iets belangrijks te bespreken hebben, terwijl de bodes zich met de mensenmassa bezighouden.

'Nog steeds vijftien jaar?' vraag ik.

'Inderdaad,' zegt hij glimlachend en met een blik op het publiek gericht.

Max heeft kennelijk nog niets van Moss en Spurio gehoord. Of misschien wel. Misschien heeft Max opdracht gekregen een deal te sluiten: schuldbekentenis in ruil voor strafvermindering. En misschien heeft Max toen gedaan wat ik van hem verwacht: tegen Woody en Moss en Kemp en ieder ander zeggen dat ze de pot op kunnen. Dit is zijn show, een belangrijk moment in zijn carrière. Kijk eens hoeveel mensen hem bewonderen. En al die verslaggevers!

De rechter deze week is de edelachtbare Janet Fabineau, door advocaten stiekem Go Slow Fabineau genoemd. Ze is een jonge rechter, nog altijd een beetje een groentje, maar ze ontwikkelt zich prima. Ze is bang om fouten te maken, dus is ze heel weloverwogen. En langzaam. Ze praat langzaam, denkt langzaam, besluit langzaam en eist dat de advocaten en getuigen altijd duidelijk praten. Ze doet net alsof ze dat eist ter wille van de griffier die elk woord moet noteren, maar we vermoeden dat ze dit eigenlijk doet omdat hare edelachtbare alles dan ook heel langzaam in zich kan opnemen.

Haar klerk verschijnt en zegt dat de rechter de advocaten in haar kamer wil spreken. We gaan achter elkaar aan naar binnen en nemen plaats aan een oude tafel, ik aan de ene kant en Mancini en zijn lakei aan de andere kant. Janet zit aan het hoofd en eet schijfjes appel uit een kom. Ze zeggen dat ze altijd bezig is met haar meest recente dieet en haar meest recente trainer, maar ik heb nog nooit enige vooruitgang kunnen signaleren op het gebied van haar gewicht. Gelukkig biedt ze ons geen schijfje appel aan. 'Nog moties?' vraagt ze, met haar blik op mij gericht – smak, smak.

Mancini schudt zijn hoofd, nee.

Ik doe hetzelfde en zeg, alleen maar om iedereen dwars te zitten: 'Heeft helemaal geen zin.' Ik heb tientallen moties ingediend en die zijn allemaal afgewezen.

Ze incasseert deze goedkope sneer, slikt moeizaam, neemt een slok van iets wat op ochtendurine lijkt en zegt: 'Is er kans op een schuldbekentenis in ruil voor strafvermindering?'

Mancini zegt: 'Ons aanbod is nog steeds vijftien jaar in ruil voor doodslag.'

Ik zeg: 'En mijn cliënt zegt nog steeds nee. Sorry.'

'Geen slecht aanbod,' zegt ze, een goedkope sneer terug. 'Wat zou de verdachte wel accepteren?'

'Dat weet ik niet, edelachtbare. Op dit moment betwijfel ik of hij waar dan ook schuld aan zou bekennen. Dat verandert misschien als het proces een dag of twee heeft geduurd, maar nu kan hij niet wachten op de kans zelf te getuigen.'

'Uitstekend. Daar kunnen we hem zeker mee helpen.'

We praten over van alles en nog wat om de tijd te doden, terwijl de bodes zich bezighouden met de juryleden en alles regelen. Ten slotte, om halfelf, zegt de klerk dat de rechtszaal klaar is. De advocaten vertrekken en nemen hun plaats in. Ik zit naast Tadeo, die er een beetje vreemd uitziet in zijn nette kleren. We fluisteren met elkaar en ik zeg dat alles prima gaat, precies zoals ik had verwacht, tot nu toe in elk geval. De kandidaat-juryleden zitten achter ons en kijken naar de achterkant van Tadeo's hoofd en vragen zich af welke gruwelijke misdaad hij heeft begaan.

Op bevel van de bode staan we allemaal op uit respect voor het hof en rechter Fabineau komt binnen, haar mollige lichaam verstopt onder de lange zwarte toga. Omdat zoveel van het saaie werk van een rech-

323

ter zonder publiek wordt verricht, zijn ze gek op volle rechtszalen. Zij hebben het laatste woord over alles wat er gebeurt en ze houden ervan als ze worden gewaardeerd. Een enkeling heeft de neiging de hoofdrol op te eisen, en ik ben benieuwd hoe Janet zich gedraagt met zoveel toeschouwers.

Ze verwelkomt alle aanwezigen, legt uit waarom we hier allemaal zijn, praat een beetje te lang door en vraagt ten slotte aan Tadeo of hij wil opstaan en zijn gezicht wil laten zien. Dat doet hij, glimlachend zoals ik hem heb opgedragen, en hij gaat weer zitten. Janet stelt Mancini en mij voor. Ik sta alleen maar op en knik. Hij staat op en grijnst en spreidt zijn armen alsof hij iedereen in zijn domein verwelkomt. Hij is walgelijk nep.

De juryleden hebben allemaal een nummer gekregen en Fabineau vraagt de nummers 101 tot en met 198 de rechtszaal te verlaten en zich even te ontspannen. 'Als jullie de klerk om één uur bellen, horen jullie of jullie aanwezigheid noodzakelijk is.' De helft verlaat de rechtszaal in een lange rij, sommigen gehaast, anderen opgelucht glimlachend. Aan één kant van de rechtszaal zetten de bodes de resterende kandidaat-juryleden in rijen van tien, waarna we ze voor het eerst kunnen aankijken. Dit gaat zo een uur door en Tadeo fluistert dat hij zich verveelt. Ik vraag of hij liever in het huis van bewaring is. Nee, dat nou ook weer niet.

Iedereen ouder dan vijfenzestig en met een medische verklaring mag weg. De tweeënnegentig die over zijn, moeten worden nagetrokken. Fabineau kondigt de lunchpauze aan en we krijgen te horen dat we om twee uur terug moeten zijn. Tadeo vraagt of er kans is op een echte lunch in een leuk restaurant. Ik glimlach en zeg nee. Hij wordt teruggebracht naar het huis van bewaring.

Als ik sta te praten met Cliff, de juryconsultant, komt er een geüniformeerde gerechtsdienaar naar ons toe en vraagt: 'Bent u meneer Rudd?'

Ik knik en hij overhandigt me een paar papieren. De rechtbank voor familierechtszaken. Een oproep voor een spoedzitting voor intrekking van alle ouderlijke rechten. Ik vloek zacht, loop naar de jurybank en ga zitten. Die trut van een Judith heeft tot dit moment gewacht om de zaak nog ingewikkelder te maken. Als ik de tekst doorneem, zakt de moed me in de schoenen. Gisteren, zondag, was mijn dag. Ik mocht twaalf uur met hem doorbrengen, van acht uur 's ochtends tot acht uur 's avonds, een aangepaste, mondelinge afspraak tussen Judith en mij. Doordat ik zo in beslag werd genomen door dit proces, ben ik dat natuurlijk glad vergeten en heb ik mijn kind laten stikken. Judith met haar verwrongen geest vindt dit een duidelijk bewijs dat ik niet geschikt ben als vader en daarom helemaal uit het leven van mijn zoon verbannen moet worden. Ze eist een spoedhoorzitting alsof Starcher in gevaar is en als deze aanvraag voor een hoorzitting wordt gehonoreerd, is dat de vierde in drie jaar tijd. Ze staat voor met 3-0 en is volkomen bereid om naar een 4-0 te streven om iets te bewijzen. Wat, weet ik niet.

Ik koop een 'vers broodje' – dat ooit in een vriezer heeft gelegen – uit een automaat en loop naar beneden naar de rechtbank voor familierechtszaken. Eten uit een automaat wordt vaak ondergewaardeerd.

Carla, een griffiemedewerkster die ik ooit mee uit heb gevraagd, haalt de aanvraag erbij en we bekijken hem, met onze hoofden maar een paar centimeter bij elkaar vandaan. Toen ik haar ongeveer twee jaar geleden mee uit vroeg, zat ze 'in een relatie', hoewel ik geen idee heb wat dat betekent. Wat het echt betekende was dat ze geen belangstelling voor me had. Ik trok het me niet aan. Ik ben al zo vaak op mijn bek gegaan dat het me verbaast als een vrouw 'misschien' zegt. Maar goed, Carla is nu kennelijk 'uit haar relatie', want ze is een en al glimlach en kom-maar-op, wat niet ongebruikelijk is bij het leger griffiemedewerksters, secretaresses en receptionistes die deze kantoren en gangen bevolken. Een single heteroseksuele mannelijke advocaat met een beetje geld en een leuk pak krijgt heel veel blikken toegeworpen van ongetrouwde dames, zelfs van een paar getrouwde. Als ik mijn best zou doen en de tijd en de interesse zou hebben, kon ik deze dames om mijn vinger winden. Maar Carla is de laatste maanden behoorlijk aangekomen en ziet er lang niet meer zo leuk uit als vroeger.

Ze zegt: 'Rechter Stanley Leef.'

'Dezelfde als de vorige keer,' zeg ik. 'Het verbaast me dat ie nog leeft.'

'Zo te zien is je ex een lastige tante.'

'Dat is een enorm understatement.'

'Ze komt hier weleens. Niet erg aardig.'

Ik bedank haar en als ik me omdraai om te vertrekken, zegt ze: 'Bel me maar een keer.'

Ik wil zeggen: nou, als je een maand of zes regelmatig naar de sportschool gaat, zal ik eens kijken. Maar omdat ik een echte heer ben, zeg ik: 'Zeker.'

Rechter Stanley Leef heeft Judith gedwarsboomd bij haar laatste poging mij mijn ouderlijke rechten af te nemen. Hij had absoluut geen geduld met haar en sprak onmiddellijk een vonnis uit ten gunste van mij. Het feit dat ze het een tweede keer probeert en nu weer met Leef opgezadeld wordt, zegt heel veel over haar integriteit en haar naïviteit. In mijn wereld, als de zaak van levensbelang is - en wat kan in vredesnaam drastischer zijn dan een respectabele vader het recht ontzeggen om zijn kind te zien? -, moet je er alles aan doen om je te verzekeren van een eerlijke hoorzitting met de juiste rechter. Daarvoor zou het nodig kunnen zijn om een motie in te dienen om een ongewenste rechter te vragen zich terug te trekken of een klacht in te dienen bij een speciale commissie van de staat. Ik geef echter de voorkeur aan het omkopen van de juiste griffier.

Judith zou geen van deze tactieken zelfs maar in overweging nemen en dus zit ze weer met Leef opgezadeld. Ik herinner mezelf eraan dat dit niets te maken heeft met winnen of verliezen, met deze rechter of een andere. Het is alleen maar het misbruiken van het rechtbanksysteem om een ex-partner dwars te zitten. Ze hoeft zich niet druk te maken over juridische kosten. Ze is niet bang voor wraak. Ze komt elke dag in dit gedeelte van de Oude Rechtbank, dus dit is haar eigen terrein. Ik zoek een bankje en terwijl ik mijn broodje opeet, lees ik haar verzoekschrift door.

8

Voor de middagsessie verplaatsen we onze stoelen naar de andere kant van onze tafels, zodat we naar de juryleden kunnen kijken, en zij kijken naar ons alsof we buitenaardse wezens zijn. Bij Fabineaus selectieprocedure – iedere rechter heeft zo ongeveer de vrije hand in de manier waarop een jury wordt geselecteerd – zitten de nummers één tot en met veertig op de eerste vier rijen. Hiertussen vinden wij waarschijnlijk de definitieve twaalf. We bekijken ze dus aandachtig, terwijl hare edelachtbare maar doorratelt over het maatschappelijke belang van de juryservice.

De eerste veertig bestaan uit vijfentwintig blanken, acht zwarten, vijf hispanics, één jongedame uit Vietnam en eentje uit India. Tweeentwintig vrouwen, achttien mannen. Dankzij Cliff en zijn team ken ik hun naam, adres, beroep, burgerlijke staat, religie en geschiedenis met betrekking tot eventuele rechtszaken, onbetaalde schulden of strafblad. Van de meesten heb ik zelfs foto's van hun huis of appartement.

Het zal lastig zijn om de juiste juryleden uit te kiezen. Iedereen gaat er altijd van uit dat je in een strafproces zo veel mogelijk zwarte juryleden moet selecteren, omdat zwarten meer sympathie hebben voor de verdachte en omdat ze de politie en officieren van justitie meer wantrouwen. Maar dat geldt nu niet, want Sean King was een aardige jonge zwarte man met een goede baan, een vrouw en drie leuke kinderen. Om een paar extra dollars te verdienen fungeerde hij als scheidsrechter tijdens bokswedstrijden en kooigevechten.

Als Fabineau eindelijk ter zake komt, vraagt ze hoeveel personen uit deze pool de feiten rondom de dood van Sean King kennen. Van de negenentwintig steekt een kwart de hand op, een gigantisch percentage. Ze vraagt ze allemaal op te staan, zodat we hun namen kunnen noteren. Ik kijk naar Mancini en schud mijn hoofd. Zo'n aantal is ongehoord en, naar mijn mening, het bewijs dat deze rechtszaak moet worden verplaatst. Maar Mancini blijft gewoon glimlachen. Ik schrijf tweeëntwintig namen op.

Om nog meer vooroordelen uit te sluiten, besluit rechter Fabineau alle tweeëntwintig personen individueel te ondervragen. We gaan terug naar haar kamer en gaan weer aan dezelfde tafel zitten. Jurylid nummer drie wordt binnengebracht. Haar naam is Liza Parnell en ze verkoopt tickets voor een regionale luchtvaartmaatschappij. Getrouwd, twee kinderen, vierendertig, man verkoopt cement. Mancini en ik zijn een en al charme terwijl we proberen dit potentiële jurylid aan onze kant te krijgen. Hare edelachtbare neemt de leiding en begint met het verhoor. Liza noch haar man houdt van MMA, sterker nog, ze noemt de sport walgelijk, maar ze kan zich de rel wel herinneren. Het was overal op het nieuws en ze heeft de video gezien waarop Tadeo die stoten uitdeelde. Zij en haar man hebben de zaak besproken. In de kerk hebben ze zelfs gebeden voor het herstel van Sean King, en ze waren verdrietig door zijn dood. Ze zou er moeite mee hebben onbevooroordeeld te zijn. Hoe langer ze wordt ondervraagd, hoe meer ze zich realiseert hoe overtuigd ze is van Tadeo's schuld. 'Hij heeft hem vermoord,' zegt ze.

Mancini stelt een paar soortgelijke vragen. Als ik aan de beurt ben, verspil ik hier geen tijd aan. Liza zal straks naar huis worden gestuurd maar krijgt eerst opdracht terug te gaan naar haar stoel en haar mond te houden.

Jurylid nummer elf is moeder van twee tienerjongens, die allebei gek zijn op kooivechten en urenlang over Tadeo en Sean King hebben gediscussieerd. Ze heeft de video niet gezien, hoewel haar zonen het haar hebben gesmeekt, maar ze weet alles van de zaak en geeft toe dat ze erg bevooroordeeld is. Mancini en ik zagen beleefd door maar krijgen niets. Ook zij zal naar huis worden gestuurd.

De middag sleept zich voort terwijl we alle tweeëntwintig juryleden afwerken, die allemaal veel meer blijken te weten dan zou moeten. Een paar beweren dat ze hun eerste oordeel wel kunnen opschorten en in staat zijn onbevooroordeeld een besluit te nemen. Dat betwijfel ik, maar ik ben natuurlijk de advocaat van de verdachte. Aan het einde van de dag, nadat we ze alle tweeëntwintig hebben gehad, dien ik mijn motie voor een verplaatsing van het proces opnieuw in. Gewapend met het verse en niet te loochenen bewijs, voer ik aan dat we zojuist heel duidelijk hebben gezien dat veel te veel mensen in dit stadje veel te veel af weten van deze zaak.

Go Slow luistert en doet alsof ze aan mijn kant staat, wat volgens mij ook zo is. 'Voorlopig wijs ik uw motie af, meneer Rudd. We gaan gewoon door, laten we eerst maar eens afwachten hoe alles morgen verloopt.'

9

Daarna brengt Partner me naar het pakhuis waar de twee Harry's hun werk doen. Ik heb een afspraak met Harry Gross en we bespreken Judiths meest recente verzoekschrift. Hij zal een reactie voorbereiden, identiek aan de drie die al behandeld zijn, en die zal ik morgen ondertekenen en indienen.

Partner en ik gaan naar de kelder, waar Cliff en zijn team al aan het werk zijn. Van de eerste vier rijen van de pool, de nummers één tot en met veertig, zijn negen mensen tijdens de middagsessie afzonderlijk ondervraagd. Ik verwacht dat ze alle negen zullen worden *excused for cause*, oftewel, afgewezen vanwege een goede reden. Elke partij heeft recht op vier wrakingen, vier afwijzingen die om elke willekeurige reden mogen worden ingezet. Dat zijn er acht in totaal. Er is geen limiet aan het aantal juryleden dat om een goede reden mag worden afgewezen. De truc is dat je de juryleden probeert te lezen en probeert te bepalen wie je wilt wraken. Ik krijg maar vier kansen, net als het Openbaar Ministerie, en één fout kan fataal zijn. Ik moet niet alleen beslissen wie ik wil houden en wie ik wil wegsturen, maar ik ben ook aan het schaken met Mancini. Wie zal hij wegsturen? Zeker de hispanics.

Ik verwacht geen vrijspraak, dus streef ik naar een hung jury. Ik moet dat ene jurylid of die twee juryleden zien te vinden die misschien een beetje medelijden zullen hebben.

Urenlang, met slechte afhaalsushi en potten groene thee, ontleden we ieder potentieel jurylid.

10

Niemand belt me midden in de nacht; geen telefoontje van Arch Swanger of van Nate Spurio, en geen woord van Moss Korgan. Mijn briljante aanbod voor een deal is kennelijk niet ver gekomen. Als de zon opkomt, zit ik achter mijn computer e-mails te beantwoorden en ik besluit ook een mail naar Judith te sturen. Ik schrijf: *Waarom kun je niet ophouden met deze oorlog? Je hebt al zoveel veldslagen verloren en deze ga je ook verliezen. Het enige wat je zult bewijzen is dat je belachelijk koppig bent. Denk eens een keer aan Starcher in plaats van aan jezelf.* Haar antwoord zal voorspelbaar scherp en goed geformuleerd zijn.

Partner zet me af in een klein winkelcentrum in een van de buitenwijken. De enige winkel die open is, is een bagelshop waar roken illegaal wordt toegestaan. De eigenaar is een oude Griek met longkanker. Zijn neef heeft een hoge functie in het stadhuis, zodat de inspectie de zaak met rust laat. Ze hebben sterke koffie, echte yoghurt, lekkere bagels en een dikke laag blauwe sigarettenrook die je doet terugdenken aan het niet eens zo verre verleden toen het normaal was dat je in een restaurant zat te eten terwijl je sigarettenrook inademde. Tegenwoordig is het nog altijd moeilijk te geloven dat we dat hebben getolereerd. Nate Spurio rookt twee pakjes per dag en is gek op deze tent. Buiten haal ik een keer diep adem, vul mijn longen met schone lucht en loop naar binnen.

Nate zit aan een tafeltje met koffie en een krant voor zich, en een pas opgestoken Salem in zijn mondhoek. Hij gebaart naar een stoel en schuift de krant opzij. 'Wil je koffie?' vraagt hij.

'Nee, bedankt. Ik heb al genoeg gehad.'

'Hoe gaat het?'

'Je bedoelt het leven in het algemeen of het Zapate-proces?'

Hij gromt, probeert te glimlachen. 'Sinds wanneer praten wij over het leven in het algemeen?'

'Goed punt. Niets van Mancini gehoord. Als hij oren heeft naar de deal, laat hij dat in elk geval niet merken. Biedt nog steeds vijftien jaar.'

'Ze zijn hem aan het bewerken, maar zoals je weet is hij een arrogante, succesvolle hufter. Nu staat hij in de spotlights en dat betekent heel veel voor hem.'

'Dus Roy Kemp is er druk mee bezig?'

'Dat kun je wel zeggen. Hij draait alle bankschroeven aan die hij maar kan vinden. Hij is wanhopig, en ik kan niet zeggen dat ik hem dat kwalijk neem. En hij haat jou omdat hij denkt dat je informatie achterhoudt.'

'Jeetje zeg, dat spijt me. Vertel hem maar dat ik hem ook haat, omdat hij mijn zoon heeft ontvoerd, maar dat het niet persoonlijk is. Als hij de burgemeester kan overhalen en als de burgemeester vervolgens Mancini kan overhalen, dan hebben we een deal.'

'Er wordt aan gewerkt, oké? De molen draait.'

'Nou, die moet sneller gaan draaien. We zijn bezig met de juryselectie en op basis van wat ik tot nu toe heb gezien en gehoord, heeft mijn cliënt een groot probleem.'

'Dat heb ik ook gehoord.'

'Bedankt. Morgen beginnen we waarschijnlijk al met het oproepen van getuigen en daar zijn er niet veel van. Het kan vrijdag al afgelopen zijn. We moeten die deal dus snel sluiten: vijf jaar, countygevangenis, vervroegde vrijlating. Begrepen, Nate? Begrijpt iedereen hoger in de voedselketen de voorwaarden van deze deal?'

'Het is zo helder als glas. Niks ingewikkelds aan.'

'Zeg ze dan dat ze dit moeten regelen. Mijn cliënt zal vermorzeld worden door een jury.'

Hij neemt een trekje, vult zijn longen met rook en vraagt: 'Ben je vanavond in de buurt?'

'Denk je soms dat ik de stad ga verlaten?'

'Misschien moeten we overleggen.'

'Prima, maar nu moet ik rennen. Ik moet naar een proces en we zijn druk op zoek naar een paar juryleden die we kunnen omkopen.'

'Ik heb je niet gehoord en ik ben zeker niet verbaasd.'

'Tot ziens, Nate.'

'Het was me een waar genoegen.'

'Je zou echt eens moeten stoppen met roken.'

'Pas jij maar gewoon op jezelf, oké? Jij hebt je eigen problemen.'

11

Go Slow is laat. Aan de ene kant is dat niet ongebruikelijk, omdat zij de rechter is en het feestje niet begint voor zij er is. Aan de andere kant is dit wel een belangrijke zaak voor haar, zodat je zou denken dat ze vroeg zou arriveren om van het moment te kunnen genieten. Maar ik heb lang geleden al geleerd dat ik geen tijd moet verspillen aan de vraag waarom rechters de dingen doen die ze doen.

Iedereen heeft al zeker een uur zitten wachten zonder dat we iets te horen krijgen over de oorzaak van de vertraging, als haar bode ons gebiedt op te staan. Hare edelachtbare glijdt in haar stoel alsof ze verschrikkelijk veel aan haar hoofd heeft en zegt dat iedereen mag gaan zitten. Geen verontschuldiging, geen verklaring. Ze maakt een paar inleidende opmerkingen, zonder ook maar één oorspronkelijke tekst, en als ze uitgeraasd is, zegt ze: 'Meneer Mancini, u mag de potentiële juryleden ondervragen.'

Max staat snel op en drentelt naar het mahoniehouten hek dat ons scheidt van het publiek. Met tweeënnegentig potentiële juryleden aan één kant en minstens evenveel verslaggevers en toeschouwers aan de andere, is de rechtszaal alweer helemaal vol. Er staan zelfs mensen tegen de achterwand geleund.

Max heeft zelden zoveel publiek. Hij begint met een walgelijke, domme monoloog over hoe vereerd hij zich voelt dat hij nu in deze rechtszaal de goede mensen van deze stad mag vertegenwoordigen. Hij voelt een verantwoordelijkheid. Hij voelt een eer. Hij voelt een verplichting. Hij voelt heel veel dingen, en al na een paar minuten zie ik een paar juryleden die fronsen en hem aankijken met een blik van: meent deze vent dit nou?

Nadat hij veel te lang over zichzelf heeft gepraat, sta ik langzaam op, kijk naar hare edelachtbare en vraag: 'Edelachtbare, kunnen we alstublieft beginnen?'

Ze vraagt: 'Meneer Mancini, hebt u ook vragen aan de pool?'

333

Hij antwoordt: 'Natuurlijk, edelachtbare. Ik realiseerde me niet dat we zoveel haast hadden.'

'O, er is geen haast, hoor, maar ik wil liever geen tijd verspillen.' Zegt een rechter die een uur te laat was.

Max begint met de standaardvragen over eerdere juryservices, ervaringen met het strafrechtsysteem en vooroordelen over de politie en andere wetshandhavers. Dat is grotendeels tijdverspilling, omdat mensen in een dergelijke setting zelden hun echte mening geven. Het geeft ons echter ruim de tijd om de juryleden te bestuderen. Tadeo maakt, op mijn advies, heel veel aantekeningen.

Ik maak ook notities, maar ik kijk vooral naar lichaamstaal. Cliff en zijn mensen zitten in de zaal ook iedereen te bekijken. Inmiddels heb ik het gevoel dat ik deze mensen, vooral de eerste veertig, al jaren ken.

Max wil weten of een van hen al eens voor de rechter is gedaagd. Een standaardvraag, maar geen geweldige. Dit is immers een strafzaak, geen civiele. Van de tweeënnegentig geven ongeveer vijftien toe dat ze ooit een keer voor de rechter zijn gedaagd. Ik durf te wedden dat er minstens nog eens vijftien zijn die dit niet toegeven. Dit is Amerika immers. Welke eerlijke burger is nog nooit voor de rechter gedaagd? Max lijkt uiterst tevreden met deze respons, alsof hij nu al vruchtbare grond heeft ontdekt om in te wroeten. Hij vraagt of hun ervaringen met het rechtbanksysteem hun vermogen om deze zaak te beoordelen op welke manier dan ook zal beïnvloeden.

Kom op, Max. Iedereen vindt het heerlijk om voor de rechter te worden gesleept. En dat doen we zonder zelfs maar een greintje afkeer van het systeem te krijgen. Hij gaat maar door met vervolgvragen die nergens toe leiden.

Alleen maar om hem te jennen, sta ik op en vraag: 'Edelachtbare, kunt u meneer Mancini eraan herinneren dat dit een strafzaak is en geen civiele zaak?'

'Dat weet ik heus wel!' snauwt Max tegen mij, en we kijken elkaar vuil aan. 'Ik weet wat ik aan het doen ben.'

'Schiet op, meneer Mancini,' zegt hare edelachtbare. 'En blijf alstublieft zitten, meneer Rudd.'

Max bedwingt zijn woede en gaat er verder niet op in. Hij schiet in een andere versnelling en snijdt een gevoelige kwestie aan: is een lid van uw naaste familie ooit veroordeeld voor een geweldsmisdrijf?

Hij verontschuldigt zich voor deze persoonlijke vraag, maar hij heeft geen keus, dus vergeef hem alstublieft.

Achterin steekt jurylid nummer eenentachtig langzaam een hand op. Mevrouw Emma Huffinghouse. Blank, zesenvijftig, vervoerscoördinator bij een transportbedrijf. Haar zevenentwintigjarige zoon zit twaalf jaar voor inbraak omdat hij geld nodig had voor drugs. Zodra Max haar ziet, heft hij zijn handen en zegt: 'Ik hoef geen details te horen, hoor, echt niet. Ik weet dat dit een uiterst persoonlijke kwestie is en ook heel pijnlijk. Mijn vraag is deze: was uw ervaring met het strafrechtsysteem bevredigend of onbevredigend?'

Meen je dit, Max? We houden geen klanttevredenheidsonderzoek!

Mevrouw Huffinghouse staat langzaam op en zegt: 'Ik denk dat mijn zoon eerlijk is behandeld door het systeem.'

Max springt bijna over het hekwerk heen om haar te omhelzen. God zegene je, lieve vrouw. Wat een steunbetuiging aan het recht!

Jammer, Max, ze is nutteloos. We komen niet eens in de buurt van nummer eenentachtig.

Jurylid nummer zevenenveertig steekt zijn hand op, gaat staan en zegt dat zijn broer in de gevangenis heeft gezeten voor een uitgelokte aanval en dat hij, Mark Wattburg, in tegenstelling tot mevrouw Huffinghouse, niet positief onder de indruk was van het strafproces.

Toch bedankt Max hem uitvoerig. Nog iemand? Nee, verder steekt niemand zijn hand op. Er zijn er nog drie, en ik neem aan dat ik dat weet, maar Max niet. Dit bevestigt dat mijn research beter is dan die van hem. Het zegt me ook dat deze drie niet bepaald behulpzaam zullen zijn.

Max gaat maar door, terwijl de ochtend zich voortsleept. Hij betreedt een ander gevoelig mijnenveld, dat van het slachtofferschap. Is een van u ooit slachtoffer geweest van een geweldsmisdrijf? U, familieleden van u, goede vrienden? Verschillende handen gaan de lucht in en voor de verandering slaagt Max erin nuttige informatie boven tafel te krijgen.

Om twaalf uur kondigt hare edelachtbare, ongetwijfeld uitgeput door twee uur in de rechtersstoel en waarschijnlijk verlangend naar schijfjes appel, een lunchpauze aan van anderhalf uur.

Tadeo wil graag in de rechtszaal blijven om te lunchen. Vriendelijk vraag ik toestemming aan zijn begeleider die dat tot onze verbazing goedvindt. Partner gaat naar een eethuisje verderop in de straat en komt terug met broodjes en friet.

Tijdens het eten praten we zacht met elkaar, zodat de bodes en ge-rechtsdienaren ons niet kunnen horen. Verder is de rechtszaal verlaten.

De plechtstatige omgeving heeft indruk gemaakt en Tadeo is al iets van zijn arrogantie kwijt. Hij is volkomen van slag door de meedo-genloze blikken van degenen die aangewezen kunnen worden om over hem te oordelen. Hij gelooft niet langer dat ze aan zijn kant staan. Zacht zegt hij: 'Ik krijg het gevoel dat ze me niet mogen.'

Wat is dit toch een scherpzinnige jongeman.

12

Om een uur of drie is Max klaar en geeft hij mij het woord.

Inmiddels weet ik meer dan genoeg over deze mensen en ben ik klaar voor de selectie. Maar dit is mijn eerste kans om de pool toe te spreken en de basis te leggen voor een bepaalde mate van vertrouwen; daar hoopt iedere advocaat immers op. Ik heb naar hun gezichten gekeken en ik weet dat velen van hen Max kruiperig vinden, zelfs een beetje maf. Ik heb ook veel foute en slechte gewoonten, maar kruiperig zijn hoort daar niet bij. Ik bedank ze niet omdat ze hier zijn; ze zijn opgeroepen, ze hadden geen keus. Ik doe niet net alsof we iets geweldigs aan het doen zijn en dat zij daaraan mee mogen doen. Ik schep niet op over ons rechtssysteem.

Nee, ik praat in algemene termen over het feit dat je moet uitgaan van iemands onschuld. Ik vraag of ze zich willen afvragen of ze niet al hebben besloten dat mijn cliënt schuldig is aan iets, omdat hij hier anders niet zou zijn. 'U hoeft uw hand niet op te steken, knik maar gewoon als u denkt dat hij schuldig is. Dat is menselijk. Zo werkt het tegenwoordig in onze samenleving en in onze cultuur. Er vindt een misdrijf plaats, een arrestatie, we zien de verdachte op tv en we zijn opgelucht dat de politie de dader te pakken heeft gekregen. Misdrijf opgelost. De schuldige zit vast. Tegenwoordig zeggen we nooit meer: wacht eens even, hij wordt geacht onschuldig te zijn en hij heeft recht op een eerlijk proces! We hebben meteen ons oordeel klaar.'

'Vragen, meneer Rudd?' piept Go Slow in haar microfoon.

Ik negeer haar, wijs naar Tadeo en vraag of ze oprecht kunnen zeggen dat ze op dit moment geloven dat hij helemaal onschuldig is.

Natuurlijk reageert niemand, want geen enkel potentieel jurylid zal ooit toegeven dat hij of zij al een besluit heeft genomen.

Ik begin over de bewijslast en ga daarover door tot Max er genoeg van heeft.

Hij staat op, spreidt uiterst gefrustreerd zijn armen en zegt: 'Edelachtbare, hij stelt de pool geen enkele vraag. Hij geeft een college over de rechtspraak.'

'Mee eens. U moet uw vragen stellen of gaan zitten, meneer Rudd,' zegt Go Slow, behoorlijk afgemeten.

'Dank u wel,' zeg ik, arrogant zoals ik echt ben. Ik kijk naar de eerste drie rijen en zeg: 'Tadeo hoeft niet te getuigen en hij hoeft geen enkele getuige op te roepen. Waarom niet? Omdat de openbaar aanklager zijn schuld moet bewijzen. Goed, laten we ervan uitgaan dat hij niet in de getuigenbank plaatsneemt. Zal dat voor u iets uitmaken? Denkt u dan dat hij iets verbergt?'

Ik doe dit altijd en krijg zelden een reactie. Maar vandaag wil jurylid nummer zeventien iets zeggen.

Bobby Morris, zesendertig, blank, een steenhouwer. Hij steekt zijn hand op en ik knik naar hem. Hij zegt: 'Als ik in de jury zit, vind ik dat hij moet getuigen. Ik wil de verdachte zelf horen.'

'Dank u wel, meneer Morris,' zeg ik hartelijk. 'Nog iemand?'

Nu het ijs gebroken is, steken nog een paar hun hand op en stel ik behoedzaam een paar vervolgvragen. Zoals ik al had gehoopt, worden ze minder geremd en ontaardt het in een discussie. Ik ben iemand met wie je gemakkelijk praat, een aardige vent, iemand die zegt waar het op staat en gevoel voor humor heeft.

Als ik klaar ben, zegt hare edelachtbare dat we voordat we naar huis gaan de juryleden zullen selecteren en dat ze ons een kwartier geeft om onze aantekeningen door te nemen.

13

In Judiths e-mail staat: *Starcher is nog steeds van slag. Wat ben je toch een slechte vader. Zie je in de rechtbank.*

Ik heb de neiging een valse e-mail terug te sturen, maar waarom zou ik? Partner en ik rijden bij de rechtbank vandaan. Het is donker, al na zevenen, en het is een zware dag geweest. We gaan naar een bar voor een biertje en een broodje.

Negen blanken, één zwarte, één hispanic, één Vietnamese. Nu hun namen en gezichten zo vers in mijn geheugen zitten, moet ik over hen praten.

Zoals altijd luistert Partner gehoorzaam en zegt weinig. Hij heeft de afgelopen twee dagen bijna steeds in de rechtszaal gezeten en is blij met de jury.

Ik stop na twee biertjes, hoewel ik er eerlijk gezegd nog wel een paar lust.

Om negen uur zet Partner me af bij een Arby's, en ik zit een kwartier lang met een glas frisdrank voor me terwijl ik op Nate wacht.

Als hij er eindelijk is, bestelt hij uienringen en verontschuldigt zich omdat hij te laat is. 'Hoe gaat het met de rechtszaak?' vraagt hij.

'Eind van de middag hebben we de jury gekozen. Morgenochtend de openingsverklaringen en daarna begint Mancini met het oproepen van getuigen. Lijkt snel te gaan. Hebben we een deal?'

Hij schuift een grote, knapperige uienring naar binnen en kauwt erop terwijl hij om zich heen kijkt. De tent is bijna verlaten. Hij slikt moeizaam en zegt: 'Ja. Woody heeft Mancini twee uur geleden gesproken en ontslagen. Hij heeft hem vervangen door een hielenlikker die morgenochtend meteen een nietig geding zal eisen. Maar Mancini heeft ingebonden en is nu bereid akkoord te gaan. Hij wil jou en de rechter morgen om halfnegen spreken.'

'De rechter?'

'Inderdaad. Het ziet ernaar uit dat Woody en Janet Fabineau wederzijdse relaties of vrienden of zo hebben, en Woody stond erop dat zij op de hoogte wordt gehouden. Ze is bereid mee te werken, zal de bekentenis in ruil voor strafvermindering accepteren, jouw cliënt veroordelen tot vijf jaar in de countygevangenis en op vervroegde vrijlating aansturen. Precies zoals jij wilde, Rudd.'

'Geweldig. En die boeven van Link?'

'Dat onderzoek schiet niet op. Vergeet het maar.' Hij zuigt aan zijn rietje en kiest een andere uienring uit. 'En nu, Rudd, het leuke gedeelte.'

'De laatste keer dat ik Swanger zag, werd onze afspraak geregeld via een prepaidtelefoon die hij voor mij had achtergelaten in een drogisterij. Ik heb die telefoon nog steeds, hij ligt buiten in mijn bus. Ik heb hem sinds die ene keer niet gebruikt, dus ik weet niet of hij het nog doet. Maar als ik Swanger aan de lijn krijg, zal ik proberen een afspraak te maken en ik zal hem wat contant geld moeten geven.'

'Hoeveel?'

'Vijftigduizend, ongemerkt. Hij is niet dom.'

'Vijftigduizend?'

'Dat is ongeveer een derde deel van de beloning. Ik neem aan dat hij het wel aanpakt, want hij is platzak. Maar een lager bedrag zal problemen kunnen opleveren. Vorig jaar hebben jullie vier miljoen dollar in beslag genomen, allemaal ingepikt door het departement, conform de briljante wetten van onze staat. Het geld is er, Nate, en Roy Kemp zou alles geven voor de kans zijn dochter terug te zien.'

'Oké, oké. Ik zal het doorgeven, meer kan ik niet doen.'

Ik laat hem achter bij zijn uienringen en loop snel terug naar de bus. Terwijl Partner wegrijdt, klap ik de goedkope telefoon open en bel het nummer. Niets. Een uur later bel ik weer. En nog een keer. Niets.

14

Mede door de uitputting, de twee biertjes en een paar glazen whiskey met citroen val ik in slaap met de tv aan. Ik word wakker in mijn leunstoel, nog steeds in pak maar zonder stropdas, met sokken maar zonder schoenen. Mijn mobiele telefoon gaat; op het scherm staat dat het een onbekend nummer is. Het is 1.40 uur. Ik neem het risico en neem op.

'Zoek je mij?' vraagt Swanger.

'Ja, toevallig wel,' zeg ik. Ik klap de voetsteun terug en sta op. Mijn hoofd is niet helder en mijn hersens hebben bloed nodig. 'Waar zit je?'

'Wat een domme vraag! Nog zo'n stommiteit en ik hang op.'

'Luister, Arch, er kon weleens een deal mogelijk zijn. Tenminste, als je de waarheid vertelt, hoewel niemand die hierbij betrokken is je daar eigenlijk toe in staat acht.'

'Ik heb je niet gebeld om me te laten beledigen.'

'Natuurlijk niet, je hebt me gebeld omdat je geld wilt. Ik denk dat ik wel een deal kan regelen, als tussenpersoon kan fungeren, zonder honorarium natuurlijk. Ik ben je advocaat niet, dus ga ik je geen rekening sturen.'

'Heel grappig. Je bent mijn advocaat niet omdat je niet te vertrouwen bent, Rudd.'

'Oké, de volgende keer dat je een meisje ontvoert, huur je maar iemand anders in. Wil je het geld of niet, Arch? Mij maakt het niet uit.'

Het blijft even stil terwijl hij zich afvraagt hoe dringend hij het geld nodig heeft. Ten slotte: 'Hoeveel?'

'Vijfentwintigduizend nu om ons te vertellen waar het meisje is. Als ze haar vinden, nog eens vijfentwintigduizend.'

'Dat is maar een derde deel van de beloning! Pik jij de rest in?'

'Geen cent. Zoals ik al zei krijg ik niets en dat is dus ook de reden dat ik me afvraag waarom ik dit eigenlijk doe.'

Weer blijft het stil terwijl hij nadenkt over een tegenbod. 'Die deal bevalt me niet, Rudd. Die andere vijfentwintig krijg ik nooit in handen.'

En dat meisje zien we nooit meer terug, denk ik maar ik zeg het niet hardop. 'Luister Arch, jij krijgt vijfentwintigduizend dollar van een stel mensen die je zodra ze je zien zouden neerknallen. Dat is veel meer dan je vorig jaar met eerlijk werk hebt verdiend.'

'Ik geloof niet in eerlijk werk. Jij ook niet, daarom ben je advocaat.'

'Hahaha, wat ben je toch een slimme vent! Wil je een deal, Swanger? Zo niet, dan bemoei ik me hier niet langer mee. Ik heb deze dagen veel belangrijkere dingen te doen.'

'Vijftigduizend, Rudd. Cash. Vijftigduizend en ik vertel jou, en jou alleen, waar dat meisje nu is. Als dit een val is of als ik ergens een politieagent ruik, ga ik ervandoor, bel ik iemand op en dan is die meid voor altijd verdwenen. Begrepen?'

'Begrepen. Ik kan je niets beloven over het geld; het enige wat ik kan doen is dit doorgeven aan mijn contactpersoon.'

'Schiet een beetje op, Rudd, mijn geduld begint op te raken.'

'O, maar dat geduld heb je wel weer als het geld er is. Wie probeer je voor de gek te houden, Swanger?'

De verbinding wordt verbroken.

Hoezo een hele nacht lekker slapen?

15

Drie uur later ga ik naar een nachtwinkel en koop een fles water. Buiten komt er een agent in burger naar me toe die gromt: 'Jij Rudd?' Omdat ik dat ben, geeft hij me een bruine papieren zak met een sigarendoosje erin. 'Vijftigduizend,' zegt hij. 'Briefjes van honderd.'

'Prima,' zeg ik. Wat moet ik anders zeggen? Bedankt?

Ik verlaat de City, alleen. Tijdens mijn laatste gesprek met Swanger, ongeveer een uur geleden, gaf hij me opdracht mijn 'mannetje' thuis te laten en zelf te rijden. Hij zei ook dat ik die fraaie nieuwe bus maar moest vergeten en een andere auto moest nemen. Ik zei dat ik geen ander vervoermiddel heb en geen tijd had om een auto te huren. Dus neem ik toch mijn bus.

Ik probeer niet te lang stil te staan bij het feit dat hij me in de gaten houdt. Hij wist precies vanaf welk moment Partner en ik in een U-Haul-bus rondreden. Nu weet hij dat ik een nieuwe bus heb. Het is verbazingwekkend dat hij kennelijk vaak genoeg in de City is om deze dingen te weten, terwijl de politie hem nog steeds niet heeft gevonden. Ik vermoed dat hij zodra hij het geld krijgt uiteindelijk wel zal verdwijnen, wat een zegen zal zijn.

Zoals me is opgedragen bel ik hem als ik de City via de zuidelijke ringweg verlaat.

Zijn instructies zijn heel precies: 'Rijd vierentwintig kilometer in zuidelijke richting naar afslag 184, neem Route 63 ten oosten van de stad Jobes.'

Onderweg bedenk ik dat ik over een paar uur in de rechtbank moet zijn voor het proces dat dan begint. Maar is dat wel zo? Als rechter Fabineau hier echt bij betrokken is, wat betekent dit dan voor de rest van de dag?

Ik heb geen idee hoeveel agenten me nu volgen, maar ik weet wel zeker dat het er veel zijn. Ik heb geen vragen gesteld, daar had ik geen tijd voor, maar ik weet dat Roy Kemp en zijn team alle bloedhonden hebben opgetrommeld. Er zitten twee microfoontjes in mijn bus en een zendertje in de achterbumper. Ik heb ze toestemming gegeven mijn mobiele telefoon af te luisteren, maar alleen voor de komende uren. Ik durf te wedden dat ze al mensen naar Jobes hebben gestuurd. Het zou me niets verbazen als er een paar helikopters in de lucht boven me vliegen. Ik ben niet bang, Swanger heeft geen enkele reden mij iets aan te doen, maar toch ben ik tot het uiterste gespannen.

Het geld is ongemerkt en kan niet worden getraceerd. Het kan de politie niets schelen of ze het terugkrijgen; het enige wat ze willen is het meisje. Ze gaan er ook van uit dat Swanger slim genoeg is om te weten wanneer er iets niet klopt.

Jobes is een dorp met drieduizend inwoners. Als ik aan de rand van de stad een Shell-station passeer, bel ik Swanger, zoals me is opgedragen.

Hij zegt: 'Rijd rechtdoor. Sla voorbij de autowasstraat links af.'

Ik sla links af een donkere, verharde straat in met aan weerszijden een paar oude huizen.

Hij zegt: 'Zweer je dat je vijftigduizend bij je hebt, Rudd?'

'Ja.'

'Sla rechts af en ga over het spoor.'

Dat doe ik.

Dan zegt hij: 'Nu sla je weer rechts af, de eerste straat in. Die heeft geen naam. Stop bij het eerste stopbord en wacht.'

Als ik stilsta, duikt er opeens een figuur op uit het donker en trekt aan de kruk van het passagiersportier. Ik druk op het knopje om het portier te ontgrendelen en Swanger stapt snel in.

Hij wijst naar links en zegt: 'Rijd daar naartoe en doe rustig aan. We rijden terug naar de snelweg.'

'Fijn je weer te zien, Arch.'

Hij draagt een zwarte *do-rag* die zijn wenkbrauwen en oren bedekt. Al het andere is ook zwart, van de bandana om zijn hals tot en met zijn soldatenlaarzen.

Ik wil hem bijna vragen waar hij zijn auto heeft staan, maar waarom zou ik?

'Waar is het geld?' vraagt hij.

Ik knik naar achteren.

Hij pakt de zak, opent het sigarendoosje en telt het geld in het licht van een kleine zaklamp aan een sleutelhanger. Hij kijkt op en zegt:

'Rechtsaf.' Dan gaat hij verder met tellen. Als we de stad uit rijden, haalt hij diep en tevreden adem en kijkt me met een domme glimlach aan. 'Het is er allemaal,' zegt hij.

'Twijfelde je aan me?'

'Verdomme, natuurlijk twijfel ik aan jou, Rudd.' Hij wijst naar het Shell-station en vraagt: 'Wil je een biertje?'

'Nee. Normaal gesproken drink ik nooit om halfzes 's ochtends.'

'Dat is de beste tijd. Stop daar.'

Hij gaat naar binnen zonder het geld. Hij doet rustig aan, pakt een zak chips en een sixpack bier en slentert rustig terug naar de bus alsof hij zich nergens druk over hoeft te maken. Zodra we weer rijden, trekt hij een bierblikje los en maakt hem open. Hij drinkt slurpend en opent de zak chips.

'Waar gaan we naartoe, Arch?' vraag ik, uiterst geïrriteerd.

'Rijd de snelweg op, in zuidelijke richting. Deze bus ruikt nog steeds nieuw, weet je dat, Rudd? Volgens mij beviel die ouwe me beter.' Hij kauwt op een mondvol chips en spoelt die weg met een slok bier.

'Jammer dan. Alsjeblieft geen kruimels op de zitting, oké? Partner wordt echt kwaad als hij kruimels in de bus vindt.'

'Jouw man?'

'Je weet heel goed wie hij is.'

We rijden inmiddels op Route 63, nog steeds donker en verlaten. De zon komt nog lang niet op. Ik blijf om me heen kijken op zoek naar eventuele achtervolgers, maar daar zijn ze natuurlijk veel te goed voor. Ze zitten achter ons, of voor ons, of wachten ergens langs de snelweg. Maar ja, wat weet ik van dat soort dingen? Ik ben advocaat.

Hij haalt een kleine telefoon uit zijn overhemdzakje en laat hem aan me zien. Hij zegt: 'Je moet één ding weten, Rudd. Als ik een agent zie, ruik of hoor, dan druk ik op dit knopje en dan gebeuren er, ergens heel ver hiervandaan, nare dingen. Begrepen?'

'Begrepen. Waar gaan we naartoe, Arch? Dat is het eerste wat ik wil weten. Waar, wanneer, en hoe? Jij hebt het geld, nu moet je ons het verhaal vertellen. Waar is dat meisje en hoe kunnen we haar bereiken?'

Hij drinkt het eerste blikje leeg, smakt met zijn lippen, stopt weer een handvol chips in zijn mond en een paar kilometer lijkt het wel alsof hij stom is geworden. Dan maakt hij een nieuw blikje open. Bij de kruising zegt hij: 'Naar het zuiden.'

Er is veel verkeer in noordelijke richting, de vroege forenzen zijn op weg naar de City, maar de rijbanen naar het zuiden zijn vrijwel verlaten.

Ik kijk naar hem en zou het liefst die grijns van zijn gezicht slaan. 'Arch?'

Hij neemt nog een slok en gaat rechtop zitten. 'Ze hebben meisjes ontvoerd van Chicago tot Atlanta. Ze verplaatsen zich heel vaak, elke vier of vijf maanden. Ze werken een tijdje in een stad, maar als de mensen gaan praten en de politie gaat snuffelen verdwijnen ze, ergens anders naartoe. Het is moeilijk geheim te houden als je jonge vrouwen voor een goede prijs aanbiedt.'

'Jij zegt het. En leeft Jiliana Kemp nog?'

'O ja, zeker weten. Ze is heel actief maar heeft natuurlijk geen keus.'

'En ze is in Atlanta?'

'In de regio van Atlanta.'

'Het is een grote stad, Arch, en we hebben geen tijd voor spelletjes. Als je een adres hebt, moet je me dat nu vertellen. Dat is de afspraak.'

Hij haalt diep adem en neemt weer een grote slok. 'Ze zitten in een groot winkelcentrum waar het druk is, veel auto's en veel mensen. Het bedrijf heet Atlas Fysiotherapie, maar feitelijk is het een chic bordeel. Staat niet in de telefoongids. Therapeuten op afroep. Alleen op afspraak, geen spontane bezoekers. Iedere klant heeft een referentie nodig van een andere klant en zij, de "senior fysiotherapeuten", weten met wie ze te maken hebben. Dus als je een klant bent, parkeer je op de parkeerplaats, loop je misschien even bij Baskin-Robbins binnen voor een ijsje, wandel je over de stoep en stapt dan Atlas binnen. Een man in een witte doktersjas begroet je en doet heel aardig, maar onder zijn jas heeft hij een geladen pistool. Hij doet alsof hij een therapeut is, en hij heeft echt veel verstand van gebroken botten. Hij pakt je geld aan, zeg driehonderd dollar contant, en neemt je mee naar achteren, naar een paar kamers. Hij wijst er een aan, jij gaat naar binnen en dan zie je een klein bed en een meisje dat jong is en knap en bijna naakt. Je hebt twintig minuten met haar. Je vertrekt via een andere deur en niemand weet dat je hier "therapie" hebt gehad. De meisjes werken de hele middag – ze zijn 's ochtends vrij omdat ze lang opblijven –, dan geven ze ze te eten en brengen ze naar de stripclubs waar ze dansen en hun ding doen. Om middernacht brengen ze ze naar huis, naar een heel aardig appartementencomplex waar ze 's nachts worden opgesloten.'

'Wie zijn "ze"?'

'Mensenhandelaren, een paar ongelofelijk valse kerels. Een bende, een ring, een kartel, een gedisciplineerde groep criminelen, de meeste hebben banden met Oost-Europa, maar er zitten ook een paar plaatselijke jongens bij. Ze mishandelen die meisjes, zorgen dat ze doodsbang blijven en verslaafd aan heroïne. De meeste mensen in dit land geloven niet dat er in hun steden seksslavinnen zijn, maar dat is wel zo. Ze zijn overal. Zij, die handelaren, jagen op weggelopen en dakloze kinderen, meisjes uit disfunctionele gezinnen die willen ontsnappen. Het is een zieke business, Rudd. Heel erg ziek.'

Ik heb zin hem uit te foeteren, hem te vervloeken, hem te herinneren aan zijn nogal belangrijke rol in de business die hij schijnt te verafschuwen, maar dat zou geen zin hebben. Dus vraag ik: 'Hoeveel meisjes hebben ze nu?'

'Moeilijk te zeggen. Ze splitsen ze op, verplaatsen ze. Een paar zijn er voorgoed verdwenen.'

Ik wil dit echt niet allemaal weten. Alleen een griezel die bij deze business betrokken is kan er zoveel vanaf weten.

Hij wijst en zegt: 'Keer bij deze afslag en rijd terug naar het noorden.'

'Waar gaan we naartoe, Arch?'

'Ik laat het je zien. Even wachten.'

'Oké. Nu dat adres.'

'Dit zou ik doen als ik de politie was,' zegt hij, opeens met een autoritaire stem. 'Ik zou die plek in de gaten houden, Atlas, en dan zou ik een vent oppakken die net zijn "therapie" heeft gehad. Dat is waarschijnlijk een plaatselijke verzekeringsagent die thuis niet aan zijn trekken komt en een voorkeur heeft voor een van de meisjes – je kunt echt vragen om je favoriete meisje, hoewel dat verzoek niet altijd ingewilligd wordt; ze hebben hun eigen regels – of misschien is hij een plaatselijke ambulancejager zoals jij, Rudd, gewoon een gluiperige advocaat die iedereen wel wil pakken maar niet vaak scoort, en die voor driehonderd dollar zijn "therapie" krijgt.'

'Hoe dan ook...'

'Hoe dan ook, dan pakken ze die vent op, jagen hem de stuipen op het lijf en een paar minuten later vertelt hij ze alles, vooral de indeling van het pand. Ze maken hem eerst aan het huilen en laten hem dan gaan. Zij, die politieagenten, hebben al een huiszoekingsbevel. Ze omsingelen het pand met een van die SWAT-teams en alles gaat geweldig. De meisjes worden gered. De handelaren worden op heterdaad betrapt en als de politie het goed doet, kunnen ze er eentje aan het praten krijgen. Als dat lukt, verraadt hij de hele ring. Misschien zijn er wel honderden meisjes en tientallen pooiers. Dit zou best eens groot kunnen zijn, Rudd, en dat allemaal dankzij jou en mij.'

'Ja hoor, we zijn een geweldig team, Swanger.'

Ik neem de afslag, steek de snelweg over en rijd weer naar het noorden. Als iemand mijn bus in de gaten zou houden, dan zal die zich wel afvragen wat er verdomme aan de hand is. Mijn passagier maakt alweer een blikje open, zijn derde. De chips zijn op en ik weet wel zeker dat er overal kruimels liggen. Ik houd een snelheid aan van honderd kilometer per uur en zeg: 'Het adres, Arch.'

'Het staat in de buitenwijk Vista View, ongeveer vijftien kilometer ten westen van het centrum van Atlanta. Het winkelcentrum heet West Ivy. Atlas Fysiotherapie zit naast Sunny Boy Cleaners. De meisjes worden daar om een uur of één 's middags afgeleverd.'

'En Jiliana Kemp is een van hen?'

'Die vraag heb ik al beantwoord, Rudd. Je denkt toch niet dat ik je dit alles zou vertellen als ze daar niet was? Maar de politie kan maar beter snel een inval doen. Deze mensen kunnen binnen een paar minuten de zaak inpakken en verdwijnen.'

Ik heb wat ik wil, dus houd ik mijn mond. Om de een of andere reden zeg ik: 'Mag ik ook een biertje?'

Heel even kijkt hij geïrriteerd, alsof hij ze allemaal zelf wil opdrinken, maar dan glimlacht hij en geeft me een blikje.

16

Na een paar kilometer en na een lange, aangename stilte, knikt Swanger en zegt: 'Daar is het. Dokter Woo en zijn billboard voor vasectomiehersteloperaties. Roept herinneringen op, hè, Rudd?'

'Ik heb daar een lange nacht staan kijken terwijl zij aan het graven waren. Waarom deed je dat, Arch?'

'Waarom doe ik ál die dingen, Rudd? Waarom heb ik dat meisje ontvoerd? En haar mishandeld? En haar verkocht? Ze was niet de eerste, weet je?'

'Dat kan me op dit moment niet echt iets schelen. Ik hoop alleen dat ze wel de laatste was.'

Hij schudt zijn hoofd en zegt een beetje triest: 'Zeker weten van niet. Stop hier op de vluchtstrook.'

Ik trap op de rem en mijn bus komt tot stilstand onder de lampen van dokter Woo.

Swanger pakt de zak met geld, laat het bier achter en trekt aan de hendel van het portier. Hij zegt: 'Zeg maar tegen die stomme agenten dat ze me nooit zullen vinden.' Hij klimt uit de bus, smijt het portier dicht en springt over de vluchtstrook in het lange gras, klautert over een hek en onder het billboard door. Het laatste wat ik van Swanger zie, is dat hij onder de dikke palen door kruipt, sneller gaat lopen, een spoor in het gras maakt en dan tussen de hoge maisplanten verdwijnt.

Voor de zekerheid rijd ik een kleine kilometer door over de snelweg, stop weer en bel de politie. Ze hebben het afgelopen uur elk woord dat in de bus is gezegd gehoord, dus hoef ik maar weinig te zeggen. Ik maak ze wel duidelijk dat het stom zou zijn om te proberen Swanger op te pakken voordat de inval in die tent in Atlanta heeft plaatsgevonden. Ze lijken het met me eens te zijn. Ik zie geen enkele activiteit in en rondom de maisakker naast het billboard.

Terwijl ik terugrijd naar de City, gaat mijn mobiele telefoon. Max Mancini. Ik zeg: 'Goedemorgen.'

'Ik heb net met rechter Fabineau gesproken. Ze schijnt opeens last te hebben van voedselvergiftiging. Geen proces vandaag.'

'Jee, wat erg.'

'Ik wist wel dat je teleurgesteld zou zijn. Ga nog maar wat slapen, we spreken elkaar later wel.'

'Oké. Moet ik contact met jou opnemen?'

'Ja. En Rudd, goed werk.'

'Afwachten maar.'

Ik pik Partner op bij zijn appartement en voor een uitgebreid ontbijt gaan we naar een wafeltent. Ik vertel hem wat ik de afgelopen zeven uur heb meegemaakt en zoals gebruikelijk luistert hij zwijgend. Eigenlijk moet ik naar bed en proberen nog wat te slapen, maar ik ben te opgefokt. Ik probeer de tijd te doden in de buurt van de rechtbank, maar in gedachten ben ik bij de inval in Atlanta. Ik kan nergens anders aan denken.

Normaal gesproken zou ik fanatiek bezig zijn met de voorbereidingen voor Tadeo's proces, maar op dit moment betwijfel ik of dat wel zal plaatsvinden. Ik heb me aan mijn deel van de afspraak gehouden en dus zouden we, ongeacht Jiliana Kemps lot, een deal moeten hebben. Met een schuldbekentenis in ruil voor strafvermindering kan mijn cliënt weer vechten, en gauw ook. Maar ik vertrouw geen van de mensen met wie ik op dit moment te maken heb. Als de inval niets oplevert, zou het me niets verbazen als de burgemeester, Max Mancini, Moss Korgan, Go Slow Fabineau en de politie ergens bij elkaar komen en zeggen: 'Rudd en zijn cliënt kunnen de pot op! Laten we met dit proces beginnen!'

17

Om twee uur wemelt het op de parkeerplaats van West Ivy van de federale agenten, allemaal in allerlei verschillende outfits en in onopvallende auto's. Degenen met zwaardere wapens verbergen zich in onherkenbare busjes.

De ongelukkige hoerenloper is de eenenveertigjarige autoverkoper Ben Brown. Echtgenoot, vader van vier kinderen, leuk huis niet ver daar vandaan. Na zijn 'therapie' verlaat hij Atlas via een onherkenbare deur, stapt in zijn auto, een demonstratiemodel, en mag een kleine kilometer rijden voordat hij door een plaatselijke agent wordt aangehouden. Bens eerste woorden zijn dat hij verdomme echt niet te snel reed, maar als een zwarte SUV voor hem stopt, vermoedt hij serieuzere problemen. Hij wordt voorgesteld aan twee FBI-agenten en naar de achterbank van hun auto gebracht. Ze arresteren hem voor prostitutiebezoek en hij krijgt te horen dat hij op een later moment zal worden aangeklaagd voor diverse federale overtredingen. Atlas, wordt hem verteld, maakt deel uit van een seksring die in verschillende staten werkzaam is; vandaar de federale aanklacht. Bens leven flitst aan hem voorbij en hij kan zijn tranen bijna niet bedwingen. Hij vertelt de agenten dat hij een vrouw heeft en vier kinderen. Ze hebben geen medelijden met hem; hij zal voor jaren de bak in gaan.

Maar de agenten zijn bereid tot een deal: als hij hun alles vertelt, mag hij weer in zijn auto stappen en wegrijden, als vrij man. Aan de ene kant vermoedt Ben dat hij zijn mond moet houden en een advocaat moet eisen. Aan de andere kant wil hij ze vertrouwen en zijn huid redden.

Hij begint te praten. Dit is zijn vierde of vijfde bezoek aan Atlas. Hij had steeds een ander meisje; dat vindt hij zo prettig aan deze gelegenheid, de variëteit. Driehonderd dollar per keer. Geen papierwerk, natuurlijk niet. Hij werd aanbevolen door een vriend bij de autodealer. Alles wordt heel stil gehouden. Ja, zelf heeft hij weer twee andere vrienden aanbevolen. Referenties zijn vereist, de beveiliging lijkt streng, geheimhouding is verzekerd. Binnen is een kleine receptie waar hij altijd dezelfde man ontmoet, Travis, die een witte doktersjas draagt en probeert overtuigend te lijken. Er zijn zes tot acht kamers, allemaal ongeveer identiek: klein bed, kleine stoel, naakt meisje. Alles gaat snel. Het is een soort McDrive-seksshop, erin en eruit, heel anders dan die keer in Vegas waar het meisje om hem heen hing en ze samen chocolaatjes aten en champagne dronken.

Geen enkele glimlach van de FBI. 'Zijn er op dit moment andere mannen aanwezig?'

Ja, misschien, hij dacht dat er nog een man was. Alles is heel schoon en efficiënt, behalve de muren, die zijn heel dun en het is niet ongebruikelijk dat je behoorlijk levendige geluiden hoort van andere 'therapiesessies'. De meisjes? Tja, natuurlijk zijn er een Tiffany en een Brittany en een Amber, maar wie weet hoe ze echt heten?

Ben krijgt te horen dat hij dit nooit meer mag doen. Hij scheurt weg, hij kan niet wachten om zijn vrienden te vertellen dat ze bij Atlas uit de buurt moeten blijven.

De inval vindt even later plaats. Alle deuren worden geblokkeerd door zwaarbewapende agenten, zodat er geen tijd is om zelfs maar te dénken aan verzet of ontsnapping. Drie mannen worden geboeid en weggeleid. Zes meisjes, onder wie Jiliana Kemp, worden gered en naar een *safehouse* gebracht. Even voor drie uur 's middags belt ze haar ouders, hysterisch snikkend. Ze is dertien maanden eerder ontvoerd en heeft een kind gekregen, in gevangenschap, en ze heeft geen idee wat er met haar baby is gebeurd.

Onder enorme druk hapt een van de drie mannen, een Amerikaan, in het aas en begint te praten. Hij noemt namen, daarna adressen en vervolgens alles wat hij maar kan bedenken. Terwijl de uren verstrijken groeit het web snel. FBI-kantoren in een stuk of tien steden zetten al het andere werk in de wacht.

Een van de bankiersvrienden van burgemeester Woody heeft een zakenvliegtuig dat hij graag wil sturen. Om zeven uur op een dag die normaal gesproken als een nieuwe nachtmerrie bij Atlas zou eindigen en waarop ze zich nu zou klaarmaken voor een avond strippen en tafeldansen, vliegt Jiliana Kemp naar huis. Een stewardess die haar verzorgt, zal later zeggen dat ze de hele tijd heeft zitten huilen.

18

Alweer glipt Arch Swanger door de mazen van het net. Niemand kan hem meer vinden nadat hij in de maisakker is verdwenen. De politie denkt dat ze hem toen hadden kunnen oppakken, maar omdat ze bevel hadden te wachten tot na de inval, zijn ze hem toch kwijtgeraakt. Het is duidelijk dat hij een bondgenoot heeft. Vanaf het punt waar ik hem bij dat stopbord in Jobes heb opgepikt, is het ongeveer zestig kilometer naar het bord van dokter Woo naast de snelweg. Iemand moet de auto waarin hij is ontsnapt hebben bestuurd.

Ik denk dat ik ooit wel weer iets van hem zal horen.

19

Als het donker is, rijden Partner en ik naar het huis van bewaring om het grote nieuws aan Tadeo te vertellen. Hij krijgt de allermooiste deal aangeboden: een lichte straf, een minder zware gevangenis en de garantie van vervroegde vrijlating voor goed gedrag. Met een beetje geluk staat hij over twee jaar weer in de ring, zijn carrière opgekrikt door het feit dat hij in de bak heeft gezeten en door die beroemde YouTube-video. Ik moet toegeven dat ik opgewonden ben als ik alleen al aan zijn comeback dénk.

Uiterst tevreden vertel ik hem alles. Ik bespaar hem de details van het Swanger-avontuur, maar benadruk mijn bekwaamheid als onderhandelaar en gevreesde advocaat.

Tadeo is niet onder de indruk. Hij zegt nee. Nee!

Ik probeer hem uit te leggen dat hij dit niet af kan slaan. Hem staan tien jaar of meer te wachten in een zware gevangenis, en nu bied ik hem een deal aan die zo geweldig is dat de rechter het zelf niet eens kan geloven. Word wakker, man!

Nee.

Ik ben verbijsterd, kan het niet geloven.

Hij zit met zijn armen over elkaar geslagen, zo'n arrogante klojo, en blijft nee zeggen. Geen deal. Hij zal onder geen voorwaarde schuld bekennen. Hij heeft zijn juryleden gezien en nadat hij even heeft getwijfeld heeft hij er alle vertrouwen in dat ze hem niet zullen veroordelen. Hij blijft erop staan dat hij in de getuigenbank wil plaatsnemen om zijn kant van het verhaal te vertellen. Hij is eigenwijs, koppig en geïrriteerd door mijn wens dat hij schuld bekent.

Ik blijf rustig en vertel hem de basale feiten: de aanklacht, het bewijs, de video, de zwakte van onze getuige-deskundigen, de samenstelling van de jury, het bloedbad dat hem te wachten staat tijdens het kruisverhoor, de kans dat hij tien jaar of meer moet zitten, alles. Niets dringt tot hem door. Hij is een onschuldige man die min of meer per ongeluk met zijn blote handen een scheidsrechter heeft gedood, en dat kan hij allemaal uitleggen aan de jury. Hij zal de rechtszaal als vrij man verlaten en dan, ja, dan kan hij wraak nemen. Hij zal een nieuwe manager zoeken en een nieuwe advocaat. Hij beschuldigt me ervan dat ik niet loyaal ben.

Dat maakt me woedend en ik zeg tegen hem dat hij zich als een idioot gedraagt. Ik vraag hem naar wie hij luistert in het cellenblok.

Het wordt van kwaad tot erger en een uur later storm ik de kamer uit.

Ik dacht dat ik vannacht misschien wel zou kunnen slapen, maar het ziet ernaar uit dat mij voor dit proces alweer een slapeloze nacht te wachten staat.

20

Om vijf uur op donderdagochtend drink ik een bak sterke koffie en lees de *Chronicle* op internet. Het gaat alleen maar over de redding van Jiliana Kemp. De grootste foto op de voorpagina is precies wat ik had verwacht: burgemeester Woody in volle glorie achter het spreekgestoelte, Roy Kemp naast hem en een blauwe muur achter hen. Jiliana staat niet op de foto, hoewel er een kleinere foto is waarop ze op het vliegveld uit het vliegtuig stapt.

Honkbalpetje, grote zonnebril, kraag omhoog – je kunt niet veel zien, maar ze ziet er vrij goed uit. Er staat dat ze thuis uitrust, bij haar familie en vrienden. Het sekshandelverhaal neemt pagina's in beslag, en de FBI-operatie is kennelijk nog niet afgerond. In het hele land zijn arrestaties verricht. Tot nu toe zijn er ongeveer vijfentwintig meisjes gered. In Denver ontaardde het in een schietpartij, maar zonder ernstige gewonden.

Gelukkig staat er niets over Jiliana's heroïneverslaving of over haar verdwenen baby. Eén nachtmerrie is voorbij, andere nachtmerries gaan door. Ik neem aan dat ik enige bevrediging zou moeten voelen omdat ik hier de hand in heb gehad, maar dat is niet zo. Ik heb informatie versjacherd om een cliënt te kunnen helpen. Dat is alles. Nu is die cliënt gek geworden en win ik niets met deze deal.

Ik wacht tot het vijf uur is voordat ik een sms stuur aan zowel Max Mancini als rechter Fabineau: *Na uitgebreide discussies weigert mijn cliënt de deal te accepteren die de openbaar aanklager nu aanbiedt. Ik heb er sterk bij hem op aangedrongen om akkoord te gaan met de deal, maar tevergeefs. Het ziet ernaar uit dat het proces voortgang moet vinden, afhankelijk van de gezondheid van de rechter. Sorry. SR.*

Mancini antwoordt: *Laten we dan maar beginnen. Tot gauw.* Hij is natuurlijk heel blij, want hij zal weer in de schijnwerpers staan.

Rechter Fabineau is kennelijk snel hersteld. Ze stuurt een sms: *Oké, dan moet het maar doorgaan. We spreken elkaar om 8.30 uur in mijn kamer. Ik zal mijn bode op de hoogte brengen.*

21

De spelers verzamelen zich in de rechtszaal alsof er gisteren niets is gebeurd, of in elk geval niets wat welke invloed dan ook op het proces zou hebben. Een paar van ons weten het – ik, de officier van justitie, de rechter, Partner – maar verder weet niemand het, of zou niemand het moeten weten. Ik fluister iets tegen Tadeo.

Hij is niet van gedachten veranderd; hij kan dit proces winnen!

We trekken ons terug in de kamer van de rechter voor onze ochtend-update. Om mezelf in te dekken zeg ik tegen haar en Max dat ik wil dat mijn cliënt officieel verklaart dat hij weigert de deal te accepteren, zodat daar in de komende jaren geen enkele twijfel over kan ontstaan. Een bode brengt hem naar binnen, zonder handboeien, zonder wat dan ook.

Tadeo glimlacht en gedraagt zich uiterst beleefd. Hij moet de eed afleggen en zegt dat hij helder van geest is en begrijpt wat hij afwijst.

Fabineau vraagt Mancini om de voorwaarden van de deal op te sommen: vijf jaar voor een schuldbekentenis aan doodslag. Hare edelachtbare zegt dat ze geen bepaalde gevangenis kan garanderen, maar dat ze van mening is dat meneer Zapate het heel goed zou doen in de countygevangenis hier in de buurt. Die staat maar tien kilometer hiervandaan, zodat zijn moeder hem regelmatig kan bezoeken. Bovendien heeft ze geen invloed op de voorwaardelijke vrijlating, maar als rechter heeft ze wel de mogelijkheid vervroegde vrijlating aan te bevelen. Begrijpt hij dit allemaal?

Hij zegt van wel en herhaalt nog eens dat hij nergens schuld aan bekent.

Ik verklaar dat ik hem heb geadviseerd de deal te accepteren.

Hij zegt dat dat klopt, hij begrijpt mijn advies, maar hij gaat er niet mee akkoord.

We gaan off the record en de griffier houdt op met notuleren.

Rechter Fabineau vouwt haar handen als een oudgediende basisschoollerares, en vertelt Tadeo in gênant eenvoudige bewoordingen dat ze nooit eerder zo'n goede deal heeft meegemaakt voor iemand die wordt verdacht van het doden van een ander mens. Met andere woorden: jongen, je bent een stomkop als je deze deal niet accepteert.

Hij geeft geen krimp.

Daarna vertelt Max dat hij, als doorgewinterde officier van justitie, nooit eerder zo'n gunstige deal heeft aangeboden. Het is uitzonderlijk, echt! 'Een maand of achttien de gevangenis in met volledige toegang tot de sportzaal – en er zijn uitstekende faciliteiten in de countygevangenis – en voor je het weet sta je weer in de kooi.'

Tadeo schudt slechts zijn hoofd.

22

De juryleden komen achter elkaar binnen en kijken verwachtings-vol, zenuwachtig om zich heen. Er hangt een opgewonden sfeer in de rechtszaal nu het drama op het punt staat zich te ontvouwen.

Ik voel echter alleen maar de gebruikelijke dikke knoop in mijn maag. De eerste dag is altijd de zwaarste. Na een aantal uren zullen we in een routine vervallen en de vlinders zullen dan langzaam verdwij-nen, maar op dit moment heb ik het gevoel dat ik moet kotsen. Een oude advocaat heeft me een keer verteld dat, zodra de dag is aangebro-ken waarop ik een rechtszaal binnenloop en zonder angst naar de jury kijk, het tijd wordt ermee op te houden.

Max staat doelbewust op en loopt naar een plekje voor de jurybank. Hij schenkt ze zijn standaardwelkomstglimlach en wenst ze goede-morgen. 'Sorry van de vertraging gisteren. Nogmaals, mijn naam is Max Mancini, hoofdofficier van justitie voor de City. Dit is een ern-stige zaak, omdat het om de dood van een mens gaat. Sean King was een goede man met een liefhebbend gezin, een hardwerkende man die probeerde er als scheidsrechter een paar dollar bij te verdienen. Er bestaat geen enkele twijfel over de doodsoorzaak of over wie hem heeft gedood. De verdachte, die daar zit, zal proberen u in verwar-ring te brengen, zal proberen u ervan te overtuigen dat de wet uitzon-deringen kent voor mensen die tijdelijk, of permanent, gek worden. Onzin.'

Hij lult een tijdje door zonder aantekeningen en ik weet dat Max altijd in de problemen komt als hij zich niet aan zijn tekst houdt. De meer ervaren advocaten wekken de indruk dat ze improviseren, ter-wijl ze in werkelijkheid urenlang alles uit hun hoofd hebben geleerd en hebben geoefend. Max is niet een van hen, maar hij is niet zo erg als de meeste officieren van justitie. Hij doet iets heel slims door de jury-leden te beloven dat ze de inmiddels beroemde video straks gaan zien. Hij laat ze wachten. Hij zou, zelfs in deze beginfase van het proces, de video kunnen laten zien. Dat heeft Go Slow al gezegd. Maar hij kwelt ze hiermee. Slim van hem.

Zijn openingsverklaring is niet lang, omdat zijn zaak ijzersterk is.

Ik sta impulsief op en vertel hare edelachtbare dat ik met mijn openingsverklaring wacht tot het begin van onze verdediging, iets wat is toegestaan.

Max gaat meteen door en roept zijn eerste getuige op: de weduwe, mevrouw Beverly King. Het is een aardig uitziende dame, gekleed voor de kerk, en doodsbang voor de getuigenbank. Max behandelt haar met het gebruikelijke meelevende ritueel en een paar minuten later is ze al in tranen.

Hoewel een dergelijke getuigenverklaring niets met de schuld of onschuld van de verdachte te maken heeft, is het altijd toegestaan om nog eens duidelijk te maken dat de overledene echt dood is en dat hij of zij geliefden heeft achtergelaten. Sean was een trouwe echtgenoot, toegewijde vader, harde werker, broodwinnaar en de geliefde zoon van zijn lieve moeder. Tussen de snikken door vormen we ons het beeld en dat is, zoals altijd, dramatisch. De juryleden slikken het allemaal en een paar kijken naar Tadeo.

Ik heb hem op het hart gedrukt niet naar de juryleden te kijken, maar aandachtig aan onze tafel te blijven zitten en constant aantekeningen te maken. 'Schud niet met je hoofd. Laat geen enkele reactie of emotie zien. Op elk moment zitten er ten minste twee leden van de jury naar je te kijken.'

Ik onderwerp mevrouw King niet aan een kruisverhoor. Ze mag weg en loopt terug naar haar stoel op de eerste rij naast haar drie kinderen. Het is een prachtig gezin, duidelijk zichtbaar voor iedereen, maar vooral voor de juryleden.

De volgende getuige is de lijkschouwer, forensisch patholoog dokter Glover, een oudgediende in de rechtszaal. Doordat ik tijdens mijn carrière een aantal weerzinwekkende moordzaken heb behandeld, hebben dokter Glover en ik elkaar al eerder voor een jury in de haren gezeten. Sterker nog, in déze rechtszaal. Hij heeft een autopsie uitgevoerd op Sean King de dag na zijn dood en heeft foto's bij zich als bewijs. Een maand geleden gingen Mancini en ik bijna op de vuist om die autopsiefoto's. Normaal gesproken zijn ze niet toegestaan, omdat ze zo gruwelijk zijn en dus nadelig. Max heeft Go Slow er echter van overtuigd dat drie van de minder erge foto's acceptabel zijn. De eerste foto is van Sean op de autopsietafel, naakt, op een witte handdoek over zijn middel na. De tweede is een close-up van zijn gezicht met de camera direct boven hem. De derde is van zijn geschoren hoofd, naar rechts gedraaid zodat de zwellingen van verschillende incisies te zien zijn. De stuk of twintig andere foto's die Go Slow wijselijk heeft verboden zijn zo afschuwelijk dat geen enkele rechter zou toestaan dat de jury ze zou zien: het afzagen van de bovenkant van de schedel, vergrote foto's van de beschadigde hersens, en een stuk van de hersens dat op een laboratoriumtafel ligt.

De foto's die acceptabel zijn bevonden, worden op een groot, breed scherm geprojecteerd. Mancini bespreekt ze stuk voor stuk met de arts. De doodsoorzaak was een klap met een stomp voorwerp, veroorzaakt door herhaalde stoten tegen de bovenkant van het gezicht. Hoeveel stoten? Nou, daarvoor hebben we de video, die kan ons dat laten zien. Dit is alweer een slimme actie van Max: de beelden laten zien terwijl er een arts in de getuigenbank zit. Het licht wordt gedimd en op het grote scherm beleven we de tragedie opnieuw: de twee vechters in het midden van de ring, beiden overtuigd van de zege; Sean King tilt de rechterhand omhoog van Crush, die verbaasd lijkt; Tadeo, die eerst ongelovig zijn schouders laat zakken en dan opeens Crush van opzij aanvalt, een laffe stoot. Voordat King kan reageren haalt Tadeo naar hem uit: eerst met een harde rechtse op zijn neus, en dan een linkse. King valt achteruit tegen de wand van de kooi aan, daar zit hij, voorovergebogen, weerloos, knock-out, terwijl Tadeo als een beest boven op hem springt en maar stoten blijft uitdelen.

'Tweeëntwintig slagen op het hoofd,' vertelt dokter Glover aan de juryleden die verlamd zijn door het geweld. Ze zien dat een volkomen gezonde man wordt doodgeslagen.

En mijn idiote cliënt denkt dat hij wordt vrijgesproken.

De video eindigt als Norberto de ring in rent en Tadeo vastpakt. Op dat moment hangt Sean Kings kin op zijn borst en zit zijn gezicht onder het bloed. Crush is bewusteloos. Er ontstaat een chaos als er nog meer mensen in beeld komen. Als het oproer begint, wordt het scherm zwart.

Artsen hebben alles geprobeerd om de intense zwelling van Kings hersens te verlichten, maar niets heeft gewerkt. Hij stierf vijf dagen later zonder weer bij bewustzijn te zijn gekomen. Er wordt een afbeelding van een CT-scan vertoond en dokter Glover praat over hersenkneuzingen. Bij een nieuwe afbeelding vertelt hij over bloedingen in de hersenhelften. Een andere afbeelding laat een groot subduraal hematoom zien. De getuige bespreekt al jaren autopsies en doodsoorzaken met jury's en hij weet hoe hij dat moet doen. Hij neemt er alle tijd voor, legt dingen uit en probeert vaktermen te vermijden. Dankzij de video is dit waarschijnlijk een van zijn eenvoudigere zaken. Het slachtoffer was volkomen gezond toen hij de kooi binnenliep en verliet de kooi op een brancard, en iedereen weet waarom.

Het is altijd tricky om in aanwezigheid van de jury een discussie aan te gaan met een getuige-deskundige. Vaker wel dan niet verliest de advocaat het gevecht én zijn geloofwaardigheid. Vanwege de feiten in deze zaak heb ik toch al heel weinig geloofwaardigheid en ik ben niet van plan er nog meer van kwijt te raken. Ik sta op en zeg beleefd: 'Geen vragen.'

Als ik ga zitten, sist Tadeo tegen me: 'Wat doe je nou, man? Je moet die kerels aanpakken.'

'Hou je in, wil je?' zeg ik met opeengeklemde kaken. Ik ben doodziek van zijn arrogantie en het is wel duidelijk dat hij me wantrouwt. Ik betwijfel of dat ooit zal veranderen.

23

Als we die middag even pauzeren, krijg ik een sms van Miguel Zapate. Ik heb hem die ochtend in de rechtszaal gezien, een van de grote groep familieleden en vrienden die op de achterste rij bij elkaar zitten; ze volgen alles aandachtig maar vanaf een zo groot mogelijke afstand. We ontmoeten elkaar in de hal en wandelen naar buiten. Norberto, de voormalige manager van Team Zapate, loopt met ons mee. Partner volgt ons op enige afstand.

Ik maak hun duidelijk dat Tadeo een heel voordelige deal heeft afgewezen: hij had over achttien maanden vrij kunnen zijn en weer kunnen vechten.

Maar zij hebben een nog betere deal: jurylid nummer tien is de achtendertigjarige Esteban Suarez. Hij werkt als vrachtwagenchauffeur bij een levensmiddelentransportbedrijf. Vijftien jaar geleden is hij legaal vanuit Mexico naar de VS geëmigreerd. Miguel zegt dat hij een vriend heeft die hem kent.

Ik laat mijn verbazing niet merken nu we ons op glad ijs begeven. We lopen een smalle eenrichtingsweg in, waar de hoge gebouwen alle zonlicht tegenhouden. 'Hoe kent je vriend hem?' vraag ik.

Miguel is een kleine crimineel, een drugskoerier voor een bende die zich bezighoudt met het smokkelen van cocaïne, maar daar zelf weinig aan overhoudt. Miguel en zijn mannen bevinden zich in het midden van de duistere distributieketen, zonder ruimte om nog door te groeien. Op datzelfde punt bevond Tadeo zich toen we elkaar nog geen twee jaar geleden leerden kennen.

Miguel haalt zijn schouders op en zegt: 'Mijn vriend kent heel veel mensen.'

'Dat geloof ik graag. En wanneer heeft je vriend meneer Suarez voor het laatst gesproken? In de afgelopen vierentwintig uur?'

'Dat is niet belangrijk. Wat wel belangrijk is, is dat we een deal met hem kunnen sluiten en de kosten daarvoor zijn gering.'

'Als je een jurylid omkoopt, kun je in dezelfde gevangenis terechtkomen als Tadeo.'

'*Señor*, alstublieft. Voor tienduizend dollar zorgt Suarez voor een hung jury, misschien zelfs voor vrijspraak.'

Ik blijf staan en kijk dit minderwaardige boefje aan. Wat weet hij van vrijspraken? 'Als jij denkt dat de jury je broer zal vrijspreken, ben je gek, Miguel. Gaat niet gebeuren.'

'Oké, dan zorgen we voor een niet-unanieme beslissing. Je zei zelf dat wanneer dat één keer gebeurt en dan nog een keer, de officier van justitie alles zal afblazen.'

Ik begin weer te lopen, langzamer nu, omdat ik geen idee heb waar we naartoe gaan. Partner loopt vijftig meter achter ons. Ik zeg: 'Prima, koop maar een jurylid om, maar ik wil er niets mee te maken hebben.'

'Oké, señor, geef me het geld, dan regel ik het.'

'O, nu begrijp ik het. Je hebt geld nodig.'

'Ja, señor. Zoveel geld hebben we niet.'

'Ik ook niet, vooral niet omdat ik je broer vertegenwoordig. Ik heb al dertigduizend dollar betaald aan een juryconsultant, twintigduizend aan een psycholoog, plus nog eens twintigduizend aan onkosten. Vergeet niet, Miguel, dat ik in mijn vak normaal gesproken wórd betaald, door de cliënt, het honorarium voor de vertegenwoordiging. En de cliënt betaalt ook alle onkosten. Het is niet andersom.'

'Vecht u daarom niet?'

Ik blijf staan en kijk hem aan. 'Je hebt geen idee waar je het over hebt, Miguel. Ik doe mijn uiterste best met de feiten die ik heb. Jullie hebben het idiote idee dat ik je broer door een groot, geheimzinnig gat in de wet kan slepen en hem als vrij man de rechtszaal uit kan krijgen. En weet je? Dat gaat niet gebeuren, Miguel. Zeg dat maar tegen die koppige broer van je.'

'We moeten tienduizend hebben, Rudd. Nu.'

'Jammer. Want dat heb ik niet.'

'Dan willen we een nieuwe advocaat.'

'Te laat.'

24

D is voor donutshop. Na alweer een slapeloze nacht tref ik Nate Spurio in een bakkerij vlak bij de universiteit. Zijn ontbijt bestaat uit zwarte koffie en twee met honing geglazuurde donuts gevuld met jam. Ik heb geen honger, dus drink ik alleen koffie. Nadat we een paar minuten over koetjes en kalfjes hebben gekletst, zeg ik: 'Luister, Nate, ik heb het vrij druk tegenwoordig. Wat wil je?'

'Het proces, hè?'

'Ja.'

'Ik hoor dat je wordt ingemaakt.'

'Ja, het gaat niet lekker. Maar jij belde. Wat is er aan de hand?'

'Niet veel. Roy Kemp en zijn familie hebben me gevraagd je een paar woorden over te brengen. Ze hebben het meisje naar een afkickkliniek gestuurd. Ze is er natuurlijk slecht aan toe, maar ze is nu in elk geval veilig en bij haar familie. Ik bedoel, kijk, Rudd, deze mensen dachten dat ze dood was en nu hebben ze haar terug. Ze zullen alles doen om haar er weer bovenop te helpen. En misschien zijn ze de baby op het spoor. Deze zaak is nog in volle gang, in het hele land. Gisteravond meer arrestaties, meer meisjes naar een veilige plek. Ze hebben een tip over de bende die de baby's verkoopt en die trekken ze nu na.'

Ik knik, neem een slok en zeg: 'Dat is goed.'

'Inderdaad. En Roy Kemp wil dat je weet dat hij en zijn gezin je heel dankbaar zijn voor wat je allemaal hebt gedaan zodat het meisje weer thuis is.'

'Hij heeft mijn zoon ontvoerd!'

'Kom op, Rudd.'

'Zijn dochter was ontvoerd, dus hij weet hoe dat voelt. Het maakt me niet uit hoe dankbaar hij is. Hij mag van geluk spreken dat ik de FBI niet achter hem aan heb gestuurd, anders zat hij nu in de bak.'

'Jezus, Rudd. Laat toch zitten. Deze zaak heeft een gelukkig einde, dankzij jou.'

'Ik verdien hier niets mee en ik wil er niets mee te maken hebben. Zeg maar tegen meneer Kemp dat ie de pot op kan.'

'Zal ik doen. Ze hebben een aanwijzing over Swanger. Gisteravond, een tip van een barkeeper in Racine, Wisconsin.'

'Geweldig. Zullen we over een week of zo weer afspreken voor een biertje? Ik heb het vrij druk op dit moment.'

'Tuurlijk.'

25

Voordat het proces op vrijdagochtend wordt hervat, staan Partner, Cliff en ik even bij elkaar in de hal van de rechtbank. Op dit moment is het Cliffs taak om op verschillende plekken tussen de toeschouwers in te gaan zitten en naar de juryleden te kijken. Zijn indruk van de vorige dag is niet verrassend: de juryleden hebben geen medelijden met Tadeo en ze hebben hun mening al klaar. 'Accepteer de deal als die nog steeds geldig is,' zegt hij steeds weer. Ik vertel hem over mijn gesprek met Miguel van de vorige dag. Cliffs antwoord: 'Nou, als je een van hen kunt omkopen, moet je opschieten.'

Als de jury binnenkomt, kijk ik naar Esteban Suarez. Ik was van plan even een steelse blik op hem te werpen, zoals ik altijd doe tijdens een proces, maar hij kijkt naar mij alsof hij verwacht dat ik hem een envelop ga overhandigen. Wat een sukkel! Maar ik twijfel er niet aan dat iemand contact met hem heeft gehad, en ik twijfel er ook niet aan dat hij niet te vertrouwen is. Is hij zijn geld al aan het tellen?

Rechter Fabineau zegt 'Goedemorgen' en heet iedereen hartelijk welkom terug in haar rechtszaal. Zoals gebruikelijk vraagt ze de juryleden of iemand onrechtmatig contact heeft gehad met louche figuren die hen wilden omkopen. Ik kijk weer naar Suarez en hij kijkt naar mij. Ik weet zeker dat anderen dat ook zien.

Meneer Mancini staat op en zegt: 'Edelachtbare, de staat staakt de bewijsvoering. We hebben nog wel een aantal getuigen, maar die roepen we voorlopig niet op.'

Dit is niet verrassend, want dat had Max me al verteld. Hij heeft slechts twee getuigen opgeroepen omdat hij er niet meer nodig heeft. Nogmaals, de video spreekt voor zich en Max is wel zo verstandig dat in te zien. Hij heeft de doodsoorzaak en de dader duidelijk aangetoond.

Ik loop naar de jurybank, kijk naar iedereen behalve naar Suarez en begin met een opsomming van alles wat al duidelijk is. 'Mijn cliënt heeft Sean King gedood. Er was geen sprake van opzet, het was geen geplande actie. Hij heeft hem tweeëntwintig keer geslagen. Tadeo herinnert het zich niet. In de vijftien minuten voordat hij Sean King aanviel, kreeg Tadeo Zapate zevenendertig slagen tegen zijn hoofd van Crush, ook wel bekend onder de naam Bo Fraley. Zevenendertig keer. Hij ging niet knock-out maar was wel mentaal beschadigd. Hij herinnert zich heel weinig van na de tweede ronde, toen Crush met een knie tegen zijn kaak ramde. We zullen u, de jury, het hele gevecht laten zien, de zevenendertig slagen tegen zijn hoofd tellen en aantonen dat Tadeo niet wist wat hij deed toen hij scheidsrechter King aanviel.' Ik houd het kort, want veel meer kan ik niet zeggen. Ik bedank ze en ga zitten.

Mijn eerste getuige is Oscar Moreno, Tadeo's trainer en de man die zijn mogelijkheden als zestienjarige bokser als eerste herkende. Oscar is ongeveer even oud als ik, ouder dan Tadeo's meeste bendeleden, en hij heeft heel veel ervaring. Hij komt vaak in een sportschool voor hispanic kinderen en biedt de meer getalenteerde kinderen aan ze te trainen. Hij heeft toevallig ook geen strafblad, een groot voordeel als je iemand als getuige oproept. Wanneer je een veroordeling op je naam hebt staan, blijft je dat je hele leven achtervolgen. Jury's hebben weinig op met criminelen die onder ede iets beweren.

Samen met Oscar bespreek ik de basis voor de gebeurtenissen voorafgaand aan het gevecht. Het is een hele opgave om voor elkaar te krijgen dat de juryleden met Tadeo meeleven. Tadeo is een arme jongen uit een arm gezin die pas in de kooi een echte kans kreeg om zijn leven te verbeteren. Ten slotte komen we bij het gevecht en wordt het licht in de rechtszaal gedimd. Voor het eerst gaan we het gevecht zien zonder interrupties. In het schemerdonker kijk ik naar de juryleden. De vrouwen wenden hun blik af voor de wreedheid van deze sport, maar de mannen zijn geboeid. Tijdens de herhaling stop ik de video elke keer als Tadeo in zijn gezicht wordt geslagen. In werkelijkheid richten de meeste stoten niet veel schade aan; Crush heeft er ook maar een paar punten mee gescoord. Maar voor juryleden die niet beter weten, wordt een stoot in het gezicht, vooral als Oscar en ik die zo hebben uitvergroot, een bijna-dodelijke stoot. Langzaam, systematisch, tel ik ze. Als ze zo uitvergroot worden vertoond, vraag je je af hoe Tadeo in vredesnaam op zijn benen kon blijven staan. Met nog één minuut twintig te gaan in de tweede ronde, slaagt Crush erin Tadeo's hoofd naar voren en tegen zijn rechterknie te slaan. Dat is inderdaad een nare stoot, die Tadeo echter niet versufte. Maar nu doen Oscar en ik net alsof deze stoot een permanente hersenbeschadiging heeft veroorzaakt.

Ik zet de video stil na afloop van de tweede ronde, en met zorgvuldig geoefende vragen en antwoorden krijg ik van Oscar zijn indrukken van Tadeo tussen de rondes door. Zijn ogen stonden glazig. Hij kon alleen maar kreunen, niet praten. Hij reageerde niet op de vragen die Norberto en Oscar op hem afvuurden. Hij, Oscar, overwoog de scheids duidelijk te maken dat hij het gevecht moest stopzetten.

Het liefst zou ik Norberto ook als getuige oproepen, maar hij is twee keer veroordeeld voor een zwaar misdrijf en zou door Mancini in de pan worden gehakt.

Wat in deze getuigenverklaring ongezegd blijft, is dat ik ook in de hoek stond. Ik droeg mijn felgele Tadeo Zapate-jasje en probeerde net te doen alsof mijn aanwezigheid ook vereist was. Dat heb ik uitgelegd aan Max en Go Slow, en ik heb ze verzekerd dat ik niets belangrijks heb gehoord of gezien. Ik was slechts een toeschouwer en kan dus niet als getuige worden beschouwd. Max en Go Slow weten dat ik ernaartoe ging omdat ik gek ben van de sport en niet om het geld.

We kijken naar de derde ronde en tellen nog meer stoten tegen Tadeo's hoofd. Oscar verklaart dat Tadeo na afloop van het gevecht dacht dat hij nog een ronde kon vechten. Hij wist niet meer wat hij deed, hij was amper bij bewustzijn maar stond nog steeds op zijn benen. Nadat hij Sean King had aangevallen en door Norberto en anderen van hem af was getrokken, leek hij wel een agressieve hond die niet wist waar hij was of waarom hij werd vastgehouden. Een halfuur later, toen hij zich in de kleedkamer omkleedde onder het toeziend oog van de politie, kwam hij weer tot zichzelf. Hij wilde weten wat die politieagenten daar deden. Hij vroeg of hij het gevecht had gewonnen.

Alles bij elkaar genomen zijn we er redelijk in geslaagd enige twijfel te veroorzaken. Maar zelfs als je met een oppervlakkige blik naar de drie rondes kijkt, kun je zien dat het gevecht in evenwicht was. Tadeo veroorzaakte evenveel schade als hij opliep.

Mancini bereikt niets tijdens het kruisverhoor. Oscar houdt vast aan de feiten. Hij was daar, in de hoek, pratend tegen zijn vechter, en als hij zegt dat de jongen te veel stoten tegen zijn hoofd kreeg, dan is dat zo, Max kan het tegendeel niet bewijzen.

Daarna roep ik onze expert op, dokter Taslman, de gepensioneerde psychiater die nu als getuige-deskundige werkt. Hij draagt een zwart pak, een gesteven wit overhemd en een rood vlinderstrikje, en met zijn bril met hoornen montuur en lange, golvende grijze haar ziet hij er ongelofelijk goed uit. Langzaam neem ik met hem zijn kwalificaties door en presenteer hem als een expert op het gebied van forensische psychiatrie. Max heeft geen bezwaren.

Dan vraag ik dokter Taslman of hij in eenvoudige bewoordingen kan uitleggen wat de juridische betekenis is van 'ontoerekeningsvatbaarheid', een term die tien jaar geleden door onze staat is ingevoerd.

Hij glimlacht tegen me en kijkt dan naar de juryleden als een oude hoogleraar die geniet van een gesprek met zijn studenten die hem bewonderen. Hij zegt: 'Ontoerekeningsvatbaarheid betekent gewoon dat iemand die geestelijk gezond is iets verkeerds doet en ook weet dat het verkeerd is, maar op dat moment mentaal zo onevenwichtig of gestoord is, dat hij zichzelf er niet van kan weerhouden het toch te doen. Hij weet dat het fout is, maar heeft geen controle over zichzelf en daardoor begaat hij het misdrijf.'

Taslman heeft het gevecht vele malen bekeken, en ook de video van wat er daarna is gebeurd. Hij heeft een paar uur met Tadeo doorgebracht. Tijdens hun eerste ontmoeting vertelde Tadeo hem dat hij zich de aanval op Sean King niet kon herinneren. Dat klopt, hij herinnerde zich vrijwel niets van na de tweede ronde. Maar tijdens een latere sessie kon Tadeo zich bepaalde dingen wel voor de geest halen. Hij zei bijvoorbeeld dat hij zich de arrogante blik op Crush' gezicht herinnerde toen hij als winnaar werd aangewezen op het moment dat de scheids zijn arm omhoognield. Hij herinnerde zich dat het publiek schreeuwde om te laten merken dat ze het oneens waren met dit besluit. Hij herinnerde zich dat zijn broer Miguel iets riep. Maar hij herinnerde zich niets van de aanval op de scheidsrechter. Maar ongeacht wat hij zich wel of niet voor de geest kon halen, werd hij verblind door emoties en kon niet anders dan aanvallen. Hij was beroofd van de zege, en de dichtstbijzijnde official was Sean King.

Ja, naar dokter Taslmans mening draaide Tadeo zo door dat hij zichzelf niet meer kon beheersen. Ja, hij was in juridisch opzicht ontoerekeningsvatbaar geworden en dus niet verantwoordelijk voor zijn daden.

En er is een andere, hoewel ongebruikelijke factor in het spel die deze zaak uniek maakt. Tadeo stond in een kooi die was gemaakt om in te vechten. Hij had net negen lange minuten achter de rug waarin hij stoten uitwisselde met een tegenstander. Hij verdient zijn geld met het vechten tegen mensen. Voor zijn gevoel was het op dat cruciale moment heel normaal om de strijd met nog meer stoten aan te gaan. In die context bezien, en in die omgeving, had hij het gevoel dat hij geen keus had en wel moest doen wat hij deed.

Nadat ik klaar ben met Taslman stoppen we even om te lunchen.

26

Ik ga naar de rechtbank voor familierechtszaken. Zoals ik al had verwacht, heeft de oude rechter Leef Judiths verzoek om een spoedhoorzitting afgewezen en de zaak over vier weken op de rol gezet. Hij heeft ook bevolen dat de gebruikelijke bezoekregels ongewijzigd blijven.

Die zit, schatje.

Cliff, Partner en ik lopen naar een restaurantje een paar straten verderop, nemen plaats in een zitje achteraf en eten een broodje. De getuigenverklaringen van deze ochtend hadden niet beter kunnen gaan voor Tadeo. We zijn alle drie verbaasd over hoe goed Oscar het heeft gedaan en hoe geloofwaardig hij was toen hij de juryleden vertelde dat Tadeo knock-out had moeten gaan maar toch nog op zijn benen bleef staan. Dat zouden maar weinig fans pikken, maar die zitten er niet in onze jury. Voor twintigduizend dollar had ik verwacht dat dokter Taslman een bewonderenswaardig optreden zou neerzetten, en dat heeft hij gedaan. Cliff zegt dat de juryleden hun mening nu heroverwegen en dat er een paar zwaar aan het twijfelen zijn gebracht. Toch is vrijspraak onmogelijk. Een hung jury is nog steeds onze enige kans. En het kon weleens een lange middag worden als Mancini onze getuige-deskundige in de tang neemt.

Terug in de rechtszaal begint Max met de vraag: 'Dokter Taslman, op welk moment werd de verdachte in juridisch opzicht ontoerekeningsvatbaar?'

'Er is niet altijd sprake van een duidelijk begin en einde. Kennelijk werd meneer Zapate woedend om de beslissing van de scheidsrechter om de zege aan zijn tegenstander toe te kennen.'

'Dus vóór dat moment was hij volgens uw definitie al ontoerekeningsvatbaar?'

'Dat is niet duidelijk. Er is een grote kans dat meneer Zapate mentaal beschadigd is geraakt in de laatste paar minuten van het gevecht. Dit is een bijzonder ongebruikelijke situatie en het is onmogelijk te achterhalen hoe helder hij kon nadenken voordat de beslissing bekend werd gemaakt. Maar het is wel duidelijk dat hij snel doordraaide.'

'Hoe lang was hij in juridisch opzicht ontoerekeningsvatbaar?'

'Ik denk niet dat het mogelijk is dat te zeggen.'

'Oké, was het volgens uw definitie een aanval toen de verdachte zich omdraaide en Sean King de eerste stoot gaf?'

'Ja.'

'En volgens bepaalde normen strafbaar?'

'Ja.'

'En vergeeflijk, naar uw mening, vanwege uw definitie?'

'Ja.'

'U hebt de video vele malen bekeken. Het is duidelijk dat Sean King geen poging heeft gedaan zichzelf te verdedigen nadat hij was gevloerd en tegen de kooi zat, klopt dat?'

'Dat lijkt zo te zijn.'

'Wilt u de video nog een keer zien?'

'Nee, dat is niet nodig.'

'Dus na slechts twee stoten is Sean King gevloerd en buiten westen, niet in staat zichzelf te verdedigen, klopt dat?'

'Dat lijkt zo te zijn, ja.'

'Tien stoten later is zijn gezicht een bloedende massa en feitelijk verbrijzeld. Hij kan zichzelf niet verdedigen. De verdachte heeft hem twaalf keer rondom zijn ogen en voorhoofd gestoten. Dokter, was de verdachte op dat moment nog steeds in juridisch opzicht ontoerekeningsvatbaar?'

'Hij kon zichzelf niet beheersen, dus is het antwoord ja.'

Mancini kijkt naar de rechter en zegt: 'Oké. Ik wil de video nog een keer laten zien, nu in slow motion.'

Het licht wordt gedimd en weer kijkt iedereen naar het grote scherm.

Max laat de film supervertraagd afspelen en telt hardop bij elke stoot: 'Eén! Twee! Hij is nu gevloerd. Drie! Vier! Vijf!'

Ik kijk naar de juryleden. Ze zouden de beelden misschien wel zat kunnen zijn maar zijn er nog altijd door gefascineerd.

Max zet de video stil bij stoot nummer twaalf en vraagt: 'En, dokter, u zegt tegen deze jury dat ze naar een man kijken die weet dat hij iets verkeerds doet, die weet dat hij de wet overtreedt, maar die fysiek en mentaal niet in staat is zich te beheersen. Klopt dat?' Max vraagt het ongelovig, spottend, en dat heeft effect. Waar we naar kijken is een

374

slachting door een nijdige vechter, niet door een man die gek is geworden.

'Dat klopt,' zegt dokter Taslman; hij geeft geen duimbreed toe.

'Dertien, veertien, vijftien,' Max telt ze langzaam af en zet het beeld stil bij twintig. Hij roept: 'Oké, is hij op dit moment nog steeds ontoerekeningsvatbaar, dokter?'

'Inderdaad.'

'Eenentwintig, tweeëntwintig,' en Norberto duikt eindelijk boven op hem en maakt een einde aan de slachting.

Max vraagt: 'En nu dan, dokter, nu ze hem van hem af hebben getrokken en een einde hebben gemaakt aan de aanval? Op welk moment is de jongen niet langer ontoerekeningsvatbaar?'

'Dat is moeilijk te zeggen.'

'Een minuut later? Een uur later?'

'Dat is moeilijk te zeggen.'

'Dat is moeilijk te zeggen, omdat u het niet weet, nietwaar? Volgens u is juridische ontoerekeningsvatbaarheid net een schakelaar die aan en uit gaat. Dat komt de verdachte wel goed uit, nietwaar?'

'Dat heb ik niet gezegd.'

Max drukt op een knopje en het scherm verdwijnt. Het licht gaat weer aan en iedereen haalt adem. Max fluistert iets tegen een assistent en pakt een ander schrijfblok dat vol staat met aantekeningen. Hij loopt naar het spreekgestoelte, kijkt naar de getuige en vraagt: 'En als hij hem dertig keer had gestoten, dokter Taslman? Zou u dan nog steeds verklaren dat hij juridisch ontoerekeningsvatbaar was?'

'Als de feiten dezelfde zijn, ja.'

'O, maar we hebben het over dezelfde feiten, er is niets veranderd. En veertig keer? Veertig stoten tegen het hoofd van een man die zichtbaar bewusteloos is. Nog steeds juridisch ontoerekeningsvatbaar, dokter?'

'Ja.'

'Deze verdachte zag er niet uit alsof hij zou stoppen na slechts tweeentwintig stoten. Stel dat hij honderd stoten tegen het hoofd had uitgedeeld, dokter? Nog steeds juridisch ontoerekeningsvatbaar volgens u?'

Taslman verdient zijn geld met: 'Hoe meer stoten, hoe duidelijker het bewijs dat iemand ontoerekeningsvatbaar is.'

27

Het is vrijdagmiddag en het gaat echt niet lukken om deze rechtszaak vandaag af te ronden. Net als de meeste rechters houdt Go Slow ervan vroeg aan het weekend te beginnen. Ze waarschuwt de juryleden voor ongeoorloofd contact en schorst de zitting al snel.

Als de juryleden achter elkaar de rechtszaal verlaten, kijkt Esteban Suarez weer naar mij. Alsof hij nog steeds op die envelop zit te wachten. Bizar.

Ik blijf een paar minuten bij Tadeo zitten en neem de week met hem door. Hij wil nog steeds per se getuigen, en ik vertel hem dat dit maandagochtend misschien gaat gebeuren. Ik beloof zondag bij hem op bezoek te komen om zijn getuigenverklaring met hem door te nemen. Ik herhaal mijn waarschuwing dat het nooit een goed idee is dat de verdachte zelf getuigt. Hij wordt geboeid weggeleid. Ik ga een paar minuten bij zijn moeder en familie zitten, en beantwoord hun vragen. Ik ben nog steeds pessimistisch maar probeer dat niet te laten merken.

Miguel loopt met me mee de rechtszaal uit en door een lange gang. Als niemand hem kan horen, zegt hij: 'Suarez wacht. Contact bevestigd. Hij zal het geld aanpakken.'

'Tienduizend?' vraag ik, voor de zekerheid.

'*Sí*, señor.'

'Dan moet je het doen, Miguel, maar laat mij erbuiten. Ik ga echt geen jurylid omkopen.'

'Dan heb ik een lening nodig, señor.'

'Vergeet het. Ik leen geen geld aan cliënten en ik geef niemand een lening die nooit zal worden terugbetaald. Dit moet je zelf doen, vriend.'

'Maar we hebben voor u met die twee boeven afgerekend!'

Ik blijf staan en kijk hem aan. Dit is de eerste keer dat hij over die mannen van Link begint: Tubby en Razor. Langzaam zeg ik: 'Voor alle duidelijkheid, Miguel, ik weet niets van die twee. Als jullie ze hebben vermoord, was dat jullie eigen beslissing.'

Hij glimlacht en schudt zijn hoofd. 'Nee, señor, dat hebben we gedaan als een gunst aan u.' Hij knikt naar Partner, die verderop staat. 'Hij heeft het gevraagd, wij hebben het gedaan. Nu moet u ons een wederdienst bewijzen.'

Ik haal diep adem en kijk naar een enorm glas-in-loodraam dat de belastingbetalers een eeuw geleden hebben betaald. Hij heeft een punt: twee dode schurken zijn veel meer waard dan tienduizend dollar, in elk geval in de valuta van de straat. Het probleem is de communicatie. Ik heb niet om twee dode schurken gevraagd. Maar ben ik, nu ik voordeel heb van hun dood, verplicht hun een wederdienst te bewijzen?

Suarez draagt waarschijnlijk een microfoontje en misschien zelfs een camera. Als het geld kan worden teruggeleid naar mij, word ik geschorst en de gevangenis in gegooid. Ik ben al vaker bijna gearresteerd, en ik geef de voorkeur aan een leven buiten de gevangenis. Ik slik moeizaam en zeg: 'Sorry, Miguel, maar ik wil er niets mee te maken hebben.'

Ik draai me om en hij grijpt mijn arm. Ik schud me los als Partner aan komt lopen. Miguel zegt: 'Daar krijgt u spijt van, señor.'

'Is dat een dreigement?'

'Nee. Een belofte.'

28

Er zijn gevechten vanavond, maar ik heb deze week al genoeg bloed zien vloeien. Ik moet dus op zoek naar ander tijdverdrijf en op dit moment is dat toevallig de jacht op de lieflijke Naomi Tarrant.

Omdat we elkaar nog altijd in het geheim ontmoeten, of in elk geval bang zijn dat we worden gezien door iemand die haar herkent als een lerares, bezoeken we duistere bars en goedkope restaurants. Vanavond gaan we naar een nieuwe tent, een Thais restaurant aan de oostkant van de stad, ver van de school waar Naomi Starcher lesgeeft. We hebben er alle vertrouwen in dat we niet gezien zullen worden door iemand die we kennen.

Helaas. Naomi ziet haar als eerste, en omdat ze het niet kan geloven, vraagt ze of ik het wil bevestigen. Dat is niet eenvoudig, omdat we niet betrapt willen worden. Het restaurant is donker genoeg en heeft een aantal verborgen hoekjes en nissen. Het is een geweldige plek om je te verstoppen en te eten zonder dat veel mensen je zien. Als Naomi naar het toilet is geweest en terugloopt naar ons tafeltje, ziet ze drie zitjes achter in de eetzaal. In een van die zitjes ziet ze, naast elkaar en diep in gesprek, Judith met een andere vrouw. Niet Ava, haar huidige partner, maar iemand anders. Het zitje wordt gedeeltelijk afgescheiden door een kralengordijn, zodat Naomi het niet echt goed kan zien, maar ze weet zeker dat het Judith is. Het zou logisch zijn dat de twee vrouwen, als ze alleen maar vriendinnen of collega's zijn, tegenover elkaar zouden zitten. Maar deze twee vrouwen zitten stijf tegen elkaar aan en lijken zich in een andere wereld te bevinden, volgens Naomi.

Ik sluip naar het herentoilet, verstop me achter een paar nepplanten die in grote potten op een plank staan, en zie wat ik zo wanhopig graag wil zien. Ik loop snel terug naar ons tafeltje en vertel Naomi dat ze helemaal gelijk heeft. Ik overweeg weg te gaan om een gênante situatie te voorkomen. We willen niet dat Judith ons ziet, en ik weet heel zeker dat zij niet wil dat wij haar zien.

Ik overweeg Naomi naar de auto te sturen en dan Judiths gezellige rendez-vous te verstoren. Het zou geweldig zijn om haar in elkaar te zien krimpen en haar te horen liegen. Dan zal ik naar Ava vragen en zeggen dat ze haar mijn groeten moet overbrengen.

Ik denk aan Starcher en aan wat dit zou kunnen betekenen in de oorlog tussen zijn biologische ouders. Zijn moeders zijn niet officieel getrouwd, waardoor ik aanneem dat het prima is als ze met andere vrouwen afspreken, hoewel ik serieus betwijfel of ze wel een open relatie hebben. Hoe moet ik weten welke regels zij hanteren? Maar als Ava dit ontdekt, zal de oorlog zelfs nog feller worden gevoerd, met als gevolg nog meer verdriet voor Starcher en nog meer munitie voor mij.

Ik overweeg Partner te bellen en hem opdracht te geven Judith te volgen en misschien een paar foto's te maken.

Terwijl ik dit allemaal overdenk en mijn whiskey met citroen opdrink, komt Judith de hoek om en loopt rechtstreeks naar ons tafeltje. In de verte zie ik dat haar vriendin snel via de voordeur verdwijnt, met nog een laatste steelse, verraderlijke blik achterom. Judith zegt, als een echte bitch: 'Zo zo, ik had niet verwacht jullie hier te zien.'

Ik ben niet van plan toe te laten dat ze Naomi intimideert, die heel even verslagen lijkt en zegt: 'Ik had ook niet verwacht jou hier te zien. Ben je alleen?'

'Ja,' zegt ze. 'Even wat eten halen.'

'Is dat zo? Wie was die vrouw dan?'

'Welke vrouw?'

'Die vrouw bij jou in het zitje. Kort donkerblond haar, volgens de huidige mode opzij gekamd. De vrouw die zojuist bijna haar nek brak toen ze via de voordeur wegsloop. Kent Ava haar?'

'O, die vrouw. Ze is gewoon een vriendin. Vindt de school het goed dat leraren afspraakjes hebben met ouders?'

'Ze vinden het niet geweldig, maar het is niet verboden,' zegt Naomi op kille toon.

'Vindt Ava het goed dat je een date hebt met een andere vrouw?' vraag ik.

'Dit was geen date. Ze is gewoon een vriendin.'

Ze negeert me en kijkt naar Naomi. 'Ik denk dat ik dit aan de school moet melden.'

'Ga je gang,' zeg ik. 'Dan zal ik dit aan Ava melden. Past zij op Starcher, terwijl jij hier zit te flirten?'

'Ik zit niet te flirten en op dit moment heb jij niets te maken met mijn zoon. Vorig weekend heb je dat recht verspeeld.'

Een kleine Thaise man in pak komt naar ons toe en vraagt met een brede glimlach: 'Alles oké hier?'

'Ja hoor, ze gaat net weg,' zeg ik. Ik kijk Judith aan: 'Alsjeblieft. We willen graag bestellen.'

'Ik zie je in de rechtbank,' sist ze en ze draait zich op haar hakken om. Ik kijk haar na, ze heeft geen eten bij zich. De kleine Thaise man zweeft weg, nog steeds glimlachend. We drinken onze drankjes op en kijken ten slotte naar de menukaart.

Na een paar minuten zeg ik: 'Ons geheim is veilig, hoor. Ze zal niets aan de school vertellen, want ze weet dat ik Ava dan zal bellen.'

'Zou je dat echt doen?'

'Zonder ook maar één seconde te aarzelen. Dit is een oorlog, Naomi, en er zijn geen regels, en geen van ons denkt er ook maar aan om eerlijk spel te spelen.'

'Wil je de voogdij over Starcher?'

'Nee, ik ben geen goede vader. Maar ik wil wel een rol in zijn leven blijven spelen. Wie weet, misschien worden hij en ik ooit vrienden.'

We brengen de nacht door in haar appartement en slapen zaterdag lang uit. We zijn allebei uitgeput. We worden wakker van het geluid van een zware regenbui en besluiten een omelet te maken en die in bed op te eten.

29

De laatste getuige van de verdediging is de verdachte zelf.

Voordat hij op maandagochtend wordt opgeroepen, overhandig ik de rechter en de officier van justitie een brief die ik aan Tadeo Zapate heb geschreven. Het doel is hem schriftelijk op de hoogte te stellen van het feit dat hij tegen het advies van zijn advocaat in getuigt. De vorige dag heb ik hem twee uur lang aan een kruisverhoor onderworpen, en hij denkt dat hij er klaar voor is.

Hij zweert de waarheid te vertellen, kijkt met een zenuwachtige glimlach naar de jury en leert meteen de angstaanjagende les dat het uitzicht vanuit de getuigenbank behoorlijk intimiderend is. Iedereen kijkt naar hem en wil horen wat hij in vredesnaam zal zeggen om zichzelf te verdedigen. Een griffier zal elk woord noteren. De rechter kijkt ernstig op hem neer, alsof ze klaarzit hem een uitbrander te geven. De officier van justitie kan niet wachten hem onderuit te halen. Zijn moeder die ver weg zit op de achterste rij kijkt ontzettend ongerust. Hij haalt diep adem.

Ik bespreek met hem zijn achtergrond: familie, scholing, baantjes, het feit dat hij geen strafblad heeft, zijn bokscarrière en zijn succes in de wereld van de Mixed Martial Arts. De jury is ziek van de video, net als ieder ander in de rechtszaal, dus laat ik die niet zien. We houden ons aan ons script en praten over het gevecht. Hij slaagt er behoorlijk goed in om te beschrijven hoe het was om zoveel stoten te incasseren. Hij en ik weten dat Crush niet veel harde stoten heeft uitgedeeld, maar dat weten de juryleden niet. Hij vertelt ze dat hij zich het einde van het gevecht niet herinnert, maar nog wel vaag weet dat zijn tegenstander triomfantelijk zijn armen hief voor een zege die hij niet had verdiend. Ja, hij draaide door, hoewel hij zich alles niet echt goed voor de geest kan halen. Hij was overweldigd door een gevoel van onrechtvaardigheid. Zijn carrière was voorbij, zijn zege gestolen. Hij herinnert zich vaag dat de scheidsrechter Crush' arm optilde, daarna is alles zwart.

Het eerste wat hij zich daarna voor de geest kan halen, is dat hij in de kleedkamer was en dat twee politieagenten naar hem keken. Hij vroeg de agenten wie het gevecht had gewonnen en een van hen vroeg: 'Welk gevecht?' Ze deden hem handboeien om en vertelden hem dat hij was gearresteerd voor excessief geweld. Dat verbijsterde hem, hij kon niet geloven wat er gebeurde. In het huis van bewaring vertelde een andere agent hem dat Sean King levensgevaarlijk gewond was geraakt. Toen begon hij, Tadeo, te huilen.

Zelfs nu kan hij het nog niet geloven. Zijn stem trilt een beetje en hij veegt iets uit zijn linkeroog. Hij is geen erg goede acteur.

Als ik ga zitten, springt Mancini overeind en roept zijn eerste vraag: 'Meneer Zapate, hoe vaak bent u al ontoerekeningsvatbaar geworden?' Dat is een briljante opening, een geweldige vraag die met net voldoende sarcasme is gesteld. Hij slaagt erin Tadeo belachelijk te maken. 'Wanneer was de eerste keer dat u ontoerekeningsvatbaar werd? Hoe lang heeft dat geduurd? Is er die eerste keer iemand gewond geraakt? Krijgt u altijd een black-out als u ontoerekeningsvatbaar wordt? Hebt u daar ooit een arts voor bezocht? Nee? Waarom niet? Bent u nadat u Sean King hebt aangevallen, onderzocht door een arts, eentje die niets met dit proces te maken heeft? Komt ontoerekeningsvatbaarheid meer voor in uw familie?'

Als deze aanval een halfuur heeft geduurd, heeft het woord zijn betekenis verloren. Is het een grap.

Tadeo doet zijn uiterste best rustig te blijven, maar hij heeft zichzelf nauwelijks in de hand.

Mancini lacht hem feitelijk uit en de juryleden lijken het vermakelijk te vinden.

Max vraagt naar zijn carrière als amateurbokser.

Vierentwintig zeges, zeven verloren partijen.

Max zegt: 'U moet het zeggen als ik me vergis, maar vijf jaar geleden, toen u zeventien was en meedeed aan het Golden Gloves-districtstoernooi, verloor u op het nippertje van ene Corliss Beane. Klopt dat?'

'Ja.'

'Bijzonder zwaar gevecht, nietwaar?'

'Ja.'

'Was u van slag door die uitkomst?'

'Ik vond het niet leuk, vond dat het een foute beslissing was, ik vond dat ik het gevecht had gewonnen.'

'Werd u ontoerekeningsvatbaar?'

'Nee.'

'Kreeg u een black-out?'

'Nee.'

'Hebt u op enige manier uw frustratie geuit over deze beslissing?'

'Volgens mij niet.'

'Herinnert u het zich wel, of laat uw geheugen u alweer in de steek?'

'Ik herinner het me.'

'Hebt u iemand geslagen toen u nog in de ring was?'

Tadeo kijkt met een schuldige blik die hem verraadt naar mij maar zegt: 'Nee.'

Mancini haalt diep adem, schudt zijn hoofd alsof hij het vreselijk vindt wat hij nu gaat doen en zegt: 'Edelachtbare, ik heb nog een korte video die ons hier misschien kan helpen. Dit is het einde van het gevecht van vijf jaar geleden tegen Corliss Beane.'

Ik sta op en zeg: 'Edelachtbare, ik weet hier niets van. Dit is me niet van tevoren verteld.'

Max is er klaar voor, omdat hij deze hinderlaag weken geleden al heeft bedacht. Hij zegt, vol vertrouwen: 'Edelachtbare, het is niet bekendgemaakt, omdat dat niet noodzakelijk is. De staat laat deze video niet zien als bewijs van de schuld van de verdachte; daarom, volgens Regel 92F, is er geen voorafgaande kennisgeving nodig. Nee, de staat laat deze video alleen maar zien om de geloofwaardigheid van deze getuige ter discussie te stellen.'

'Mag ik de beelden dan ten minste zien voordat de jury ze ziet?' vraag ik, langzaam.

'Dat klinkt redelijk,' zegt Go Slow. 'Laten we de zitting vijftien minuten schorsen.'

In haar kamer kijken we naar de video: Tadeo en Corliss Beane in het midden van de ring met de scheids, die Beane aanwijst als winnaar door diens rechterhand op te tillen; Tadeo rukt zijn hand los uit die van de scheids, loopt naar zijn hoek, krijgt een woedeaanval en schreeuwt iets, banjert door de ring, wordt steeds kwaaier, loopt naar de touwen, schreeuwt tegen de juryleden en botst per ongeluk tegen Corliss Beane op, die helemaal niet op hem let en van zijn zege geniet. Er zijn anderen in de ring en iemand begint te duwen, de scheids stapt tussen de twee vechtersbazen in en Tadeo duwt hem opzij. De arbiter, een grote vent, duwt terug en even lijkt het alsof er een chaos zal uitbreken in de ring, maar iemand grijpt Tadeo en trekt hem weg, nog steeds trappend en schreeuwend.

Alweer liegt de camera niet. Tadeo lijkt een slechte verliezer, een heethoofd, een snotaap, een gevaarlijke man die het geen enkel probleem vindt een vechtpartij te beginnen.

Go Slow zegt: 'Wel relevant lijkt me.'

30

Ik kijk naar de juryleden als zij de beelden zien. Een paar schudden hun hoofd.

Na afloop gaat het licht weer aan en begint Max genietend weer over die zogenaamde ontoerekeningsvatbaarheid, hij gaat maar door.

Tadeo's geloofwaardigheid is volkomen verdwenen en dat kan ik niet herstellen.

De verdediging staakt de bewijsvoering.

Mancini roept zijn eerste getuige à charge op, psychiater Wafer. Hij werkt voor de psychiatrische afdeling van de staat en zijn reputatie is smetteloos. Hij heeft in onze staat gestudeerd en praat met ons accent. Hij is niet de briljante deskundige van heel ver hiervandaan zoals Taslman, maar hij maakt wel indruk. Hij heeft de video's bekeken, allemaal, en heeft zes uur doorgebracht met de verdachte, meer dan Taslman.

Tot twaalf uur discussieer ik met Wafer, met weinig succes.

Als we vertrekken voor de lunch komt Mancini naar me toe en vraagt: 'Mag ik met je cliënt praten?'

'Waarover?'

'Over de deal, man.'

'Tuurlijk.'

We lopen naar de tafel van de verdediging, waar Tadeo nog zit.

Max buigt zich naar hem toe en zegt zacht: 'Luister vriend, ik bied je nog steeds vijf jaar. Dat betekent achttien maanden. Voor doodslag. Als je nee zegt, ben je echt krankzinnig, want je staat op het punt twintig jaar te krijgen.'

Tadeo lijkt hem te negeren. Hij glimlacht alleen maar en schudt zijn hoofd. Nee.

Hij heeft nu zelfs nog meer zelfvertrouwen, omdat Miguel het geld heeft gevonden en de envelop al aan Suarez heeft overhandigd. Dat hoor ik pas als het al te laat is.

31

Na de lunch komen we bij elkaar in de kamer van de rechter, waar Go Slow een plastic bord heeft staan vol plakjes wortel en selderij, alsof we haar storen tijdens haar maaltijd. Ik neem aan dat het er alleen maar staat voor de show.

Ze vraagt: 'Meneer Rudd, hoe zit het met de schuldbekentenis in ruil voor strafvermindering? Ik begrijp dat het aanbod nog steeds geldig is.'

Ik haal mijn schouders op en zeg: 'Ja, rechter, ik heb dit besproken met mijn cliënt, net als meneer Mancini. De jongen wil niet.'

Ze zegt: 'Oké, we gaan even off the record. Nu ik de bewijzen heb gezien, neig ik naar een langere straf, een jaar of twintig. Ik geloof niets van die ontoerekeningsvatbaarheidsonzin, net als de jury. Het was een smerige aanval en hij wist heel goed wat hij deed. Ik denk dat twintig jaar terecht is.'

'Mag ik dit aan mijn cliënt vertellen? Off the record natuurlijk?'

'Doe maar.' Ze strooit zout op wat selderij, kijkt naar Mancini en vraagt: 'Wat nu?'

Max zegt: 'Ik heb nog maar één getuige, dokter Levondowski, maar ik weet niet zeker of we hem wel nodig hebben. Wat denkt u, edelachtbare?'

Go Slow bijt een stuk van een stengel af. 'Moet u zelf weten, maar volgens mij is de jury er klaar voor.' Kauw, kauw. 'Meneer Rudd?'

'Vraagt u het aan mij?'

'Ach, waarom niet,' zegt Max. 'Plaats jezelf in mijn positie en neem een besluit.'

'Tja, Levondowski gaat alleen maar herhalen wat Wafer al heeft gezegd. Ik heb hem al eens eerder een kruisverhoor afgenomen en hij is oké, maar volgens mij is Wafer een veel betere getuige. Ik zou het hierbij laten.'

Max zegt: 'Volgens mij heb je gelijk. We staken de bewijsvoering.'

Eensgezind, een echt team.

Tijdens Max' slotpleidooi kijk ik steeds naar Esteban Suarez, die helemaal door zijn schoenen in beslag is genomen. Hij heeft zich teruggetrokken in een cocon en lijkt niets te horen. Er is iets veranderd aan deze vent, en heel even vraag ik me af of Miguel erin is geslaagd hem aan zijn kant te krijgen. Misschien niet met geld, maar met dreigementen, met intimidatie. Misschien hebben ze hem een paar kilo coke beloofd.

Max vat de zaak keurig samen en laat die verdomde video gelukkig niet nog een keer zien. Hij stuurt aan op dood door schuld, op het niet te ontkennen feit dat Tadeo zijn dodelijke aanval op Sean King misschien niet heeft gepland, maar duidelijk wel van plan was hem ernstig lichamelijk letsel toe te brengen. Hij had zich niet voorgenomen de scheidsrechter te doden, maar dat heeft hij dus wel gedaan. Hij had één stoot kunnen uitdelen, twee stoten misschien, en het daarbij kunnen laten. Dan was hij schuldig geweest aan mishandeling, maar niet aan een nog zwaarder misdrijf. Maar nee, tweeëntwintig keiharde stoten op het hoofd van een man die zichzelf niet kon verdedigen. Tweeëntwintig stoten uitgedeeld door een goed getrainde vechter die heeft toegegeven dat hij wilde dat iedere tegenstander de ring op een brancard verliet. Nou, daar is hij in geslaagd. Sean King heeft de ring op een brancard verlaten en is niet meer wakker geworden.

Max bedwingt de natuurlijke neiging van iedere officier van justitie om te lang door te zagen. Hij heeft de jury in zijn zak en dat voelt hij aan. Ik denk dat iedereen het aanvoelt, misschien met uitzondering van mijn cliënt.

Ik begin met te zeggen dat Tadeo Zapate geen moordenaar is. Hij heeft op straat geleefd, veel geweld gezien, is zelfs een broer kwijtgeraakt aan een zinloze bendeoorlog. Hij heeft het allemaal meegemaakt en wil er niets mee te maken hebben. Daarom heeft hij geen strafblad en geen verleden van geweld buiten de ring. Ik loop heen en weer voor de jurybank, kijk ieder jurylid aan, probeer een band op te bouwen. Suarez kijkt alsof hij het liefst in een hol wil kruipen.

Ik probeer medeleven op te wekken en ga even in op het onderwerp ontoerekeningsvatbaarheid. Ik vraag de jury om Tadeo onschuldig te bevinden of niet zwaarder te straffen dan voor dood door schuld. Als ik terugloop naar de tafel van de verdediging, heeft Tadeo zijn stoel zo ver mogelijk bij de mijne vandaan geschoven.

Rechter Fabineau stuurt de juryleden weg met allerlei instructies.

Het is drie uur 's middags en nu begint het wachten. Ik vraag een bode of Tadeo naar zijn familie in de rechtszaal mag nu de jury weg is. Hij overlegt met zijn collega's en gaat dan met tegenzin akkoord.

Tadeo stapt langs het hek en gaat op de voorste rij zitten. Zijn moeder, een zus, een paar neven en nichten gaan om hem heen staan en iedereen begint te huilen. Mevrouw Zapate heeft haar zoon al maanden niet kunnen aanraken en kan hem maar niet loslaten.

Ik verlaat de rechtszaal, zoek Partner en dan lopen we samen naar een koffiebar verderop in de straat.

32

Om kwart over vijf komen de juryleden de rechtszaal weer binnen, zonder dat er ook maar iemand glimlacht. De voorzitter overhandigt het vonnis aan een bode die hem weer aan de rechter overhandigt. Ze leest het heel langzaam door en vraagt of de verdachte op wil staan. Ik sta ook op. Ze schraapt haar keel en leest voor: 'Wij, de jury, bevinden de verdachte schuldig aan moord op Sean King.'

Tadeo kreunt zacht en buigt zijn hoofd. Iemand in de Zapate-clan op de achterste rij hapt naar adem. We gaan zitten.

De rechter ondervraagt alle juryleden, een voor een en allemaal zeggen ze schuldig, allemaal. Ze feliciteert hen met hun goede werk, vertelt hun dat ze de cheque voor hun juryservice per post toegezonden krijgen en stuurt ze naar huis.

Zodra ze weg zijn, bepaalt ze de deadlines voor moties en dergelijke, en een datum voor over een maand voor het bekendmaken van het vonnis.

Ik schrijf het allemaal op en negeer mijn cliënt. Hij negeert mij ook en veegt over zijn ogen. Hij wordt omringd door bodes die hem handboeien omdoen. Hij vertrekt zonder een woord te zeggen.

Terwijl de rechtszaal leegloopt, vertrekt de familie Zapate ook. Miguel slaat een arm om zijn moeder heen, die volkomen van slag is. Zodra ze in de gang staan, duidelijk zichtbaar voor een paar journalisten en televisiecamera's, grijpen drie agenten in burger Miguel en vertellen hem dat hij gearresteerd is.

Obstructie van de rechtsgang, omkoping en beïnvloeding van de jury. Suarez droeg inderdaad een microfoontje.

33

Nu ik de zaak heb verloren, ontloop ik de verslaggevers. Mijn telefoon gaat, dus zet ik hem uit. Partner en ik gaan naar een donkere bar om onze wonden te likken. Ik sla bijna een halve liter bier achterover voordat een van ons iets zegt.

Partner begint met: 'Vertel eens, baas, heb je echt overwogen Suarez om te kopen?'

'Ik heb erover nagedacht.'

'Dat wist ik, dat zag ik.'

'Maar er klopte iets niet. Bovendien speelde Mancini eerlijk spel, hij bedroog me niet. Als de goeie jongens het spel zo spelen heb ik geen keus, maar Mancini hoefde dat niet te doen. We hebben geprobeerd de zaak netjes af te handelen, wat ongebruikelijk is.'

Ik drink mijn glas leeg en bestel een nieuwe.

Partner heeft twee slokken gehad. Miss Luella keurt drinken niet goed en zal er iets over zeggen als ze het ruikt. 'Wat gebeurt er met Miguel?' vraagt hij.

'Het ziet ernaar uit dat hij een tijdje tegelijk met zijn broer moet brommen.'

'Ga je hem verdedigen?'

'Nee, verdomme! Ik heb het helemaal gehad met die Zapate-jongens!'

'Denk je dat hij iets zal zeggen over Links mannen?'

'Dat betwijfel ik. Hij heeft nu al genoeg problemen. Een paar moorden zullen hem niet echt helpen.'

We bestellen een mandje friet en zeggen dat dit ons avondeten is.

We verlaten de bar. Ik houd de bus en zet Partner af bij zijn appartement.

Het is maandag en Naomi heeft het druk met het nakijken van toetsen. 'Regel maar even dat Starcher een tien krijgt,' zeg ik tegen haar.

'Natuurlijk,' zegt ze.

Ik heb behoefte aan liefde, maar vanavond kan ze me niet helpen.

Ten slotte ga ik naar huis; het voelt er kil en eenzaam. Ik trek een spijkerbroek aan en loop naar The Rack. Daar drink ik een biertje, rook een sigaar en speel twee uur lang 8-ball, helemaal alleen. Om tien uur kijk ik naar mijn telefoon. Iedere Zapate in de stad is naar me op zoek: een moeder, een tante, een zus, en Tadeo en Miguel vanuit het huis van bewaring. Nu hebben ze me kennelijk nodig. Ik heb het helemaal gehad met deze lui, maar ik weet ook dat ze me niet met rust zullen laten.

Twee verslaggevers bellen me. Mancini wil iets met me drinken. Ik heb geen idee waarom.

En er is een voicemail van Arch Swanger. *Gecondoleerd met je grote verlies.* Hoe weet ie dat, verdomme?

Ik moet de stad uit. Om middernacht stop ik wat kleren, de golfclubs en een halve kist dure bourbon in de bus, gooi een muntje op en ga naar het noorden. Ik rijd door tot ik bijna in slaap val en stop dan bij een budgetmotel waar ik veertig dollar betaal voor één nacht.

De volgende dag om een uur of twaalf ben ik bij een golfbaan, zomaar ergens, helemaal alleen.

Deze keer weet ik zeker dat ik niet terugga.